河出文庫

21 Lessons

21世紀の人類のための21の思考

ユヴァル・ノア・ハラリ

柴田裕之 訳

河出書房新社

21 Lessons
21世紀の人類のための21の思考

目次

Ⅳ 真実

Ⅴ レジリエンス

21 Lessons
21世紀の人類のための21の思考

無限の信頼を寄せ、卓越した才能を発揮してくれる我が配偶者イツィクと、
つねに気遣い支えてくれる母プニーナと、
尽きることのない無私の喜びを示してくれる祖母ファニーに愛をこめて捧げる。

はじめに

的外れな情報であふれ返る世界にあっては、明確さは力だ。理屈の上では、誰もが人類の将来についての議論に参加できるが、明確なビジョンを維持するのはとても難しい。議論が行なわれていることや、カギを握る問題が何であるかに、私たちは気づきさえしないことも多い。物事をじっくり吟味してみるだけの余裕がない人が何十億もいる。仕事や子育て、老親の介護といった、もっと差し迫った課題を抱えているからだ。あいにく、歴史は目こぼししてくれない。もし、子供たちに食事や衣服を与えるのに精一杯なあなたを抜きにして人類の将来が決まったとしても、その決定がもたらす結果をあなたも子供たちも免れることはできない。これはなんとも不公平だが、そもそも歴史は公平なものではないのだ。

私は歴史学者なので、人々に食べ物や着る物を与えることはできないけれど、それなりの明確さを提供するように努め、それによって世の中を公平にする手助けをすることはできる。それに力を得て、私たち人間という種(しゅ)の将来をめぐる議論に加わる人が、たとえわずかでも増えたなら、私は自分の責務を果たせたことになる。

最初の拙著『サピエンス全史――文明の構造と人類の幸福』では、人間の過去を見渡し、ヒトという取るに足りない霊長類が地球という惑星の支配者となる過程を詳しく考察した。

第二作の『ホモ・デウス――テクノロジーとサピエンスの未来』では、生命の遠い将来を探究し、人間がいずれ神となる可能性や、知能と意識が最終的にどのような運命をたどるかについて、入念に考察した。

本書では、「今、ここ」にズームインしたいと思っている。かといって、長期的な視点も失いたくない。遠い過去や遠い未来についての見識は、現在の問題や、人間社会が抱える差し迫ったジレンマを理解する上で、どう役に立つのか？　現時点で、何が起こっているのか？　今日の重大な課題や選択は何か？　私たちは何に注意を向けるべきか？　子供たちに何を教えるべきか？

もちろん、七〇億の人がいれば七〇億通りの課題リストがあり、すでに指摘したように、全体像について考える余裕というのは、なかなか手に入らない贅沢（ぜいたく）だ。ムンバイのスラムで苦労して二人の子供を育てているシングルマザーは、次の食事のことしか頭にない。地中海の真ん中で小舟に揺られている難民は、陸影を求めて血眼（ちまなこ）で水平線を眺め回す。込み合ったロンドンの病院で死にゆく人は、残る力を振り絞ってあと一度、息を吸い込もうとする。彼らはみな、地球温暖化や自由民主主義の危機よりも、はるかに切迫した問題に直面している。どんな書物もそのすべてを公平に取り扱うことはできないし、そのような状況にある人々に与えるべき教訓を、私は持ち合わせていない。彼らから学べることを願うのみだ。

私はグローバルな視点に立って本書を書いた。だから、世界各地の社会のあり方を決めている主要な力や、地球全体の将来を左右しそうな大きな力に注目する。生死の瀬戸際にある人々は気候変動のことなどまったく頭にないかもしれないが、いずれ気候変動のせいでムンバイのスラムには人が住めなくなったり、新たに厖大(ぼうだい)な数の難民が地中海を渡ってヨーロッパに押し寄せたり、世界的な医療危機が起こったりしかねない。

現実は多くの糸によって織り成されており、本書は、私たちが瀕しているグローバルな苦境のさまざまな面を取り上げるものの、もちろんそれを余すところなく捉えるわけではない。『サピエンス全史』や『ホモ・デウス』とは違い、本書は歴史の物語としてではなく、一連の考察として意図されている。これらの考察は、単純な答えで終わりはしない。その目的は、さらなる思考を促し、現代の主要な議論のいくつかに読者が参加するのを助けることにある。

じつは本書は、世間の人々との対話という形で書かれた。多くの章は、読者やジャーナリストや同業者から投げかけられた疑問への返答から成り立っている。なかには、初期のバージョンを別の形ですでに発表した文章も含まれている。おかげで、フィードバックを受けてさらに主張に磨きをかける機会が得られた。テクノロジー、政治、宗教、芸術に的を絞った章もある一方で、人間の叡智(えいち)を称える章もあれば、人間の愚かさが演じる、見逃すことのできない役割を強調する章もある。だが、何よりも大切な疑問に変わりはない。すなわち、今日の世界で何が起こっているのか、そして、さまざまな出来事の持つ深い意味合いは何か、だ。

ドナルド・トランプの躍進は何を意味するのか？　虚偽（フェイク）のニュースの蔓延に対して打つ手はあるのか？　自由民主主義はなぜ危機に陥っているのか？　神は復活したのか？　新たな世界大戦が到来するのか？　どの文明が世界を支配するのか？　西洋の文明か、中国の文明か、イスラムの文明か？　ヨーロッパは移民に門戸を開き続けるべきか？　ナショナリズムは不平等と気候変動の問題を解決できるか？　テロに対してどんな手を打つべきなのか？

本書はグローバルな視点に立つが、私は個人のレベルをないがしろにするつもりはない。それどころか、私たちの時代の大きな革命の数々と個人の内面世界とのつながりを強調したい。たとえば、テロはグローバルな政治問題であると同時に内面的な心理のメカニズムにかかわるものでもある。テロは、私たちの心の奥底にある「恐れボタン」を押し、無数の人がそれぞれ自分の中に持つ想像の世界をハイジャックすることで威力を発揮する。同様に、自由民主主義の危機は、議会や投票所だけではなく、ニューロン（神経細胞）やシナプス（神経細胞間の接合部）でも展開する。「個人的なことは政治的なこと」というのは、個人と政治が切り離せないことを訴える、ありきたりのスローガンだ。だが、科学者や企業や政府が人間の脳に対してハッキングを行なう方法を習得しつつある時代にあって、この陳腐な文句は、かつてないほど邪（よこしま）な意味合いを帯びるようになった〔訳註　本書でいう、人間や脳などに対する「ハッキング」とは、脳などのメカニズムとダイナミクスを解明すること。それによって人間の選択や感情を予測したり操作したりすることが可能になる〕。したがって、本書は社会全体の挙動だけではなく個人の振る舞いについての所見も提供する。

グローバルな世界は、個人の振る舞いと道徳性に前代未聞の圧力をかける。私たちの一人ひとりが、すべてを網羅する無数の「クモの巣」に搦め捕られており、そうしたクモの巣は私たちの動きを制限する一方、どんな小さな動きでさえもはるか彼方まで伝える。私たちが日々行なっていることが、地球の裏側の人々や動物の生活に影響を与え、個人のちょっとした意思表示が思いがけず全世界を燃え上がらせることもある。チュニジアでモハメド・ブアジジが焼身自殺し、それがいわゆる「アラブの春」の民主化運動の発端となったり、女性たちが自らが受けたセクシャル・ハラスメントを公表し、被害を告発する「#MeToo 運動」を引き起こしたりしたのがその好例だ。

このように人々の私生活にはグローバルな側面があるため、私たちの宗教的偏見や政治的偏見、人種やジェンダー（社会的・文化的性別）に伴う特権、制度による抑圧に私たちが図らずも荷担している事実などを暴くことが、かつてないほど重要になっている。だがそれは、現実的な企てなのだろうか？　私の視野をはるかに超える世界、すっかり人間の手に負えなくなっている世界、あらゆる神やイデオロギーに疑いの目を向ける世界で、確固とした倫理的基盤をどうして見つけられるだろう？

本書ではまず、目下の政治とテクノロジーにまつわる苦境を概観する。二〇世紀の幕が下りる頃、ファシズムと共産主義と自由主義のイデオロギー上の激しい戦いは、自由主義の圧勝に終わったかに見えた。民主政治、人権、自由市場資本主義が全世界を制覇することを運命づけられているように思えた。だが例によって、歴史は意外な展開を見せ、ファシズムと共産主義が崩壊した後、今度は自由主義が窮地に陥っている。では、私たちはどこに向かっているのか?

これはとりわけ差し迫った疑問と言える。なぜなら、情報テクノロジー（IT）とバイオテクノロジーにおける双子の革命が、私たちの種がこれまで出合ったうちで最大の難題を突きつけてきたまさにそのときに、自由主義は信用を失いつつあるからだ。ITとバイオテクノロジーが融合することで、間もなく何十億もの人が雇用市場から排除され、自由と平等の両方が損なわれかねない。ビッグデータを利用するアルゴリズムがデジタル独裁政権を打ち立て、あらゆる権力がごく少数のエリートの手に集中する一方、大半の人は搾取ではなく、それよりもはるかに悪いもの、すなわち無用化に苦しむことになるかもしれない。

ITとバイオテクノロジーの融合については、前作『ホモ・デウス』で詳しく論じた。だが、『ホモ・デウス』では長期的な見通しに的を絞り、何世紀も、いや何千年もの期間を視野に入れたのに対して、本書では、当面の社会的、経済的、政治的危機をもっぱら扱う。ここでの私の関心は、いつか起こるだろう非有機生命体の創造よりも、福祉国家や、欧州連合（ＥＵ）のような特定の組織に対する脅威に向けられている。

本書では、新しいテクノロジーの影響を網羅しようとは思わない。テクノロジーにはすばらしい期待が持てるとはいえ、むしろここでは主に脅威と危険を際立たせるつもりだ。テクノロジー革命を先導する企業や起業家は当然ながら、自らの所産を褒めそやしがちだから、警鐘を鳴らし、物事がとんでもない方向に進みうる可能性を余さず説明するのは、社会学者や哲学者、そして、私のような歴史学者の責務となる。

私たちが直面する難題の概略を述べた後、本書の第二部では、考えうる多様な対応を詳しく考察する。フェイスブックの技術者は人工知能（ＡＩ）を使い、人間の自由と平等を保護するグローバルなコミュニティを創り出せるだろうか？　ひょっとしたら、グローバル化の過程を逆転させ、国民国家に再び権限を与えることが解決策になるのだろうか？　ことによると私たちはさらに時間をさかのぼり、古代の宗教伝統の泉から希望と叡智を汲み出す必要があるかもしれない。

第三部では、以下のことを明らかにする。すなわち、私たちが直面するテクノロジー上の難題には前例がなく、政治的な対立は熾烈ではあるものの、首尾良く恐れを抑え込み、自分たちの見方についてもう少し謙虚になれば、人類はこの難局に対処できる、ということだ。この第三部では、テロの脅威や、グローバルな戦争の危険、そうした争いを引き起こす偏見や憎しみに関して、何ができるかを詳しく調べる。

第四部では、「ポスト真実（トゥルース）」という概念に取り組み、今なお私たちにはグローバルな情勢をどれほど理解できるか、そして、悪行と正義をどこまで区別できるかを問う。ホモ・サピエンスは自らが創り出した世界を理解できるだろうか？　現実を虚構から隔てる明確な境界は依然として存在するのか？

最後の第五部では、さまざまな糸を撚（よ）り合わせ、混迷の時代——古い物語が破綻し、それに取って代わる新しい物語がまだ出現していない時代——における人生を、さらに全般的に眺める。私たちは何者なのか？　人生において何をなすべきなのか？　どのような技能を必要とするのか？　科学や神、政治、宗教について知っていること、知らないことのいっさいを踏まえれば、今日、人生の意味について何が言えるのか？

こうした問いに答えようとするのは、あまりにも野心的に思えるかもしれないが、ホモ・サピエンスは待ってはいられない。哲学も宗教も科学も、揃って時間切れになりつつある。人は何千年にもわたって人生の意味を論じてきたが、この議論を果てしなく続けるわけにはいかない。迫りくる生態系の危機や、増大する大量破壊兵器の脅威、台頭する破壊的技術がそれを許さないだろう。そしてこれが最も重要かもしれないが、生命を設計し直し、作り変える力を、ＡＩとバイオテクノロジーが人間に与えつつある。程なく誰かが、この力をどう使うかを決めざるをえなくなる——生命の意味についての、何らかの暗黙の、あるいは明白な物語に基づいて。哲学者というのは恐ろしく辛抱強いものだが、それに比べると技術者はずっと気が短く、投資家はいちばん性急だ。もしあなたが、生命を設計する力をどう使うべきかわからなかったとしても、答えを思いつくまで、市場の需要と供給の原理は一〇〇〇年も待っていてはくれない。市場の見えざる手が見境のない答えをあなたに押しつけるだろう。生命の将来を四半期収益報告書のなすがままに任せる気がないのなら、いったい生命とは何かについて、あなたは明確な考えを持つ必要がある。

最終章では、私たちの種に幕が下り、まったく異なるドラマが始まる直前に、一人のサピエンスが別のサピエンスに語りかける形で、個人的な意見をいくつか述べさせてもらう〔訳註　著者は第一作の『サピエンス全史』で、「ホモ・サピエンスという種の生き物（現生人類）を指すときに、『サピエンス』という言葉をしばしば使」う、と述べている〕。

この知的な旅に乗り出す前に、きわめて重要な点を一つ強調しておきたい。本書の大半では、自由主義の世界観と民主主義制度の欠点について論じる。それは私が、自由民主主義は比類のないほど多くの問題を抱えていると信じているからではなく、むしろ、現代社会の課題に取り組むためにこれまでに人間が開発した政治モデルのうちで最も出来が良く、融通が利くと考えているからだ。自由民主主義は、あらゆる社会にとって、あらゆる発展段階でふさわしいわけではないにせよ、他のどんな選択肢と比べても、より多くの社会で、より多くの状況でその有用性を発揮してきた。したがって、私たちの前途に待ち受ける新たな課題を詳しく考察するときには、自由民主主義の限界を理解し、その現状をどのように適応させたり改善したりできるかを探究する必要がある。

あいにく現在の政治情勢下では、自由主義と民主主義についての批判的思考はどんなものであれ、独裁者やさまざまな非自由主義的運動に悪用されかねない。そうした独裁者や運動の参加者は、人類の将来についての開かれた議論に加わることは念頭になく、自由民主主義の信用を傷つけることにしか関心がないからだ。彼らは自由民主主義が抱える問題については嬉々として議論するものの、何であれ自らに向けられた批判は、まず許さない。

したがって、私は著者として難しい選択を迫られた。本音を率直に語り、自分の言葉が文脈を無視して引用され、急速に発展している独裁国家を正当化するために使われる危険を冒すべきか？　それとも、自らの文章を検閲するべきか？　国境の外においてさえ言論の自由を難しくするのは、非自由主義の政権の特徴だ。そのような政権が蔓延しているせいで、私たちの種の将来について批判的に考えるのは、しだいに危険になりつつある。

私は熟慮の末、自己検閲ではなく自由な議論を選んだ。自由主義モデルを批判しなければ、このモデルの欠点を改めることも、その先に進むこともできないからだ。だが本書は、人々が好きなことを考え、望むとおりに表現することが、依然として比較的自由にできる時代にだけ書きえた点は、心に留めておいてほしい。もしあなたが本書の価値を認めてくれるなら、表現の自由の価値も高く評価するべきだろう。

I テクノロジー面の難題

人類は、ここ数十年にわたって
グローバルな政治を支配してきた
自由主義の物語への信頼を失いつつある――
人類がこれまで出合ったうちでも
最大級の難題の数々を、バイオテクノロジーと
情報テクノロジー（IT）の融合によって
突きつけられている、まさにそのときに。

1

幻滅

先送りにされた「歴史の終わり」

人間は、事実や数値や方程式ではなく物語の形で物事を考える。そして、その物語は単純であればあるほど良い。どんな人も集団も国家も、独自の物語や神話を持っている。だが二〇世紀には、ニューヨーク、ロンドン、ベルリン、モスクワのグローバルなエリート層が、過去をそっくり説明するとともに全世界の将来を予測するという触れ込みの、三つの壮大な物語を考え出した。ファシズムの物語と、共産主義の物語と、自由主義の物語だ。

ファシズムの物語は、異なる国家間の闘争として歴史を説明し、他のあらゆる人間の集団を力ずくで征服する一つの集団によって支配される世界を思い描いた。共産主義の物語は、異なる階級間の闘争として歴史を説明し、たとえ自由を犠牲にしても平等を確保する、中央集権化された社会制度によって、あらゆる集団が統一される世界を思い描いた。自由主義の物語は、自由と圧政との闘争として歴史を説明し、あらゆる人が自由に平和的に協力し、たとえ平等はある程度犠牲にしても中央の統制を最小限にとどめる世界を思い描いた。

これら三つの物語の間の争いは、第二次世界大戦で最初の山場を迎え、この戦争によってファシズムが打ち負かされた。一九四〇年代後期から八〇年代後期にかけて、世界は共産主義と自由主義という、残る二つの物語の間の戦場と化した。やがて共産主義の物語が破綻し、自由主義の物語が、人間の過去への主要なガイド兼、世界の将来への不可欠の手引きとして後に残された――いや、グローバルなエリート層にはそう思えた。

自由主義の物語は自由の価値と力を賛美し、次のように語る。人類は何千年にもわたって暴虐な政治体制の下で暮らしてきた。そうした体制は、政治的な権利や経済的な機会や個人の自由を人々にほとんど許さず、個人やアイデアや財の移動を厳しく制限した。だが人々は自由のために戦い、自由は着実に地歩を固めていった。民主的な政治体制が独裁政権を押しのけた。自由企業制が経済的制約に打ち勝った。人々は、偏狭な聖職者や旧弊な伝統にやみくもに従う代わりに、自分で考え、自らの心に従うことを学んだ。

公道や頑丈な橋や活気に満ちた空港が、壁や堀や有刺鉄線のついた柵に取って代わった。自由主義の物語は、世の中では万事が順調であるわけではないことや、まだ乗り越えなければならない障害が多々あることを認める。地球上の多くが圧政者に支配されており、非常に自由主義的な国々でも、多くの国民が貧困や暴力や迫害に苦しんでいる。だが少なくとも、これらの問題を克服するために何をする必要があるかはわかっている。より多くの自由を人々に与えればいいのだ。私たちは人権を擁護し、全員に選挙権を与え、自由市場を確立し、個人やアイデアや財が世界中をできるかぎり容易に移動できるようにする必要がある。この自由主義的な万能の解決法（わずかな違いこそあれ、ジョージ・W・ブッシュもバラク・オバマも受け容れている）によれば、私たちの政治制度と経済制度を自由主義化・グローバル化し続けさえすれば、万人のために平和と繁栄を生み出せるという(1)。

とどまる所を知らないこの進歩の大行進に加わる国々は、より早く平和と繁栄で報われる。この必然的な展開に逆らおうとする国々は、苦しむ羽目になる――彼らも目を覚まし、国境を開放し、社会と政治と市場を自由主義化するまでは。時間はかかるかもしれないが、北朝鮮やイラクやエルサルバドルさえもが、デンマークあるいはアイオワ州のように見えるようになるだろう。

一九九〇年代と二〇〇〇年代には、この物語は繰り返し語られるグローバルな信条になった。ブラジルからインドまで多くの国の政府が、容赦ないこの歴史の進展に加わろうとして、自由主義の処方箋を採用した。そうしそこなった国は、太古の化石のように見えた。一九九七年、アメリカのビル・クリントン大統領は、中国が政治を自由主義化するのを拒めば、「歴史の流れに逆行する」ことになると、自信たっぷりに中国政府を非難した。(2)

ところが、二〇〇八年のグローバルな金融危機以来、世界中の人々が自由主義の物語にしだいに幻滅するようになった。壁やファイアウォールの人気が回復した。移民や貿易協定への抵抗が強まっている。表向きは民主主義の政府が、司法制度の独立性を損なったり、報道の自由を制限したり、いかなる反政府運動も叛逆呼ばわりしたりしている。トルコやロシアのような国の独裁者は、新しい種類の非自由主義的民主主義やあからさまな独裁制を試している。今日、中国共産党が歴史の流れに逆行していると自信を持って言い切れる人はほとんどいないだろう。

イギリスでは国民投票でEU離脱が是認され、アメリカではドナルド・トランプが大統領に選出された二〇一六年は、この幻滅のうねりが西ヨーロッパと北アメリカの中核的な自由主義国にまで達したことを告げる年となった。数年前、アメリカとヨーロッパの人々は依然として、武力でイラクとリビアを自由主義化しようとしていたのに対して、今やアメリカのケンタッキー州やイギリスのヨークシャー地方などでは、多くの人が、自由主義のビジョンを、望ましくない、あるいは達成不可能と見るようになった。以前の階層制の世界を好ましく感じるようになった人もおり、彼らは人種的特権や国家の特権やジェンダーに伴う特権を、どうしても放棄したがらない。自由主義化とグローバル化は一般大衆を犠牲にしてほんの一握りのエリートたちに権限を与える途方もない不正行為だと（真偽はともかく）結論した人もいる。

私たち人間は選択肢として、一九三八年には三つのグローバルな物語を提示され、一九六八年にはその数は二つに減っており、一九九八年には一つしか見当たらないようだった。そして二〇一八年には、選択肢は一つもなくなっていた。ここ数十年間、世界の大半を支配していた自由主義のエリートたちが、ショックと混乱の状態に陥ったのも無理はない。物語が一つしかないのは、あらゆる状況のうちでも最も安心できる状況だろう。すべてが明確そのものだからだ。それが突然、物語がまったくなくなってしまえば、私たちはぞっとする。わけがわからなくなる。自由主義者たちは一九八〇年代のソヴィエト連邦のエリート層に似て、どうして歴史が定められていた道を逸れてしまったかを理解できずにいる。しかも、現実を解釈する手段を他に持ち合わせていない。混乱した彼らは、終末論的な見地から物事を考えることになった。思い描いていたハッピーエンドに歴史が至らなかった以上、世界はハルマゲドンに向かって突き進むしかないかのように。彼らは真偽を確かめることができず、破局の筋書きにしがみつく。ひどい頭痛がするので末期の脳腫瘍に違いないと思い込んでいる人のように、多くの自由主義者は、ブレグジット（イギリスのＥＵ離脱）とドナルド・トランプの大統領就任が、人間の文明が終焉を迎える予兆ではないかと恐れている。

蚊を殺すことから考えを抹殺することへ

右も左もわからぬまま、破滅が差し迫っているという感覚を募らせているのが、加速する技術的破壊〔訳註　本書でいう「技術的破壊」とは、テクノロジーが引き起こす、職や伝統、制度、機関などの破壊や喪失、および、混乱や無秩序を招く急速な変化〕だ。自由主義の政治制度は、工業時代に蒸気機関や製油所やテレビから成る世界を管理するために形作られた。だから、ＩＴとバイオテクノロジーの分野で進んでいる革命に対処するのに手を焼いている。

政治家も有権者も、新しいテクノロジーがほとんど理解できていないし、そうしたテクノロジーが持つ危険な可能性を統制することなど、彼らには望むべくもない。一九九〇年代以降、おそらく他のどんな要因にも増してインターネットは世界を変えてきたが、インターネット革命を主導したのは政党よりも技術者だ。あなたはインターネットに関して、一度でも投票したことがあるだろうか？　民主主義制度は何が自らに降りかかってきたのか、今なお理解するのに苦労しており、ＡＩの台頭やブロックチェーン革命といった、次のショックに対処する備えは皆無に近い。

すでに今日、コンピューターのせいで金融制度はあまりに複雑化しているため、この制度を理解できる人はほとんどいない。ＡＩは日進月歩なので、もはや人間は誰一人、金融が理解できなくなる日が程なく訪れかねない。そのとき、政治の過程はどうなるのか？　あなたは想像できるだろうか――予算案や新しい税制改革案をアルゴリズムが承認してくれるのを恐る恐る待つ政府を？　その一方で、ピア・トゥ・ピア方式のブロックチェーンネットワークとビットコインのような暗号通貨（暗号資産）が貨幣制度を刷新し、抜本的な税制改革が避けられなくなるかもしれない。たとえば、ドルに課税するのは不可能あるいは的外れになりうる。なぜなら、大方の取引は情報の交換のみから成り立ち、国家の通貨の、いや、いかなる通貨の明確な移動も伴わなくなるからだ。したがって、政府は完全に新しい税を考案する必要があるかもしれない。たとえば、情報に対してドルではなく情報で支払う情報税でも。政治制度は資金が尽きる前に、なんとかその危機に対処できるだろうか？

さらに重要なことがある。ＩＴとバイオテクノロジーの双子の革命は、経済や社会だけでなく、私たちの体や心まで再構成しうる。私たち人間は過去に、自分の外側の世界を制御することを学んだが、自分の内側の世界はほとんど制御できなかった。ダムを建設し、川の流れを堰き止める術は知っていたが、体の老化を防ぐ方法は知らなかった。灌漑システムの設計法は知っていたが、脳の設計の仕方は見当もつかなかった。蚊が耳元で羽音を響かせて眠りを妨げたら、どうやって殺すかは知っていたが、何かの考えがしつこく頭に浮かんできて夜眠れないときに、その考えをどうやって抹殺すればいいかはわからなかった。

バイオテクノロジーとＩＴの革命のおかげで、私たちは自分の内側の世界を制御することも、生命を操作したり作り出したりすることもできるようになる。意のままに脳を設計し、寿命を延ばし、考えを抹殺したりする方法を突き止めるだろう。その結果がどうなるかは、誰にもわからない。人間はこれまでずっと、道具を発明するほうが、それを賢く使うよりもはるかに得意だった。ダムを建設して川の流れを操作するほうが、それがより広範な生態系にもたらす複雑な結果を余さず予測するよりも簡単だ。同様に、私たちの心の流れの方向を変えるほうが、それが個人の心理や社会制度にどんな影響を及ぼすかを予知するよりも易しいだろう。

過去には、私たちは身の周りの世界を操作したり地球全体を作り変えたりする力を獲得したが、グローバルな生態環境の複雑さを理解していなかったため、私たちが引き起こした変化が生態系全体を図らずも乱してしまい、今や人間は生態系崩壊の危機に直面している。今後一世紀の間にバイオテクノロジーとＩＴは、私たちの内側の世界を操作して自分自身を作り変える力を与えてくれるだろうが、私たちは自分の心の複雑さを理解していないので、私たちが引き起こす変化は人間の心のシステムをも乱し、崩壊させかねない。

バイオテクノロジーとＩＴにおける革命は、技術者と起業家と科学者が実行するが、彼らは自分の決定が持つ政治的意味合いをほとんど自覚していないし、まったく誰の代表でもない。議会や政党は、自ら事に当たることができるだろうか？　現時点では、そうは思えない。技術的破壊は、政治課題リストの上位にさえ入っていない。たとえば、二〇一六年のアメリカ大統領選挙戦の間、破壊的技術が話題に上ったのは、主に、民主党の大統領候補ヒラリー・クリントンの電子メールをめぐる大失態についてだったし、[3]失業についてあれほど語られたにもかかわらず、クリントンも、共和党の大統領候補ドナルド・トランプも、自動化の潜在的な影響にはまったく触れなかった。トランプは有権者に、メキシコ人と中国人が彼らの仕事を奪うと警告し、したがって、メキシコとの国境に壁を建設するべきだ、と主張した。[4]だが彼は有権者に、アルゴリズムが彼らの仕事を奪うと警告したり、カリフォルニア州との境にファイアウォールを建設するべきだと主張したりすることはけっしてなかった。

これは、自由主義色が濃厚な西側諸国の中心部の有権者でさえ自由主義の物語と民主主義の手順への信頼を失いつつある理由の一つかもしれない（ただし、唯一の理由ではないだろう）。一般の人々はＡＩやバイオテクノロジーは理解していないかもしれないが、未来が自分たちを素通りしかけているのを察することはできる。一九三八年には、ソ連、ドイツ、アメリカにおける庶民の境遇は厳しいものだったかもしれないが、彼らはこの世で最も重要であり、国家の未来である、と絶えず言われていた（ただし、もちろん、ユダヤ人やアフリカ系でなく、「普通の人」であれば、だが）。炭坑作業員や製鋼労働者や主婦が、いかにもヒーローといったポーズを取っている典型的なプロパガンダのポスターを見れば、そこには自分の姿が見て取れた。「このポスターに描かれているのは私だ！　私こそ未来のヒーローなのだ！」[5]

二〇一八年には、庶民は自分が時代後れになりつつあるように感じている。TEDの講演や政府のシンクタンクやハイテクのカンファレンスでは、グローバル化、ブロックチェーン、遺伝子工学、人工知能（AI）、機械学習といった謎めいた用語がしきりに飛び交う。一般大衆が、そうした用語は自分とは無縁だと思うのも無理はない。自由主義の物語は一般人の物語だった。だからそれが、サイボーグやネットワーク化されたアルゴリズムの世界で、どうして存在意義を持ち続けられるだろうか？

二〇世紀には、一般大衆は搾取に反抗し、自らが経済で果たしている重要な役割を頼りにして政治的な力を獲得しようとした。今では一般大衆は存在意義の喪失を恐れ、手後れになる前に、残っている政治的な力を使おうと必死になっている。したがって、ブレグジットとドナルド・トランプの大統領就任は、伝統的な社会主義革命の道筋とは正反対の道筋を示しているのかもしれない。ロシアと中国とキューバの革命は、経済には不可欠だが政治的な力を持っていない人々によって成し遂げられた。それに対して二〇一六年には、トランプとブレグジットは、依然として政治的な力を持っているものの、経済的価値を失いつつあることを恐れた人々に支持された。二一世紀の大衆迎合主義（ポピュリズム）の反乱は、人々を搾取する経済的なエリート層ではなく、人々をもはや必要としない経済的なエリート層に対して展開されるかもしれない。[6]だが、おそらく勝ち目はない。存在意義の喪失と戦うのは、搾取と戦うよりもはるかに難しいからだ。

自由主義という不死鳥

自由主義の物語が信頼の危機に直面したのはこれが初めてではない。この物語は、一九世紀後半にグローバルな影響力を獲得して以来、周期的な危機に耐え抜いてきた。グローバル化と自由主義化の最初の時代は、第一次世界大戦の流血の中、帝国による権力政治がグローバルな進歩の流れを中断したときに終わった。サラエヴォでフランツ・フェルディナント大公が暗殺された後の日々に、列強は自由主義よりも帝国主義の正当性をはるかに強く信じていることが判明し、これらの国々は、自由で平和な交易を通して世界を団結させるよりも、力ずくで地球上のなるべく多くの領土を獲得することに専心した。それでも自由主義はこの危機を生き延び、動乱を切り抜けたときには以前よりも強くなっており、その動乱は「すべての戦争を終わらせるための戦争」だったと請け合った。帝国主義は恐ろしい代償を伴うことを、人類は空前の大量殺戮から学び、今や自由と平和の原理に基づく新たな世界秩序をついに創出する気になったとされた。

そこにヒトラーが現れ、一九三〇年代から四〇年代初期にかけてしばらく、ファシズムには抗し難い(がた)ように思えた。そしてこの脅威に打ち勝ったのも束の間、次の危機が訪れた。チェ・ゲバラに象徴される一九五〇年代から七〇年代にかけての年月には、自由主義はまたしても破滅の寸前まで追い詰められ、未来は共産主義のものであるかのように見えた。だが、けっきょく破綻したのは共産主義のほうだった。スーパーマーケットのほうが強制労働収容所よりもはるかに強力だったのだ。さらに重要なのは、自由主義の物語が他のどんな対抗者よりもずっと順応性がありダイナミックであるのが立証されたことだ。この物語は、相手の発想や慣行のうちでも優れたものを採用することで、帝国主義にも、ファシズムにも、共産主義にも勝利した。自由主義の物語はとくに、共感の輪を拡げ、自由と並んで平等も重んじることを共産主義から学んだ。

最初、自由主義の物語は、主にヨーロッパ中産階級の男性の自由と特権を重視し、労働者階級や女性、少数派、非西洋人の苦境は目に入らなかったようだ。一九一八年に戦勝国のイギリスとフランスが自由について興奮して語ったとき、世界中に及ぶ両帝国の被統治者のことは考えていなかった。たとえば、インドがイギリスの圧政に抗議し、民族自決権を要求すると、イギリス軍は非武装の抗議運動参加者を数百人虐殺することでそれに応じた（一九一九年のアムリッツァル虐殺事件）。

第二次世界大戦の後でさえも、西洋の自由主義者は普遍的であるはずの自らの価値観を非西洋人に当てはめるのに、依然として苦労していた。たとえば一九四五年に、ナチスによる五年間の残忍な占領から脱したとき、オランダがほぼ真っ先にやったのは、軍を組織して地球の裏側まで派遣し、インドネシアの元植民地を再び占領することだった。

オランダは一九四〇年、わずか四日余り戦った後、自らの独立を放棄したのに対して、インドネシアの独立を阻止しようと、四年以上の長きにわたって無情な戦いを続けた。世界中の民族解放運動が、自由の擁護者を自称する西側諸国ではなく共産主義のソ連や中国に期待をかけたのも不思議ではない。

とはいえ自由主義の物語は、少しずつ視野を拡げ、少なくとも理屈の上では、あらゆる人の自由と権利を例外なく重んじるようになった。自由の輪が拡がるにつれて、自由主義の物語は共産主義方式の福祉政策の重要性も認めるようになった。自由は、何らかの社会的セーフティネットと一体になっていないかぎり、たいした価値はない。社会民主主義的な福祉国家は、民主主義と人権を、政府の予算で行なう教育や医療と組み合わせた。極端な資本主義のアメリカでさえ、自由を守るためには、少なくとも政府によるある程度の福祉事業が必要であることに気づいた。飢えに苦しむ子供に自由はない。

一九九〇年代初期には、思想家も政治家も一様に、いわゆる「歴史の終わり」を歓迎し、過去の大きな政治的問題や経済的問題はすべて解決した、民主主義と人権と自由市場と政府による福祉事業という、一新された自由主義のパッケージこそが唯一の選択肢として残った、と自信たっぷりに断言した。このパッケージは、世界中に広まり、あらゆる障害を克服し、すべての国境を消し去り、人類を一つの自由でグローバルなコミュニティに変えることを運命づけられているように見えた。[7]

だが、歴史は終わらず、フランツ・フェルディナントの危機と、ヒトラーの危機と、チェ・ゲバラの危機に続いて、今や私たちはドナルド・トランプの危機を迎えている。とはいえ今回は、自由主義の物語が直面しているのは、帝国主義やファシズムや共産主義のような首尾一貫したイデオロギーを持つ相手ではない。トランプの危機は、はるかに虚無的だ。

二〇世紀の主要な運動はみな、世界支配だろうと、革命だろうと、解放だろうと、人間という種全体を視野に入れたビジョンを持っていたのに対して、ドナルド・トランプはそのようなビジョンは何一つ提供しない。その逆だ。彼の主要なメッセージは、グローバルなビジョンを考案して促進するのはアメリカの仕事ではない、というものだ。同様に、イギリスのEU離脱支持者は、引き裂かれた母国の将来についての計画などろくに持っていない。ヨーロッパや世界の将来は、彼らの視野にはまったく入っていない。トランプとブレグジットに票を投じた人の大半は、自由主義のパッケージをそっくり拒絶したわけではなく、主にグローバル化にかかわる部分への信頼を失っただけだ。民主主義や自由市場、人権、社会的責任の価値は依然として認めているが、これらのすばらしい考えは、国境止まりにしうると考えている。それどころか、ヨークシャー地方やケンタッキー州で自由と繁栄を維持するためには、国境に壁を建設し、外国人に対して非自由主義的な政策を採用するのが最善だと信じている。

中国という売り出し中の超大国は、それとは好対照を成す。国内政策を自由主義化するのには慎重だが、外の世界に対してははるかに自由主義的なアプローチを採っている。

実際、自由貿易と国際協力に関しては、習近平はオバマの真の後継者のように見えるほどだ。中国はマルクス・レーニン主義は二の次にし、自由主義の国際秩序にすっかり満足しているらしい。

再生したロシアは自らを、グローバルな自由主義の秩序にとってのはるかに有力な対抗者と見なしているが、軍事力こそ再建したものの、イデオロギーの面では破綻している。たしかにウラジーミル・プーチンは、ロシアと世界各地のさまざまな右翼運動の両方で人気を博しているが、失業したスペイン人や不満を抱いたブラジル人や理想の社会を夢想するケンブリッジの学生を惹きつけるようなグローバルな世界観は持っていない。ロシアは自由民主主義の代替モデルを現に提示しているが、このモデルは首尾一貫した政治的イデオロギーではない。むしろそれは、少数の寡頭制支配者が国の富と権力の大半を独占し、それからマスメディアを統制して自らの活動を隠し、支配を強固にする政治的慣行だ。民主主義は、「すべての人を一時、一部の人をつねに騙すことはできるが、すべての人をつねに騙すことはできない」というエイブラハム・リンカーンの原理に基づいている。もし政府が腐敗していて、人々の生活を向上させられなければ、いずれ多くの国民がそれに気づいて、政権を交代させる。だが政府がマスメディアを統制すれば、リンカーンの論理が崩れる。国民が真実に気づけなくなるからだ。寡頭制政権はマスメディアの独占を通して、失態をすべて他者のせいにすることを繰り返し、外部の脅威（それが実在のものであれ架空のものであれ）へと注意を逸らすことができる。

そのような寡頭制の下で暮らしていると、医療や汚染といった退屈な事柄に優先する、何かしらの危機が絶えず存在するかのように思い込まされる。国家が外部からの侵略や極悪非道な破壊活動に直面していたら、病院の混雑や河川の汚染を気に病む暇がある人などいるだろうか? 腐敗した寡頭制政権は、次から次へと危機をでっち上げ、いつまでも支配を続けることができる。[8]

もっとも、この寡頭制モデルは実際に耐久性があるとはいえ、それに魅力を感じる人はいない。自らのビジョンを誇らしげに詳しく語る他のイデオロギーとは違い、寡頭制の支配者たちは自らの慣行を誇りに思っておらず、他のイデオロギーを隠れ蓑に使う傾向がある。たとえば、ロシアは民主主義国家を装い、指導部は寡頭制ではなくロシアのナショナリズムと東方正教会の価値観への忠誠を公言する。フランスとイギリスの右翼の過激派は、ロシアの支援を仰いでプーチンを礼賛(らいさん)してもおかしくないが、彼らを支持する有権者でさえ、実際にロシアのモデルをコピーしたような国には住みたくないだろう――腐敗が蔓延し、各種のサービスは機能せず、法の支配は絵空事で、信じられないほど不平等な国には。見方によっては、ロシアは世界でも指折りの不平等な国で、富の八七パーセントが一〇パーセントの富裕層の手に集中しているという。[9] フランスの右派の政党「国民連合」を支持する労働者階級の人々のどれだけが、この富の分布のパターンを自国で真似たいと望むだろう?

人間は足を使って投票する。私は世界を旅して回る間に多くの国で、アメリカやドイツ、カナダ、オーストラリアに移住したいという、おびただしい数の人に出会ってきた。中国や日本に移り住みたいという人も何人かいた。だが、ロシアへの移民を夢見ている人には、まだ一人も会ったためしがない。

「グローバルなイスラム」はと言えば、主にイスラム世界で生まれた人を惹きつける。シリアやイラクの人々の一部や、疎外感を抱くドイツやイギリスの若者たちにさえ訴えるものがあるかもしれないとはいえ、カナダや韓国は言うまでもなく、ギリシアや南アフリカが自国の問題の解決策として、グローバルなイスラム圏に加わるとは思えない。この場合にも、人々は足を使って投票する。ドイツから中東に移ってイスラム教の神政国家で暮らすことにしたイスラム教徒の若者一人につき、逆向きに移動して自由主義のドイツで新生活を始めることを望む中東の若者が一〇〇人はいただろう。

これは、自由主義に対する目下の信頼の危機が、過去のケースほど深刻ではないことを物語っているのかもしれない。ここ数年間の出来事のせいで絶望に追い込まれた自由主義者は誰であれ、一九一八年や一九三八年や一九六八年には状況が今よりどれほど悪く見えたかを、なんとしても思い出すべきだ。近年私たちが目にしているのは自由主義の物語の完全な放棄ではない。むしろ私たちは、「セットメニュー型のアプローチ」から「ビュッフェ型の物の見方」への移行を目撃しているのだ。

現在の展開を理解するのが難しいのは、一つには、自由主義はけっして単一のものではなかったからだ。自由主義は自由を大切にするが、自由は文脈次第で異なる意味を持つ。たとえば、ある人にとって自由主義は自由選挙と民主化を意味する。別の人は、自由主義は貿易協定やグローバル化を意味すると思っている。自由主義を同性婚や妊娠中絶と結びつける人もいる。自由主義は、経済や政治や個人の分野で、そして国家的なレベルと国際的なレベルの両方で、多種多様な行動を推奨する。次ページの表に、自由主義の主な構成要素をまとめてみた。

　過去数十年にわたって世界を支配してきた自由主義の物語によれば、この表にまとめた六つの構成要素すべての間に、強い本質的な結びつきがあるということだった。どれ一つとして、他の要素抜きではありえない。どの分野の進歩も他の分野の進歩を必要とするし、促しもするからだ。たとえば、自由選挙は自由市場の成功に不可欠だ。民主主義がなければ、ほどなく市場は依怙贔屓や政府の汚職の餌食になる。同様に、ジェンダーの平等は国際平和を促進する。戦争はたいてい、家父長制の価値観や男らしさが売り物の政治家が煽るものだからだ。一方、グローバルな経済統合は、個々の消費者の自由と密接に関連している。もし、たった三つの国内ブランドからではなく世界の一〇〇のブランドから選べれば、私はより大きな個人の自由を享受できる。万事こんな具合だ。したがって、もしある国が自由主義のセットメニューから料理を一つ、たとえば経済の自由化を選ぼうと思ったら、他の料理もみな、選ばざるをえない。

　現在、世界中のポピュリズムの運動とナショナリズムの運動はどれも、たとえ「反自由主義」を謳っていたとしても、自由主義全体をそっくり退けたりしないのが普通だ。

その代わりそれらの運動は、セットメニューのアプローチを退け、自由主義のビュッフェから好きな料理を選ぶことを望んでいる。たとえばトランプは依然として自由市場と民営化を強く支持しているが、それらの恩恵を受けつつも、多国間の協力や、自由貿易さえなし崩しに縮小していけると考えている。中国は自由貿易を支持しているし、「一帯一路」はこれまで構想されたうちでも有数の野心的なグローバル化事業だが、それに比べると、中国は自由選挙に関してははなはだ消極的だ。イギリスのEU離脱支持者は民主主義を擁護し、個人主義に何の反感も持っていないが、多国間で協力したり、国際機関へあまりに多くの権限を委譲したりするという発想は気に入らない。ハンガリーのヴィクトル・オルバーン首相は、自分の政権を「非自由主義的民主主義」と定義し、ハ

自由主義のセットメニュー

	国家的なレベル	国際的なレベル
経済の分野	自由市場、民営化、低課税	自由貿易、グローバルな統合、低関税
政治の分野	自由選挙、法の支配、少数派の権利	平和的な関係、多国間協力、国際法と国際機関
個人の分野	自由選択、個人主義、多様性、ジェンダーの平等	個人の移動と移民の容易さ

ンガリーでは少数派の権利や多様性や個人主義のようなものの擁護を公約しなくても自由選挙はできると主張している。

少なくとも理論上はほとんど誰もが望む唯一の料理は、平和的な国際関係だ。これは自由主義のビュッフェのチョコレートケーキと言える。それに対して、ほとんど誰も望まない唯一の料理、いわばグローバルなセロリは、移民だ。民主主義と個人主義と多国間の協力の断固たる支持者のうちにさえ、多くの移民の入国を許すことにはきっぱり反対するようになった人もいる。

とはいえ、ビュッフェ型のアプローチがうまくいくかどうかは、まだわからない。食べ物にたとえるのはおおいに誤解を招くかもしれない。レストランでは、セットメニューは別個の料理を好きなように組み合わせたものだ。ところが自由主義の物語はいつも、自由主義体制は互いに頼り合う器官から成る生き物だと主張していた。スープとデザートは簡単に切り離せるのに対して、心臓と肺は切り離せない。トランプはアメリカで自由市場を奨励しつつ、グローバルなレベルでは自由貿易を切り崩すことが、本当にできるだろうか？　中国共産党は、政治の自由主義化に向かう動きをいっさい起こさないまま、経済の自由化の成果を享受し続けることができるだろうか？　ハンガリー人は、個人の自由抜きで民主主義を手にすることができるのか、それともオルバーンの「非自由主義的民主主義」はたんに「独裁制」を言い繕ったものにすぎないのか？　国境に壁が建設され、貿易戦争が激化する世界で、国際的な平和は生き延びられるのか？　ビュッフェ型のアプローチは、国家的なレベルと国際的なレベルの両方で、自由主義体制の完全な崩壊につながるかもしれない。

もしそうなれば、他のどんなビジョンが自由主義の物語に取って代わるだろうか？　一つの選択肢は、どんな種類のグローバルな物語も持つのを完全に諦め、局地的なナショナリズムの物語や宗教的な物語の中に逃げ込むことかもしれない。二〇世紀には、民族主義運動がきわめて重要な政治的役割を果たしたが、この運動は、地球を分割してそれぞれ独立した民族国家にするのを支持する以外には、世界の将来のための首尾一貫したビジョンを持たなかった。インドネシアの民族主義者はオランダの支配と戦い、ヴェトナムの民族主義者は自由なヴェトナムを望んだが、人類全体のためのインドネシアの物語もヴェトナムの物語もなかった。インドネシアやヴェトナム、その他すべての独立国がどう連携し、核戦争の脅威のようなグローバルな問題に人間はどう対処するべきかを説明する段になると、民族主義者は判で押したように、自由主義か共産主義の考えに頼るのだった。

だがもし、自由主義と共産主義が今やともに信頼を失ってしまったのなら、ことによると人間は、単一のグローバルな物語という発想そのものを捨てるべきなのか？　けっきょく、これらのグローバルな物語はみな――共産主義でさえ――西洋の帝国主義の産物だったのではないか？　ヴェトナムの村人たちは、トリール生まれのドイツ人とマンチェスターの実業家〔訳註　マルクスとエンゲルスのこと〕の頭脳の所産をどうして信頼しなくてはいけないのか？　どの国もそれぞれ、古くからの自国の伝統によって定まる独自の道を選ぶべきなのだろうか？　ひょっとしたら、西洋人でさえ趣向を変え、世界を動かそうとするのをやめて内務に専念するべきか？

これは世界中ですでに起こっていると思ってほぼ間違いない。それは、自由主義の崩壊によって残された空白が、過去の局地的な黄金時代にまつわるノスタルジックな夢想によって、とりあえず埋め合わされている結果だ。ドナルド・トランプは、アメリカの孤立主義への呼びかけを、「アメリカを再び偉大にする」という約束と組み合わせた――まるで、一九八〇年代あるいは五〇年代のアメリカが、二一世紀にアメリカ人がどうにかして再現するべき完璧な社会だったかのように。EU離脱支持者はイギリスを独立した大国にすることを夢見ている――まるで、自分たちが依然としてヴィクトリア女王の時代に生きており、「栄光ある孤立」がインターネットと地球温暖化の時代にとって実用的な政策であるかのように。中国のエリート層は、西洋から輸入した怪しげなマルクス主義のイデオロギーの補足として、いや、それどころか代替として、自らに固有の帝国と儒教の遺産を再認識した。ロシアではプーチンの公式のビジョンは腐敗した寡頭制政権の構築ではなく、かつてのロシア帝国を復活させることだ。プーチンはボリシェヴィキによる革命から一世紀を経た今、ロシアのナショナリズムと東方正教会への忠誠心に支えられた独裁政権がバルト海からカフカス地方まで勢力を拡げる、かつての帝政ロシアの栄光へ回帰することを約束している。

民族主義的な愛着と宗教伝統を混ぜ合わせた、同様のノスタルジックな夢が、インドやポーランド、トルコをはじめ、数々の国の政権を支えている。こうした幻想が他のどこよりも極端なのが中東で、そこではイスラム原理主義者が、一四〇〇年前にメディナの町に預言者ムハンマドが打ち立てた制度を真似たがっており、その一方で、イスラエルのユダヤ教の原理主義者がイスラム原理主義者さえも凌いで、聖書時代まで二五〇〇年もさかのぼることを夢見ている。イスラエルの連立政権は、現代のイスラエルの国境を聖書時代のイスラエルの国境に近づくように拡げることや、旧約聖書の律法を復活させること、はては、エルサレムでアルアクサ・モスクの代わりに唯一神ヤハウェ（エホバ）の神殿を再建することさえ、公然と語っている。[10]

自由主義のエリート層は、こうした展開をぞっとしながら見守り、大惨事を避けるのに間に合うように、人類が自由主義の道に戻ることを期待している。オバマ大統領は二〇一六年九月、国連での最後の演説で、「国家や部族や人種や宗教どうしを隔てる昔からの境界に沿って明確に分割され、ついには争いが起こる世界へと」後退してはならないと聴衆に警告した。そうした後退をすることなく、「開かれた市場と責任ある統治、民主主義と人権と国際法の原理が……今世紀における人間の進歩の最も強固な基盤であり続ける」と彼は述べた。[11]

自由主義のパッケージは多くの短所を抱えているとはいえ、他のどんな選択肢と比べても、はるかに優れた実績を持っていると、オバマはいみじくも指摘した。ほとんどの人間は、二一世紀初頭における自由主義秩序の庇護の下で享受したほどの平和と繁栄は、かつて経験したことがない。史上初めて、感染症で亡くなる人の数が老衰で亡くなる人の数を下回り、飢饉で命を落とす人の数が肥満で命を落とす人の数を下回り、暴力のせいでこの世を去る人の数が、事故でこの世を去る人の数を下回っている。

だが自由主義は、私たちが直面する最大の問題である生態系の崩壊と技術的破壊に対して、何ら明確な答えを持っていない。自由主義は伝統的に経済成長に頼ることで、難しい社会的争いや政治的争いを魔法のように解決してきた。自由主義は、より大きなパイの取り分を全員に約束して、無産階級（プロレタリアート）を有産階級（ブルジョアジー）と、信心深い人を無神論者と、地元民を移住者と、ヨーロッパ人をアジア人と和解させた。パイがつねに大きくなっていれば、それも可能だった。ところが、経済成長はグローバルな生態系を救うことはない。むしろその正反対で、生態系の危機の原因なのだ。そして、経済成長は技術的破壊を解消することもない。破壊的技術をますます多く発明することの上に成り立っているからだ。

自由主義の物語と自由市場資本主義の論理は、人々に壮大な期待を抱くように促す。二〇世紀後半には、ヒューストンであろうと、上海であろうと、イスタンブールであろうと、サンパウロであろうと、どの世代も前の世代よりも良い教育を受け、優れた医療の恩恵に浴し、多くの収入を得た。ところが今後の年月には、技術的破壊と生態系の崩壊の組み合わせを考えると、若い世代は良くても現状維持が精一杯かもしれない。

したがって私たちは、この世界のためにアップデート版の物語を創り出す任務を担わされた。産業革命の大変動が二〇世紀の新しいイデオロギーの誕生につながったのとちょうど同じで、来るべきバイオテクノロジーとITの革命も斬新なバージョンを必要としそうだ。だから今後の数十年間は、真剣に内省を行ない、新しい社会モデルや政治モデルを考案する時代になるかもしれない。自由主義は、一九三〇年代と六〇年代の危機の後にしたように、またしても自らを作り直し、かつてないほど魅力的になって蘇ることができるだろうか？　伝統的な宗教やナショナリズムは、自由主義者が思いつかないような答えを提供しうるだろうか？　そして、古来の叡智を活かして、現代にふさわしい世界観を作り上げることができるだろうか？　それともひょっとしたら、過去ときっぱり訣別し、古い神々や国家ばかりか、自由と平等という現代の核心的な価値観さえも超越する、完全に新しい物語を生み出す時が来たのだろうか？

現時点では、人類はこうした疑問に関して合意に達するには程遠い。人々が古い物語への信頼を失ったものの、新しい物語はまだ採用していない、幻滅と怒りに満ちた虚無的な時期に、私たちは依然としてある。では、次にどうすればいいのか？　最初のステップは、破滅の予言を抑え込み、パニックモードから当惑へと切り替えることだろう。パニックは傲慢の一形態だ。それは、私はいったい世界がどこへ向かっているか承知している（下へと向かっているのだ）という、うぬぼれた感覚に由来する。当惑はもっと謙虚で、したがって、もっと先見の明がある。「この世の終わりがやって来る！」と叫びながら通りを駆けていきたくなったら、こう自分に言い聞かせてみてほしい。「いや、そうではない。本当は、この世の中で何が起こっているのか、どうしても理解できないのだ」と。

この後の各章では、私たちが直面して当惑している新しい可能性のいくつかを明らかにし、ここからどのように進んでいったらいいかをはっきりさせる。だが、人類の苦境を解消しうる方法を探る前に、テクノロジーがもたらす難題を、もっとよく把握する必要がある。ITとバイオテクノロジーの革命はまだ始まったばかりであり、現在の自由主義の危機の責任を、本当はどこまでその革命に帰せられるかは、議論の余地がある。バーミンガムやイスタンブール、サンクトペテルブルク、ムンバイの人々の大半は、AIの興隆とそれが彼らの人生に与えうる影響について、仮に気づいているとしても、それはぼんやりとした認識でしかない。とはいえ、テクノロジー面のさまざまな革命が、今後数十年間に勢いを増し、私たちがこれまで出合ったなかでも最も厳しい試練を人類に突きつけてくるだろうことは疑いようがない。人類の忠誠を獲得しようとする物語はどんなものであれ、何よりもITとバイオテクノロジーの双子の革命に対処する能力がどれだけあるかでその真価を問われる。もし自由主義やナショナリズム、イスラム教、あるいは何か斬新な教義が二〇五〇年の世界を形作りたければ、AIやビッグデータアルゴリズムや生物工学を理解するだけではなく、意味のある新しい物語に組み込む必要もあるだろう。

このテクノロジー上の難題の性質を理解するには、まず雇用市場に目を向けるのが最善かもしれない。二〇一五年以降、私は世界を回って、政府の役人や実業家、社会活動家、学生や生徒たちと、人間の苦境について話し合ってきた。ＡＩやビッグデータアルゴリズムや生物工学について話が続いて、彼らが苛々したり、飽きたりしたときには、魔法の言葉をたった一つ口にするだけで、たちまち彼らの注意を引き戻すことができる。「雇用」だ。テクノロジー革命は間もなく、何十億もの人を雇用市場から排除して巨大な「無用者階級」を新たに生み出し、既存のイデオロギーのどれ一つとして対処法を知らないような社会的・政治的大変動を招くかもしれない。テクノロジーやイデオロギーについての話はみな、やたらに抽象的で、自分にはあまり縁がないように聞こえるかもしれないが、大量失業――あるいは自分の失業――の見通しが強い現実味を帯びてくれば、誰一人、無関心ではいられない。

2

雇用

あなたが大人になったときには、仕事がないかもしれない

二〇五〇年に雇用市場がどうなっているか、私たちには想像もつかない。だが、機械学習とロボット工学によって、ヨーグルトの製造からヨガの指導まで、ほぼすべての種類の仕事が変化するだろうことに関しては、みんなの意見がおおむね一致している。とはいえ、その変化がどのような性質のものかや、どれほど差し迫っているかについては、見方が分かれる。わずか一〇年あるいは二〇年のうちに何十億もの人が、経済的な意味で余剰人員となると考えている人もいる。逆に、長期的に見ても、自動化は新たな雇用

を生み出しながら、全員におおいなる繁栄をもたらし続けると主張する人もいる。

というわけで、私たちはぞっとするような大変動の瀬戸際にいるのか、それとも、そのような予想もまた、ろくな根拠のない機械化反対のヒステリーの再来なのか、いったいどちらだろう？　自動化が大量失業をもたらすという恐れは一九世紀にさかのぼるが、これまでのところ、現実になってはいない。産業革命が始まって以来、機械に一つ仕事が奪われるたびに、新しい仕事が少なくとも一つ誕生し、平均的な生活水準は劇的に向上してきた。(1)それにもかかわらず、今回は違い、機械学習が本当に現状を根本から覆すだろうと考える、もっともな理由がある。

人間には二種類の能力がある。身体的な能力と認知的な能力だ。過去には機械は主にあくまで身体的な能力の面で人間と競い合い、人間は認知的な能力の面では圧倒的な優位を維持していた。だから、農業と工業で肉体労働が自動化されるなかで、人間だけが持っている種類の認知的技能、すなわち学習や分析、意思の疎通、そして何より人間の情動の理解を必要とする新しいサービス業の仕事が出現した。ところが今や人工知能(AI)が、人間の情動の理解を含め、こうした技能のしだいに多くで人間を凌ぎ始めている。(2)人間がいつまでもしっかりと優位を保ち続けられるような、(身体的な分野と認知的な分野以外の)第三の分野を、私たちは知らない。

AI革命とは、コンピューターが速く賢くなるだけの現象ではない。それに気づくことがきわめて重要だ。この革命は、生命科学と社会科学における飛躍的発展によっても勢いづけられる。人間の情動や欲望や選択を支える生化学的なメカニズムの理解が深まるほど、コンピューターは人間の行動を分析したり、人間の意思決定を予測したり、人間の運転者や銀行家や弁護士に取って代わったりするのがうまくなる。

過去数十年の間に、神経科学や行動経済学のような領域での研究のおかげで、科学者は人間のハッキングがはかどり、とくに、人間がどのように意思決定を行なうかが、はるかによく理解できるようになった。食物から配偶者まで、私たちの選択はすべて、謎めいた自由意志ではなく、一瞬のうちに確率を計算する何十億ものニューロンによってなされることが判明した。自慢の「人間の直感」も、実際には「パターン認識」にすぎなかったのだ(3)。優れた運転者や銀行家や弁護士は、交通や投資や交渉についての魔法のような直感を持っているわけではなく、繰り返し現れるパターンを認識して、不注意な歩行者や支払い能力のない借り手や不正直な悪人を見抜いて避けているだけだ。また、人間の脳の生化学的なアルゴリズムは、完全には程遠いことも判明した。脳のアルゴリズムは、都会のジャングルではなくアフリカのサバンナに適応した経験則や手っ取り早い方法、時代後れの回路に頼っている。優れた運転者や銀行家や弁護士でさえ、ときどき愚かな間違いを犯すのも無理はない。

これは、「直感」を必要とするとされている課題においてさえAIが人間を凌ぎうることを意味している。もしあなたが、AIは神秘的な「勘」に関して人間の魂と競う必要があると考えているのなら、AIには勝ち目はないだろう。だが、もしAIは、確率計算とパターン認識で神経ネットワークと競うだけでいいのなら、それはたいして手強い課題には思えない。

とくに、AIは他者について直感を求められる仕事では人間を凌ぎうる。歩行者がいっぱいの通りで乗り物を運転したり、見知らぬ人にお金を貸したり、ビジネスの取引の交渉をしたりといった、多くの仕事は、他者の情動や欲望を正しく評価する能力を必要とする。あの子供は今にも車道に飛び出そうとしているのか？　スーツを着たあの男性は、私からお金を巻き上げて姿をくらますつもりなのか？　あの弁護士は脅し文句を実行に移すつもりか、それとも、はったりをかけているだけなのか？　そうした情動や欲望は非物質的な霊によって生み出されていると考えられていたときには、コンピューターが人間の運転者や銀行家や弁護士に取って代わることがありえないのは明白に思えた。というのも、神が創りたもうた人間の霊を、コンピューターが理解できるはずがないからだ。ところが、じつは情動や欲望が生化学的なアルゴリズムにすぎないのなら、コンピューターがそのアルゴリズムを解読できない理由はない。そして、それをホモ・サピエンスよりもはるかにうまくやれない道理はない。

歩行者の意図を予測する運転者や、お金を借りようとする人の信頼性を評価する銀行家や、交渉の場の雰囲気を測る弁護士は、魔術を頼りにしたりはしない。本人は気づいていないが、彼らの脳は、表情や声の調子、手の動き、さらには体臭まで分析して生化学的なパターンを認識している。適切なセンサーを備えたAIなら、人間よりもそのすべてをはるかに正確かつ確実にやってのけられるだろう。

したがって、雇用の喪失の恐れは、情報テクノロジー（ＩＴ）の興隆からのみ生じるわけではない。ＩＴとバイオテクノロジーの融合から生じるのだ。機能的磁気共鳴画像法（ｆＭＲＩ）スキャナーから雇用市場までの道は長く曲がりくねっているが、それでも数十年のうちにはたどり終えられるだろう。今日、脳科学者が扁桃体（へんとうたい）と小脳について突き止めている事柄が、二〇五〇年にはコンピューターが人間の精神科医やボディーガードを凌ぐことを可能にするかもしれない。

このようにＡＩは、人間をハッキングして、これまで人間ならではの技能だったもので人間を凌ぐ態勢にある。だが、それだけではない。ＡＩは、まったく人間とは無縁の能力も享受しており、そのおかげで、ＡＩと人間との違いは、たんに程度の問題ではなく、種類の問題になった。ＡＩが持っている、人間とは無縁の能力のうち、とくに重要なものが二つある。接続性と更新可能性だ。

人間は一人ひとり独立した存在なので、互いに接続したり、全員を確実に最新状態に更新したりするのが難しい。それに対してコンピューターは、それぞれが独立した存在ではないので、簡単に統合して単一の柔軟なネットワークにすることができる。だから、私たちが直面しているのは、何百万もの独立した人間に、何百万もの独立したロボットやコンピューターが取って代わるという事態ではない。個々の人間が、統合ネットワークに取って代わられる可能性が高いのだ。したがって、自動化について考えるときに、単一の人間の運転者の能力と単一の自動運転車の能力を比べたり、単一の人間の医師の能力と単一のAI医師の能力とを比べたりするのは間違っている。人間の個人の集団の能力と、統合ネットワークの能力とを比べるべきなのだ。

たとえば、多くの運転者は、次々に変わる交通規則をすべて熟知しているわけではなく、しばしば違反する。そのうえ、それぞれの乗り物は独立した存在なので、二台の乗り物が一つの交差点に同時に近づくとき、運転者は自らの意図を伝えそこね、衝突することもありうる。一方、自動運転車はすべて接続しておくことが可能だ。接続した自動運転車が二台、一つの交差点に近づくと、両者は実際には二台の別個の存在ではなく、単一のアルゴリズムの一部だ。したがって、両者が自らの意図を伝えそこねて衝突する可能性は、はるかに低い。そして、交通を管轄する官庁が交通規則を変更することにしたら、自動運転車はすべて完全に同時に、たやすくアップデートでき、プログラムにバグがないかぎり、どの車も新しい規則を厳密に守る。[4]

同様に、もし世界保健機関（WHO）が新しい疾病を認定したり、研究所が新薬を開発したりしたら、こうした進展を世界中の人間の医師全員に知らせることは不可能に近い。それに対して、たとえ世界中に一〇〇億のAI医師が存在し、それぞれが一人の人間の健康状態をモニターしていたとしても、そのすべてを瞬く間にアップデートでき、それらのAI医師はみな、新しい疾病や薬についての自分のフィードバックを伝え合える。このような接続性と更新可能性の潜在的な恩恵はあまりに大きいので、少なくとも一部の職種では、すべての人間をコンピューターに取って代わらせることが理に適っているかもしれない――たとえ個別には、機械よりも腕の良い人間がいくらかいたとしても。

個々の人間をコンピューターネットワークに切り替えたら、個別性の利点が失われるとして、異論を唱える人がいるかもしれない。たとえば、一人の人間の医師が判断を誤っても、世界中の患者を殺すこともなければ、すべての新薬の開発を妨げることもない。それに対して、もし医師全員が本当は単一のシステムにすぎず、そのシステムが間違いを犯せば、大惨事になりかねない。とはいえ実際には、統合されたコンピューターシステムは、個別性の恩恵を失わずに接続性の利点を最大化しうる。同じネットワークで多くの代替アルゴリズムを作動させることが可能だ。だから、辺鄙(へんぴ)な密林の中の村にいる患者は、自分のスマートフォンを使って、単一の権威ある医師ではなく、実際には一〇〇の異なるAI医師にアクセスできる。それらのAI医師の相対的な実績は、絶えず比較されている。IBMの医師に言われたことが気に入らなかった? 大丈夫。たとえあなたがキリマンジャロの斜面のどこかで立ち往生していたとしても、いとも簡単に百度(バイドゥ)の医師と連絡を取って、セカンドオピニオンが聞けるから。

おそらく、人間社会が受ける恩恵は計り知れない。AI医師は何十億もの人に、これまでよりもはるかに優れた医療をはるかに安く提供できるだろう。とくに、現在は何の医療も受けていない人々には。学習アルゴリズムと生体(バイオメトリック)センサーのおかげで、発展途上国の貧しい村人さえもが、現在、世界で最も裕福な人が最も進んだ都会の病院で得るものよりも格段に優れた医療を、スマートフォンを通して享受できるようになるかもしれない[5]。

同様に、自動運転車はこれまでのものをはるかに凌ぐ輸送サービスを人々に提供できるのではないか。とくに、交通事故の死亡率を下げられるだろう。現在、交通事故で毎年一二五万人近くが亡くなっている〔訳註　世界保健機関によると、二〇一六年の交通事故の死者数は一三五万人〕（これは、戦争と犯罪とテロで死亡する人の合計を上回る）[6]。これらの事故の九割以上は、いかにも人間らしい過失が原因だ。飲酒運転をする人もいれば、運転しながら電子メールを送っている人や、居眠り運転をする人、道路に注意を向ける代わりにぼんやりと空想に耽っている人もいる。アメリカの道路交通安全局による二〇一二年の推定では、国内で死者の出た交通事故のうち、三一パーセントにアルコール濫用、三〇パーセントにスピードの出し過ぎ、二一パーセントに運転者の注意散漫が絡んでいたという[7]。自動運転車なら、こういうことはいっさいない。もちろん自動運転車特有の問題や制約はあるし、避けられない事故もあるが、人間の運転者をすべてコンピューターに替えれば、交通事故による死傷者の数がおよそ九割減ることが見込まれている[8]。言い換えると、自動運転車に切り替えれば、おそらく毎年一〇〇万人の命が救われる。

したがって、人間の仕事を守るためだけに、交通や医療のような分野での自動化を妨げるのは愚行だろう。なにしろ、最終的に守るべきなのは、職ではなく人間なのだから。

余剰になった運転者や医師は、何か他にすることを見つけるしかない。

モーツァルトと機械

少なくとも短期的には、AIとロボット工学がさまざまな産業をそっくり排除することはなさそうだ。狭い範囲での定型化された業務を専門とする職は、自動化されるだろう。だが、幅広い技能を同時に必要とし、予期できない筋書きに対処するような、あまり定型化されていない職で、機械が人間に取って代わるのは、はるかに難しい。医療を例に取ろう。多くの医師は、情報の処理にほぼ専念している。医療データを取り込み、分析し、診断を下す。それに対して看護師は、痛みを伴う注射を打ったり、包帯を取り換えたり、暴れる患者を拘束したりするために、優れた運動技能や情動的な技能も必要とする。したがって、AIの家庭医をスマートフォンで持てるようになってからも、信頼できる看護ロボットが手に入るまでには何十年もかかるだろう。[9] 病人や幼児や高齢者などの世話をする対人ケア産業は、ずっと先まで人間の独擅場(どくせんじょう)であり続ける可能性が高い。それどころか、人間の寿命が延び、少子化が進むにつれ、高齢者の介護は人間の雇用市場のうちでも、著しい成長を見せる部門の一つとなるだろう。

対人ケアと並んで、創造性も自動化にとってじつに困難な障害となる。音楽の販売にはもう人間は必要としない。私たちはiTunes Store（アイチューンズストア）から直接ダウンロードできる。だが、作曲家やミュージシャン、歌手、DJは依然として生身の人間だ。完全に新しい音楽を生み出すだけでなく、途方もなく広い範囲の選択肢から選ぶのにも、私たちは彼らの創造性を頼りにしている。

それでもなお、長期的には自動化に対して絶対安全なままでいられる職はない。芸術家さえも安穏としてはいられない。現代の世界では、芸術はたいてい人間の情動と結びつけられている。芸術家は内面の心理的な力を特定の方向に導くのであり、芸術の目的は人に自分の情動と接触させたり、新しい感情を抱かせたりすることに尽きると、私たちは考えがちだ。そのため、芸術を評価する段になると、鑑賞者に与える情動的影響で良し悪しの判断を下す傾向にある。とはいえ、もし芸術が人間の情動で規定されるのなら、外部のアルゴリズムがシェイクスピアや岡本太郎やビヨンセよりも上手に人間の情動を理解したり心を揺り動かしたりする能力を獲得したら、どうなるのか？

なにしろ、情動は何か神秘的な現象ではなく、生化学的な過程の結果だ。だから、そう遠くない将来、機械学習アルゴリズムは、あなたの体の表面や内部から流れてくるバイオメトリックデータを分析し、性格タイプや変化する気分を判断し、特定の曲――あるいは音楽の特定の調（ちょう）さえも――があなたに与えそうな情動的影響を計算できるようになるかもしれない。(10)

あらゆる芸術形態のうち、音楽はおそらく、ビッグデータ分析が最もしやすいと思われる。なぜなら、入力と出力の両方を、厳密に数学的に表せるからだ。入力は音波の数学的パターンであり、出力は神経の嵐の電気化学的パターンだ。今後数十年のうちに、アルゴリズムが何百万回もの音楽的経験を調べて学習し、どのような入力がどのような出力につながるかを予測できるようになるかもしれない(11)。

仮にあなたが恋人とひどい喧嘩をしたばかりだとしよう。あなたの音響システムを担当するアルゴリズムは、内面の情動的動揺をただちに識別し、あなたの性格と人間の心理全般についての知識に基づき、あなたの憂鬱(ゆううつ)に共鳴したり、苦悩を反映したりするのにぴったりの歌を次々に流すだろう。そうした歌は、他の人には効果がないかもしれないが、あなたの性格タイプには打ってつけだ。そのアルゴリズムは、あなたが自分の悲しみのどん底に浸るのを助けた後、今度はあなたを元気づけることができそうな(潜在意識が、あなた自身さえ自覚していない子供時代の幸せな記憶とその歌を結びつけるからかもしれない)、この世で唯一の歌を流す。そんなAIの技能に並ぶことは、どんな人間のDJにも望みようがない。

AIはその技能を使ってセレンディピティ〔訳註 偶然に幸運な発見をする能力〕を台無しにし、私たちは過去の好き嫌いによって編み上げられた狭い音楽の繭(まゆ)の中に閉じ込められてしまうだろうと、異議を唱える人がいるかもしれない。新しい音楽の好みや様式の探求はどうなってしまうのか? 大丈夫。簡単だ。アルゴリズムを調節して、曲の五パーセントを完全にランダムに選ぶようにできる。そうすれば、あなたの意表を衝(つ)いて、インドネシアのガムランの合奏や、ロッシーニのオペラ、最新のK-POPのヒット曲などを聞かせてくれる。やがてそのAIは、あなたの反応をモニターしているうちに、探求を可能にしつつ不快感を与えないような、ランダム性の理想的なレベルを突き止めることさえでき、たとえばセレンディピティのレベルを三パーセントに下げたり、八パーセントに上げたりする。

　AIが情動面の目標をどのように定めるのかはっきりしないという理由を挙げて、AIの利用に反対することもできる。もしあなたが恋人と喧嘩したばかりだったら、アルゴリズムはあなたを悲しい気分にさせるべきか、それとも、喜びで満たすべきか？　AIは、「良い」情動と「悪い」情動の厳密な尺度にやみくもに従うのか？　人生には悲しい気分になったほうがいいときがあるのではないか？　もちろん、人間のミュージシャンやDJにも同じ疑問を向けることが可能だ。とはいえアルゴリズムの場合には、この難問には興味深い解決策がたくさんある。

　ただ顧客に任せるというのが一つの選択肢だ。あなたは自分の情動を好きなように評価し、アルゴリズムはあなたの指示に従えばいい。あなたが自己憐憫でのたうち回りたがろうと、喜びで飛び跳ねたがろうと、アルゴリズムはただただあなたに調子を合わせる。それどころかアルゴリズムは、あなたが自分の願望をはっきり自覚していなくてもなお、それを認識することを学習するかもしれない。

　あるいは、もしあなたは自分が信頼できなければ、誰であれ信頼している著名な心理学者の勧めに従うように、アルゴリズムに指示することもできる。そうすれば、もしけっきょく恋人に捨てられたら、たとえば、お定まりの嘆きの五段階をひと通り経験させてもらえる。アルゴリズムはまずボビー・マクファーリンの「心配するな、楽しくやろう（Don't Worry, Be Happy）」を流して、起こったことを否認するのを助け、それからアラニス・モリセットの「覚えておきなさいよ（You Oughta Know）」で怒りを掻き立て、ジャック・ブレルの「行かないで（Ne me quitte pas）」とポール・ヤングの「戻ってきてここにいてくれ（Come Back and Stay）」で取引を促し、アデルの「あなたのような誰か（Someone Like You）」と「ハロー（Hello）」で抑鬱のどん底に突き落とし、最後にグロリア・ゲイナーの「恋のサバイバル（I Will Survive）」で状況を受け容れる手助けをする。

次の段階では、ＡＩは歌やメロディ自体に手を加え、微妙に変えて、あなたならではの好みに合わせる。あなたは、ある曲をすばらしいと思っているが、一か所だけ気にくわないところがあるかもしれない。アルゴリズムはそれを知っている。あなたはその部分を聞くたびに、胸がドキッとし、オキシトシン濃度が下がるからだ。アルゴリズムはあなたの気に障るその部分の音符を書き換えたり削除したりできるだろう。

最終的には、アルゴリズムは一曲をそっくり作曲し、ピアノの鍵盤を叩いて音を鳴らすように、人間の情動に働きかけることを学習するかもしれない。アルゴリズムはバイオメトリックデータを使い、あなた専用のメロディさえ生み出すようになりうる――全宇宙であなたただ一人だけが堪能できるメロディを。

人が芸術に共感するのは、作品の中に自分自身を見出すからだと、よく言われる。これは、たとえば仮に、フェイスブックがあなたについて知っていることのいっさいに基づいてあなた専用の芸術を創作し始めたら、意外でいくぶん不気味な結果につながりかねない。もしあなたが恋人に捨てられたら、フェイスブックはアデルあるいはアラニス・モリセットに胸の張り裂ける思いをさせた未知の人についてではなく、あなたを捨てた特定のろくでなしについての、あなた専用の曲を聞かせてくれるだろう。その歌は、恋人と交際していたときの現実の出来事を思い出させさえする――二人以外には世界中の誰も知らない出来事を。

もちろん、各自専用の芸術作品は、まったく人気が出ないかもしれない。人は、誰もが好きな一般的なヒット曲を好み続けるからだ。自分以外には誰も知らない曲は、いっしょに歌ったり踊ったりできないではないか。だがアルゴリズムは、専用の珍しい曲よりも、世界的なヒット曲を生み出すほうが、なおさら得意になるかもしれない。何百万もの人から集めた厖大なバイオメトリックのデータベースを利用すれば、アルゴリズムは、あらゆる人にダンスフロアで物に憑かれたように踊り回らせる世界的なヒット曲を生み出すためには、どの生化学的なボタンを押せばいいかを知ることができる。もし本当に芸術は人間の情動を掻き立てる（あるいは、操作する）ものならば、人間のミュージシャンでそのようなアルゴリズムに太刀打ちできる人は、仮にいたとしてもごくわずかかだろう。自分が演奏している主な「楽器」、すなわち人間の生化学系の理解に関して、彼らはアルゴリズムの敵ではないからだ。

それでは、アルゴリズムは偉大な芸術を生み出すのだろうか？　それは芸術の定義次第だ。もし本当に美は聴く人の耳の中にあるのなら、そして、もし顧客はつねに正しいのなら、バイオメトリックアルゴリズムには史上最高の芸術作品を生み出す可能性がある。もし芸術が何か人間の情動よりも深いものにかかわっており、私たちの生化学的な感覚を超えた真理を表現するべきならば、バイオメトリックアルゴリズムは、あまり良い芸術家にはなれないかもしれない。だが、それはほとんどの人間にしても同じことだ。芸術市場に参入して多くの人間の作曲家や演奏家や歌手に取って代わるためには、アルゴリズムはただちにチャイコフスキーを超えなくてもいい。ブリトニー・スピアーズよりうまければ十分だ。

新しい仕事？

芸術から医療まで、あらゆる分野における多くの伝統的な職がなくなっても、人間ができる新しい仕事が創出されれば、ある程度までは埋め合わされる。主に既知の病気を診断し、お馴染みの治療をしている一般開業医は、おそらくＡＩ医師に取って代わられるだろう。だが、まさにそのおかげで、人間の医師や実験助手に革新的な研究をしてもらって、新しい薬や手術法を開発するために、はるかに多くの資金を回すことができる。[12]

ＡＩは別の形でも人間の新しい仕事の創出を後押しできるかもしれない。人間はＡＩと競争する代わりに、ＡＩの支援や活用に専念することもできるだろう。たとえば、ドローン（無人航空機）が人間のパイロットに取って代わったために、なくなった仕事もあるが、メンテナンスやリモートコントロール、データ分析、サイバーセキュリティで多くの雇用の機会が新たに生まれた。アメリカ軍は、シリア上空を飛ぶプレデターやリーパーといったドローンを動かすには、一機当たり三〇人必要で、得られた情報を分析するのに、さらに少なくとも八〇人が従事している。二〇一五年、アメリカの空軍は、これらの職をすべて埋めるだけの、訓練を積んだ人材を確保できず、その結果、無人機のための人員の不足という皮肉な危機を迎える羽目になった。[13]

このように新たな働き口が誕生すれば、二〇五〇年の雇用市場は人間とＡＩの競争ではなく協力を特徴とするようになってもおかしくない。警察活動から銀行業まで、さまざまな分野で人間とＡＩのチームが、人間とＡＩの両方に優る働きを見せうる。一九九七年にＩＢＭのチェス専用スーパーコンピューターのディープ・ブルーがチャンピオンのガルリ・カスパロフを破った後も、人間はチェスをするのをやめなかった。それどころか人間のチェスの名人たちは、ＡＩトレーナーのおかげで、かつてなかったほど腕を上げ、少なくともしばらくの間は、「ケンタウロス」と呼ばれる人間とＡＩのチームが、チェスでは人間とＡＩのどちらよりも良い成績を残した。ＡＩは同様に、史上有数の探偵や銀行家や兵士を育て上げる手助けをしうる(14)。

とはいえ、こうした新しい仕事はみな、一つ問題を抱えている。おそらく、高度な専門技術や知識が求められ、したがって、非熟練労働者の失業問題を解決できないのだ。人間のために新しい仕事を創出するよりも、実際にその仕事に就かせるために人間を訓練するほうが難しいという結果になりかねない。過去に自動化の波が押し寄せたときには、人々はたいてい、それまでやっていた、高度な技能を必要とせず、同じことを繰り返し行なう仕事から、別の、やはり単純な仕事に移ることができた。一九二〇年に農業の機械化で解雇された農場労働者は、トラクター製造工場で新しい仕事を見つけられた。一九八〇年に失業した工場労働者は、スーパーマーケットでレジ係として働き始めることができた。そのような転職が可能だったのは、農場から工場へ、工場からスーパーマーケットへという移動には、限られた訓練しか必要なかったからだ。

だが二〇五〇年には、ロボットに仕事を奪われたレジ係や繊維労働者が、癌研究者やドローン操縦士や、人間とＡＩの銀行業務チームのメンバーとして働き始めることはほぼ不可能だろう。彼らには必要とされる技能がないからだ。第一次世界大戦のときには、何百万もの未熟な徴集兵を戦場に送り込むのは道理に適っていた。敵の機関銃に向かって突進し、何千人という単位で戦死するのだから、個々の兵士の技能はほとんど問題にならなかった。今日では、アメリカ空軍はドローン操縦士とデータ分析員が不足しているのにもかかわらず、スーパーマーケットの仕事が務まらずに辞めた人を雇って空きを埋めようとはしない。未熟な新人に、アフガニスタンの結婚披露宴をタリバン幹部の会合と勘違いされるわけにはいかないからだ。

したがって、人間のための新しい仕事が出てきても、新しい「無用者」階級の増大が起こるかもしれない。私たちは実際、高い失業率と熟練労働者の不足という、二重苦に陥りかねない。多くの人は、一九世紀の荷馬車の御者（彼らはタクシーの運転手に鞍替えした）ではなく、一九世紀の馬（しだいに雇用市場から排除された）と同じ運命をたどる可能性がある。[15]

そのうえ、残っている人間の仕事も、将来の自動化の脅威をいつまでも免れる保証はない。なぜなら、機械学習とロボット工学は進歩し続けるからだ。スーパーマーケットのレジ係の職を失った四〇歳の人が超人的な努力をしてドローン操縦士になれたとしても、一〇年後には、再び新たな技能を身につけなくてはならないかもしれない。その頃にはドローンの操縦も自動化されている可能性があるからだ。このような絶え間ない変動のせいで、組合を組織したり、労働権を確保したりするのも難しくなる。今日でさえ、先進諸国の新しい仕事には、何の保証もない臨時のものや、フリーランスのものや、一回限りのものが多い。[16]急激に現れ、一〇年もしないうちに消えていく職種で労働組合を組織することなど、どうしてできるだろうか？

同様に、人間とコンピューターが協力する「ケンタウロス」型のチームも、生涯に及ぶ提携関係に落ち着かずに、人間とコンピューターの絶え間ない主導権争いになる可能性が高い。シャーロック・ホームズとワトソン医師の二人組のように、人間だけから成るチームはたいてい、何十年も続く恒久的な階層制と手順を作り上げる。だが、IBMのワトソンのコンピューターシステム（二〇一一年にアメリカのテレビのクイズ番組「ジェパディ！」で優勝して有名になった）と組んだ人間の探偵は、どの決まり切った手順もすぐ崩れ、どの階層制も革命を招くことを思い知らされるだろう。きのうの相棒は、明日には上司に変わっているかもしれないし、規約やマニュアルは毎年すべて書き直さなくてはならなくなる。[17]

チェスの世界を詳しく見てみれば、長期的にはどういう状況になりそうかがわかるかもしれない。ディープ・ブルーがカスパロフを破ってからの数年間は、たしかに人間とコンピューターの協力が盛んだった。とはいえ近年は、コンピューターはあまりにチェスが強くなったので、人間の協力者は価値を失った。間もなく、完全に無用になりかねない。

二〇一七年一二月六日は重大な節目になった。コンピューターがチェスで人間に勝ったわけではなく（そんなことなら、少しも目新しくはなかった）、グーグル傘下のディープマインド社が開発したコンピュータープログラムのアルファゼロが、ストックフィッシュ8を負かしたのだ。ストックフィッシュ8は二〇一六年のコンピューターチェス選手権のチャンピオンだった。ストックフィッシュ8は、チェスの分野で何世紀にもわたって蓄積してきた人間の経験にも、数十年にわたるコンピューターの経験にもアクセスできた。そして、毎秒七〇〇〇万のチェスの局面を計算できた。それに対してアルファゼロは、そうした計算は毎秒八万しかしなかったし、開発した人間たちは序盤の定跡さえも含めて、チェスの戦略をまったく教えなかった。その代わりアルファゼロは最新の機械学習原理を使い、自分自身と対戦することで、チェスを独学で習得した。それにもかかわらず、新参のアルファゼロはストックフィッシュと一〇〇回対戦して、二八勝七二引き分けだった。一度として負けなかった。アルファゼロは人間からは何一つ学んでいないので、勝敗を決めた手や戦略の多くは、人間の目には型破りに映った。仮に紛れもなく天才的とまでは言えないにしても、創造的と考えていいだろう。

ところで、アルファゼロが一からチェスを学んで、ストックフィッシュとの対戦に備え、天才的な勝負勘を発達させるのに、どれだけ時間がかかったか、想像がつくだろうか？　答えは、四時間だ。いや、これは誤植ではない。チェスは何世紀もの間、人間の知性による輝かしい業績の一つと考えられていた。ところがアルファゼロは、人間に少しも導かれることなしに、まったく無知な状態から独創的な名人の域まで、わずか四時間で到達したのだ。[18]

創意に富むソフトウェアは、なにもアルファゼロだけではない。今では多くのプログラムが、ただの計算力だけではなく「創造性」においてさえ、日常的に人間のチェスプレイヤーを打ち負かしている。人間だけのチェストーナメントでは、密かにコンピューターの助けを借りて不正を働こうとするプレイヤーがいないか、審判員が絶えず目を光らせている。不正行為を見破るためには、プレイヤーが発揮する独創性のレベルを監視するという手がある。プレイヤーが飛び抜けて独創的な手を指したら、審判は、それは人間の考えた手であるはずがない、コンピューターの手に違いないと思うことが多い。少なくともチェスでは、創造性は人間ではなくコンピューターのトレードマークなのだ！　だから、もしチェスが「炭鉱のカナリア」〔訳註　カナリアは人間よりも有毒ガスに弱いので、昔、炭鉱で有毒ガスの発生に気づくための警報装置として使われた〕ならば、私たちはそのカナリアが死にかけていることを、はっきり警告されたことになる。今日人間とAIのチェスチームで起こっていることは、いずれ警察活動や医療、銀行業務における人間とAIチームでも起こりかねない。[19]

したがって、新しい仕事を創出し、人間を再訓練してその仕事に就かせるのは、一度限りの取り組みでは済まされない。AI革命は、それが過ぎれば雇用市場があっさりと新たな均衡状態に落ち着くような、転換期に当たる単一の出来事ではない。むしろ、しだいに大きな混乱が起こる連鎖反応のようなものになるだろう。すでに今日、一生にわたって同じ職で働くと思っている勤め人はほとんどいない。[20]二〇五〇年には、「終身雇用」という考え方ばかりでなく、「一生の仕事」という考え方さえ、時代後れに思えるかもしれない。

たとえ私たちが新しい仕事を絶えず創出し、労働者を再訓練したとしても、平均的な人間には、そのように大変動が果てしなく続く人生に必要な情緒的スタミナがあるかどうか、疑問に思える。変化にはストレスが付き物だし、二一世紀初頭のあわただしい世界は、すでにグローバルなストレスの大流行を引き起こしている。[21]雇用市場と個人のキャリアの不安定さが増すのに、人はうまく対処できるだろうか？　サピエンスの心が参ってしまわないようにするためには、おそらく、薬物からニューロフィードバック、さらには瞑想まで、今よりはるかに効果的なストレス軽減法が必要となるだろう。二〇五〇年までには、仕事の絶対的な欠如あるいは適切な教育の不足のせいばかりではなく、精神的なスタミナの欠乏のせいでも、「無用者」階級が出現するかもしれない。

言うまでもなく、これまで述べてきたことのほとんどは、ただの推量にすぎない。本書執筆の時点（二〇一八年初期）には、自動化のせいで多くの産業が混乱しているが、大量失業には至っていない。それどころか、アメリカをはじめ多くの国では、失業率は歴史的な低水準にある。将来、機械学習と自動化がさまざまな職業にどのような影響を与えるかは、誰にもはっきりとはわからないし、関連する出来事がどのような時間スケールで展開するかを予想するのは、すこぶる難しい。それは純粋にテクノロジー上の飛躍的発展にだけではなく、政治的決定や文化的伝統にも左右されるから、なおさらだ。たとえば、自動運転車が人間の運転者よりも安全で安上がりであると判明した後でさえ、政治家と消費者は、自動運転車への移行を何年も、ひょっとすると何十年も妨げるかもしれない。

とはいえ私たちは、のうのうとしているわけにはいかない。新しい仕事が十分な数だけ現れて、失われた仕事を埋め合わせてくれると決め込むのは危険だ。過去に自動化の波が押し寄せるたびに、そうした埋め合わせが起こったからといって、二一世紀の非常に異なる状況下でも同じことが起こる保証はまったくないのだ。起こりうる社会的混乱や政治的混乱はあまりに不穏なので、全般に及ぶ大量失業の可能性がたとえ低くても、私たちはその可能性を真剣に受け止めるべきだ。

一九世紀には産業革命が、既存の社会モデルや経済モデルや政治モデルのどれ一つとして対処できないような、新しい状況と問題を生み出した。封建制や君主制や伝統的な宗教は、大工業都市や、住み慣れた土地を追われた何百万もの労働者や、絶えず変化する近代経済を管理するようには適応していなかった。その結果、人類は完全に新しいモデル（自由民主主義国家や共産主義独裁政権やファシスト体制）を開発しなければならず、それらのモデルを実験し、役に立つものと立たないものを選別し、最善の解決策を実行に移すのには、一世紀以上に及ぶ恐ろしい戦争と革命を必要とした。ディケンズの小説に出てくるような炭鉱での児童労働や、第一次世界大戦、一九三二年から翌三三年にかけてのウクライナの大飢饉は、人類が支払った授業料のほんの一部にすぎない。

二一世紀にITとバイオテクノロジーが人類に突きつけてくる課題は、前の時代に蒸気機関や鉄道や電気が突きつけてきた課題より、おそらくはるかに大きい。そして、私たちの文明の持つ途方もない破壊力を考えると、欠陥のあるモデルや世界大戦や血なまぐさい革命を容認する余裕はとうていない。今回は、モデルに欠陥があれば、核戦争が起こったり、遺伝子工学で怪物が生まれたり、生物圏が完全に崩壊したりする結果になりかねない。したがって私たちは、産業革命に直面したときよりもうまく対応する必要がある。

搾取から存在意義の喪失へ

解決策の候補は、三つの主要なカテゴリーに分類できる。仕事がなくなるのを防ぐために何をするべきか？　十分な数の新しい仕事を創出するには何をするべきか？　最善の努力をしたにもかかわらず、なくなる仕事のほうが創出される仕事よりもずっと多くなったら、何をするべきか？

仕事がなくなるのを完全に防ぐというのは、魅力的な戦略ではないし、おそらく達成不可能だろう。なぜならそれは、ＡＩとロボット工学が持つ莫大な好ましい可能性を捨てることを意味するからだ。それでも各国政府は自動化のペースを意図的に落とすことを決めるかもしれない。自動化が引き起こす衝撃を和らげ、再調整の時間を稼ぐためだ。テクノロジーはけっして決定論的ではなく、何かなしうることがあるからといって、必ずしもそうしなければならないわけではない。商業的に実現可能で、経済的に利益のあがる新しいテクノロジーでさえも、政府は規制によって導入を首尾良く妨げることができる。たとえば、発展途上国に人間の「肉体農場（ボディーファーム）」を設立し、切羽詰まった裕福な買い手からのほぼ無尽蔵の需要がある、人間の臓器市場を創設するテクノロジーは、何十年も前からある。そのようなボディーファームは何千億ドルもの価値を持ちうる。ところが、人間の臓器の自由貿易は規制によって禁じられており、闇市場は存在するとはいえ、意外なまでに小規模で限定的だ(22)。

変化のペースを遅らせれば、失われた仕事の大半に取って代わる新しい仕事を創出する時間が得られるかもしれない。それでも、すでに指摘したように、経済的な起業家精神には教育と心理における革命が伴っていなくてはならない。新しい仕事が、政府でのただの閑職ではないと仮定すれば、おそらくそうした仕事には高いレベルの専門技術や知識が求められ、ＡＩが進歩し続けるなか、人間の被雇用者は繰り返し新しい技能を習得し、職業を替える必要があるだろう。政府が介入して、生涯教育部門に助成金を支給するとともに、次の仕事までの避けようのない移行期を乗り切るためのセーフティネットを提供せざるをえなくなる。もし四〇歳の元ドローン操縦士がバーチャル世界のデザイナーに自分を仕立て直すのに三年かかるとしたら、その間、自分と家族を支えるには政府の援助がたっぷり必要だろう（この種の計画が現在、他に先駆けてスカンディナヴィアで進められており、そこでは政府が「仕事ではなく労働者を守れ」をモットーにしている）。

もっとも、たとえ政府から十分な支援が提供されたとしてさえ、何十億もの人が心の安定を失わずに繰り返し自分を仕立て直すことが可能かどうかは、およそ明白ではない。したがって、私たちがどれほど努力したとしても、人類のかなりの割合が雇用市場から排除されるのなら、ポスト・ワーク社会やポスト・ワーク経済やポスト・ワーク政治のための新しいモデルを探求せざるをえないだろう。最初のステップは、私たちが過去から受け継いだ社会モデルや経済モデルや政治モデルは、そのような課題に取り組むのには不適切だと、正直に認めることだ。

共産主義を例に取ろう。自動化によって資本主義体制が根底から揺るがされようとしているので、共産主義が復活できるかもしれないと思う人もいるだろう。だが共産主義は、この種の危機に乗じるように構築されたわけではない。二〇世紀の共産主義は、労働者階級は経済にとって不可欠であるという前提に立ち、共産主義の思想家は、無産階級（プロレタリアート）に彼らの巨大な経済力を政治的影響力に変える方法を教えようとした。共産主義の政治プランは、労働者階級の革命を必要とした。だがこれらの教えは、一般大衆が経済的価値を失い、したがって、搾取ではなく存在意義の喪失と戦う必要があるなら、どれほど当を得ていることになるのか？　労働者階級なしで、どうやって労働者階級革命を始めるというのか？

人間はけっして経済的な存在意義を喪失しえない、なぜならたとえ人間は職場でＡＩに太刀打ちできなくても、消費者としてつねに必要とされるだろうから、と主張する向きもあるかもしれない。とはいえ、将来の経済が、私たちを消費者としてさえ必要とするかどうかは、およそ定かではない。機械とコンピューターがあれば事足りる可能性がある。理論上は、こんな経済もありうるだろう。鉱山企業が鉄を製造してロボット工学企業に売り、ロボット工学企業がロボットを製造して鉱山企業に売り、鉱山企業はさらに多くの鉄を採掘し、それを使ってさらに多くのロボットが製造され……という具合だ。こうした企業は銀河の果てまで成長・拡大しうる。しかも、ロボットとコンピューターさえあればいい。人間に製品を買ってもらう必要さえないのだ。

実際、今日すでにコンピューターとアルゴリズムが、生産者ばかりではなく顧客の役割も果たし始めている。たとえば証券取引所では、アルゴリズムが債券や株式や商品の最も重要な買い手になりつつある。同様に、広告業では、最も重要な顧客はアルゴリズム——グーグルの検索アルゴリズムだ。人々はウェブページをデザインするときには、どんな人間よりもグーグルの検索アルゴリズムの好みに合わせることが多い。

アルゴリズムは明らかに意識を持っていないので、人間の消費者とは違い、買ったものを楽しめないし、アルゴリズムの決定は感覚や情動で決まりはしない。グーグルの検索アルゴリズムはアイスクリームを味わうことはできない。それでもアルゴリズムは、内部の計算や組み込まれた好みに基づいて物事を選び、そうした好みがしだいに私たちの世界の行方を決める。グーグルの検索アルゴリズムは、アイスクリーム供給業者のランキングに関しては独特の好みを持っている。世界でとりわけ大きな成功を収めるアイスクリーム供給業者は、最も美味しいアイスクリームの生産者ではなく、グーグルのアルゴリズムが上位にランキングした業者だ。

私は自分自身の経験からそれを知っている。私が本を出すと、オンラインの宣伝のために、短い説明を書くように出版社から依頼される。だが、出版社にはその道のプロがいて、私が書いたものをグーグルのアルゴリズムの好みに合うように書き換える。その専門家は私の文章に目を通し、「この言葉は使わないで、代わりにこちらの言葉を使いましょう。そうすれば、グーグルのアルゴリズムにもっと注目されますから」と言う。アルゴリズムの目を惹くことができさえすれば、当然人間の目も惹けることを、私たちは知っているのだ。

では、もし人間が生産者としても消費者としても必要とされなくなったなら、何が人間を守って、身体的に生き延びたり、心理的な健康を保ったりできるようにしてくれるのか？ 私たちは、本格的な危機が起こる前に、その答えを探し始めなければならない。ぐずぐずしていると、手後れになる。前例のない二一世紀の技術的破壊や経済的混乱に対処するためには、新しい社会モデルと経済モデルをなるべく早急に開発する必要がある。そうしたモデルは、仕事ではなく人間を守るという原理に導かれたものであるべきだ。退屈で骨が折れ、存続させる価値のない仕事は多い。レジ係になることを一生の夢にしている人などいない。私たちは人々の基本的な必要を満たし、社会的地位と自尊心を守ることに重点的に取り組むべきだ。

しだいに注目を集めている新しいモデルがある。普遍的な最低所得保障（ユニバーサルベーシックインカム）と呼ばれる発想で、アルゴリズムとロボットを制御している億万長者と企業に政府が課税し、その税収を使って、すべての人に気前良く一定額を定期的に支給し、基本的な必要を満たしてもらうという発想だ。これによって、貧しい人は失業や経済的混乱から守られ、裕福な人はポピュリズムの激しい怒りから守られる。[23]

それと関連した考え方に、「仕事」と見なされる人間の活動の幅を拡げるというものがある。現在、何十億もの親が子供を養育し、近所の人々が世話をし合い、市民がコミュニティを組織しているが、こうした有益な活動のどれ一つとして仕事とは認識されていない。私たちは発想を変え、子供の養育はこの世でおそらく最も重要で大変な仕事であることに気づく必要があるのかもしれない。もし仕事の幅が拡がれば、コンピューターやロボットが運転者や銀行家や弁護士にすべて取って代わったとしてさえ、仕事が不足することはなくなる。もちろん問題は、新たに認められたこれらの仕事を誰が評価し、お金を払うか、だ。生後六か月の赤ん坊が母親に給料を払うはずはないから、たぶん政府が肩代わりせざるをえないだろう。そして私たちは、その給料で家族全員の基本的必要が満たされることを望むだろうから、けっきょくそれは最低所得保障と大差はなくなる。

あるいは、政府は普遍的な最低所得保障ではなく最低サービス保障の助成金を支払うことも可能だろう。人々にお金を与え、好きなものを買えるようにする代わりに、政府は無料の教育や医療や交通などを提供してもいい。これはじつは共産主義のユートピアのビジョンだ。労働者階級の革命を始めるという共産主義の計画はおそらく時代後れになったとはいえ、私たちは他の手段によって、共産主義の目標の実現を依然として狙うべきなのかもしれない。

人々に普遍的な最低所得保障（資本主義の楽園）と最低サービス保障（共産主義の楽園）のどちらを提供したほうがいいかについては、議論の余地がある。どちらの選択肢にも長所と短所がある。だが、どちらの楽園を選ぼうと、真の問題は、「普遍的」と「最低」という言葉が本当は何を意味しているかを定義することだ。

普遍的とは？

普遍的な最低支援――それが所得の形を取ろうとサービスの形を取ろうと――と言うときにはたいてい、国民の最低支援を意味する。これまで、普遍的な最低所得保障の取り組みはすべて、国あるいは地方自治体のものに完全に限られてきた。二〇一七年一月、フィンランドは二年がかりの実験を始め、失業したフィンランド国民二〇〇〇人に、毎月五六〇ユーロを支給している。彼らが仕事を見つけようと見つけまいと、関係ない。同じような実験がカナダのオンタリオ州やイタリアの都市リヴォルノやオランダのいくつかの都市でも進められている[24]（二〇一六年、スイスは居住者全員を対象とする最低所得保障制度を導入するかどうか国民投票を行なったが、有権者はこの案を退けた[25]）。

とはいえ、そのような国や地方自治体の制度には問題がある。自動化の主な犠牲者は、フィンランドやオンタリオ、リヴォルノ、アムステルダムには住んでいないかもしれないのだ。グローバル化のせいで、ある国の人々は他の国々の市場に完全に依存するようになったかもしれないが、自動化はこのグローバルな交易ネットワークのかなりの部分を崩壊させ、とくに脆弱な箇所に壊滅的な結果をもたらしかねない。二〇世紀には、天然資源に恵まれていない開発途上国は、主に非熟練労働者の安い労働力を売ることで経済発展を遂げた。今日、何百万ものバングラデシュ人がシャツを生産してアメリカの消費者に売って暮らしを立てており、インドのバンガロールの人はコールセンターでアメリカの消費者の苦情を処理して生活費を稼いでいる[26]。

ところが、AIとロボットと3Dプリンターが普及すれば、安価な非熟練労働者の重要性は大幅に失われるだろう。バングラデシュのダッカでシャツを製造してはるばるアメリカに出荷しなくても、そのシャツのコードをオンラインでアマゾンから購入し、ニューヨークでプリントできるようになる。五番街のザラやプラダの店は、ブルックリンの3Dプリンティングセンターに取って代わられ、自宅に3Dプリンターを備える人さえ出てくるかもしれない。それと同時に、私たちは自分のプリンターについてバンガロールのカスタマーサービスに電話して苦情を言う代わりに、グーグルのクラウドで担当のAIに話を聞いてもらえるだろう（そのAIの発音や声の調子は、あなたの好みに合うように調整されている）。ダッカとバンガロールで失業したばかりの労働者やコールセンターのオペレーターは、流行の先端を行くようなシャツをデザインしたり、コンピュータープログラムを書いたりする仕事に切り替えるのに必要な教育を受けていない。それでは、彼らはどうやって生き延びたらいいのか？

もしAIと3Dプリンターがバングラデシュとバンガロールの人々に本当に取って代わったら、それまで南アジアに流れていた収益は、今度はカリフォルニア州の巨大なテクノロジー企業数社の金庫を満たすことになる。経済成長で世界中の状況が改善する代わりに、シリコンヴァレーのようなハイテクのハブで莫大な富が新たに生み出される一方で、多くの開発途上国が破綻するのを私たちは目にするかもしれない。

もちろん、インドやバングラデシュを含めた一部の新興経済国は、急速に発展して勝ち組に加わるかもしれない。十分な時間があれば、繊維労働者やコールセンターのオペレーターの子供や孫は、技術者や起業家になって、コンピューターや3Dプリンターを製造したり所有したりするだろう。だが、そのような移行を成し遂げる時間は尽きかけている。過去には安い非熟練労働力は、グローバルな経済格差に渡された頑丈な橋の役割を果たし、たとえ国がゆっくりとしか発展していなくても、いずれ安全圏に到達することが見込めた。適切な措置を講じることのほうが、迅速な発展を遂げることよりも重要だった。ところが、今やその架け橋が揺らいでおり、間もなく崩れ落ちるかもしれない。安価な労働を卒業して高度な技能を必要とする産業へと進んで、その橋をすでに渡り終えた人々は、おそらく大丈夫だろう。だが、後れを取っている人々は、格差の向こう岸に渡る手段をまったく持たないまま、手前に取り残されてしまいかねない。自国の安い非熟練労働者を誰も必要とせず、満足な教育制度を確立して彼らに新しい技能を教えるだけの資源がなければ、その国はどうすればいいのか[27]?

なす術がないとしたら、落伍者たちをどんな運命が待ち受けているのか? アマゾンやグーグルが国内で行なっている事業に対して支払う税金を、失業中のペンシルヴェニアの鉱山労働者やニューヨークのタクシー運転手に、給付金を支払ったり無料サービスを提供したりするのに使うのに、アメリカの有権者が賛成することは、ひょっとするとありうる。とはいえ、アメリカの有権者は、そうした税金をトランプ大統領が「肥溜め（こえだめ）のような国々[28]」と呼んだ場所〔訳註　ハイチ、エルサルバドル、アフリカ諸国の一部〕の失業者を支援するために使うべきだという考え方にも賛成するだろうか? もし賛成すると思っているのなら、サンタクロースやイースターバニー〔訳註　復活祭のときに贈り物を持ってきてくれるとされるウサギ〕がその問題を解決してくれると信じるのと同じようなものだ。

最低とは？

普遍的な最低支援とは、人間の基本的な必要を満たすことを意味しているが、その定義は確立されていない。純粋に生物学的な視点に立てば、サピエンスは生き延びるためには毎日一五〇〇〜二五〇〇キロカロリー摂取するだけでいい。それ以上はみな贅沢だ。ところが歴史上のどの文化も、この生物学的貧困線以外に、さらなる必要を基本的なものと定義してきた。中世のヨーロッパでは、教会での礼拝へのアクセスは食べ物以上に重視された。礼拝は、儚い身体ではなく永遠の魂の世話をしてくれたからだ。今日のヨーロッパでは、人並の教育と医療サービスが人間の基本的な必要と考えられており、今や大人にとっても子供にとってもインターネットへのアクセスさえ不可欠であると主張する人もいる。もし二〇五〇年に世界連合政府が、グーグルやアマゾン、百度、騰訊に課税して、（デトロイトだけでなくダッカでも）地球上のすべての人に最低支援を提供することに合意したら、「最低」をどう定義するだろう？

たとえば、最低教育には何が含まれるのか？　読み書きだけか、それとも、コンピューターープログラムの書き方やバイオリンの弾き方も含めるのか？　小学校の六年間だけか、博士課程まで全部か？　そして、医療は？　医学の進歩で二〇五〇年までに、加齢の過程を遅らせ、人間の寿命を大幅に延ばすことが可能になったら、新しい治療や処置は、地球上の一〇〇億人全員が受けられるのか、それともほんの一握りの億万長者だけが利用できるのか？　もしバイオテクノロジーのおかげで親が子供をアップグレードできるようになったら、それも人間の基本的な必要と見なされるのか、それとも、人類が異なる生物学的社会階級（カースト）に分かれ、裕福な超人が貧しいホモ・サピエンスをはるかに凌ぐ能力を享受するところを私たちは目にすることになるのか？

「人間の基本的な必要」をどのように定義することを選ぼうと、それをいったんすべての人に無料で提供すれば、それは与えられるのが当然のものとなり、その後、基本的ではない贅沢——それが高級な自動運転車であれ、バーチャルリアリティの娯楽施設へのアクセスであれ、生物工学で能力を強化した体であれ——をめぐって熾烈な社会的競争と政治的闘争が起こるだろう。とはいえ、もし失業した一般大衆には自由に使える経済的資産がなければ、彼らがそのような贅沢を手にすることはけっして望めないように思える。その結果、裕福な人（騰訊の経営陣やグーグルの株主）と貧しい人（最低所得保障に依存している人）との格差は拡がるばかりではなく、埋めることが不可能になりかねない。

　したがって、たとえ二〇五〇年には何らかの普遍的な支援制度によって貧しい人々に今日よりはるかに優れた医療と教育を提供したとしても、彼らは依然として、グローバルな不平等や社会的流動性の欠如に対して極端な怒りを覚えるかもしれない。世の中は自分たちに不利にできている、政府は大金持ちのことしか考えない、将来は自分や子供にとって、なお悪くなる、と人々は感じるだろう[29]。

ホモ・サピエンスは満足するようには断じてできていない。人間の幸せは客観的な境遇よりも期待にかかっている。ところが、期待は境遇に適応しがちで、境遇には他の人々の境遇も含まれる。物事が良くなるにつれて期待も膨らみ、その結果、境遇が劇的に改善しても、私たちは前と同じぐらい不満足のままでありうる。もし最低所得保障が二〇五〇年の平均的な人の客観的境遇の改善を目指していたら、成功する可能性はかなり高い。だが、もし人々を自分の境遇に主観的にもっと満足させ、社会的不満を防ぐことを目指していたら、おそらく失敗する。

最低所得保障が本当に目標を達成するためには、スポーツから宗教まで、何かしらの有意義な営みで補わなければならないだろう。ポスト・ワーク世界で満足した人生を送る実験が、これまで最も大きな成功を収めているのはイスラエルかもしれない。この国では、ユダヤ教超正統派の男性の約半分が一生働かない。彼らは聖典を読み、宗教的儀式を執り行なうことに人生を捧げる。彼らと家族が飢えずに済むのは、一つには妻たちが働いているからで、一つには政府がかなりの補助金や無料のサービスを提供し、基本的な生活必需品に困らないようにするからだ。つまり、最低所得保障という言葉が登場する前から、それが実践されていたわけだ[30]。

これらのユダヤ教超正統派の男性は貧しく、職に就いていないものの、どの調査でもイスラエル社会の他のどんな区分の人よりも高い水準の生活満足度を報告する。これは彼らが属するコミュニティの絆の強さのおかげであるとともに、聖典を学び、儀式を執り行なうことに彼らが深い意味を見出しているおかげでもある。タルムード〔訳註 ユダヤの口承律法とその注釈の集大成〕について論じるユダヤ人男性でいっぱいの小部屋は、仕事熱心な工員がひしめく繊維業の巨大な労働搾取工場よりも多くの喜びを生み出し、積極的な関与を促し、見識を育むことだろう。生活満足度のグローバルな調査では、イスラエルはたいてい上位に入る。それは一つには、職に就いていないこうした貧しい人々の満足度が高いおかげだ。(31)

非宗教的なイスラエル人はしばしば苦々しげに不平を言う。ユダヤ教超正統派は社会に十分貢献しておらず、他の人々が汗水たらして働いているのに、その脛をかじっている、と。非宗教的なイスラエル人はまた、ユダヤ教超正統派の暮らしは維持していかれない、とくに、彼らの家庭には平均で七人子供がいるから、とも主張する。(32)遅かれ早かれ、国は職に就いていない人をそこまで大勢支えられなくなり、ユダヤ教超正統派も働きに出なくてはならなくなるだろう。もっとも、それとは正反対のことが起こるかもしれない。ロボットとAIが人間を雇用市場から押しのけていくにつれ、ユダヤ教超正統派は過去の化石ではなく将来のモデルと見なされるようになる可能性があるのだ。誰もがユダヤ教超正統派になって、イェシバ〔訳註 タルムードを学ぶためのユダヤ教の教育機関〕に行くというわけではない。だが、すべての人の人生で、意味とコミュニティの探求が、仕事の探求の影を薄くさせるかもしれないということだ。

普遍的な経済的セーフティネットを強力なコミュニティや有意義な営みと首尾良く結びつけられれば、アルゴリズムに仕事を奪われることは、じつは恩恵となるかもしれない。そうは言っても、自分の人生を思いどおりにできなくなることのほうが、はるかに恐ろしい筋書きだ。私たちは大量失業の危険に直面しているとはいえ、それ以上に憂慮するべきことがある。すなわち、人間からアルゴリズムへの権限の移行であり、それは、自由主義の物語に対してまだ残っている信頼を根こそぎにし、デジタル独裁制の台頭への道を拓きかねない。

3

自由
ビッグデータがあなたを見守っている

自由主義の物語は、人間の自由を最も価値あるものとして大切にする。あらゆる権限は最終的には個々の人間の自由意志から生じ、自由意志は各自の感情や欲望や選択の中に表れると、この物語は主張する。政治では、有権者がいちばんよく知っていると自由主義は信じている。だから民主的な選挙を支持する。経済では、顧客はつねに正しいと自由主義は断言する。だから自由市場の原理を歓迎する。私事では、他者の自由を侵害しないかぎり、自分に耳を傾けたり、自分に忠実であったり、自分の心に従ったりすることを、自由主義は人々に勧める。この個人の自由は、人権の中に大切に謳われている。今日、西洋の政治的な談話では、「自由主義の（リベラル）」という言葉は、同性婚や銃規制や妊娠中絶などの特定の目的を支持する人を指して、非常に狭い、党派色の濃い意味で使われることがある。とはいえ、リベラル派の対極にあると見なされる、いわゆる保守派の大半も、広い意味での自由主義の世界観を信奉している。とくにアメリカでは、共和党員も民主党員も激烈な口論をときおりやめにして、自由選挙や独立した司法制度や人権のような根本原則には誰もが同意することを思い出すべきだ。

あなたも自問してみるといい。人々はやみくもに王に従うのではなく、自ら政権を選ぶべきだと思うか？　生まれでカーストが決まるのではなく、自ら職業を選ぶべきか？　誰であろうと親が選んだ相手と結婚するのではなく、自ら配偶者を選ぶべきか？　もしこの三つの質問にすべて「イエス」と答えたのなら、おめでとう。あなたは自由主義者だ。

とりわけ、次の点はどうしても心に留めておくべきだ。ロナルド・レーガンやマーガレット・サッチャーのような保守派のヒーローでさえも、経済的自由ばかりでなく個人の自由も熱烈に擁護した。サッチャーは一九八七年の有名なインタビューで、こう述べている。「社会などというものはありません。人々から成る生きたタペストリーがあり……私たちの生活の質は、一人ひとりが自らに責任を持つ覚悟がどれだけあるかにかかっています(1)」

保守党のサッチャーの後継者たちは、政治的権限は個々の有権者の感情や選択や自由意志に由来するということで、労働党と全面的に同意している。だからイギリスがEUを離脱するべきかどうかを決めなければならなくなったとき、デイヴィッド・キャメロン首相はこの問題を解決するために、エリザベス女王やカンタベリー大主教、オックスフォード大学やケンブリッジ大学の教官にお伺いを立てることはなかった。議員たちにさえ尋ねなかった。その代わり、国民投票を行ない、「この件に関してどう感じますか？」と全国民に問うたのだった。

人々は「どう感じますか？」ではなく「どう考えますか？」と問われたのだと、異議を唱える向きもあるかもしれないが、これはよくある誤解だ。国民投票や選挙は、人間の合理性にまつわるものではなく、つねに感情にまつわるものだ。もし民主主義が合理的な意思決定に尽きるのなら、すべての人に同じ投票権を与える理由は断じてない。いや、投票権そのものを与える理由すらないかもしれない。他の人よりもはるかに博識で合理的な人がいることを示す証拠はたっぷりある。特定の経済問題や政治問題に関するときは、間違いなくそうだ。[2]ブレグジットの投票の後、著名な生物学者のリチャード・ドーキンスは、自分も含め、イギリスの国民に投票で意見を問うべきではなかったと、不満の意を表した。なぜなら一般大衆は、判断に必要とされる経済学と政治学の予備知識を欠いていたからだ。「アインシュタインが代数学的な処理をきちんとこなしていたかどうかを全国的な投票を行なって決めたり、パイロットがどの滑走路に着陸するかを乗客に投票させたりするようなものだ」[3]
ところが是非はともかく、選挙や国民投票は、私たちがどう考えるかを問うものではない。どう感じるかを問うものなのだ。そして、こと感情となると、アインシュタインやドーキンスでさえ、他の誰とも変わりはない。人間の感情は謎めいていて深遠な「自由意志」を反映しており、この「自由意志」が権限の究極の源泉であり、知能の高さは千差万別でもあらゆる人間は等しく自由であるという前提に、民主主義は立っている。字の読めない小間使いも、アインシュタインやドーキンスと同様、自由意志を持っており、したがって、選挙の日には、投票によって表明される彼女の感情も、他の誰の感情にも劣らぬ重みを持つ。

感情は有権者だけではなく指導者も導く。二〇一六年のブレグジットの国民投票では、離脱運動はボリス・ジョンソンとマイケル・ゴーヴが共同で率いた。デイヴィッド・キャメロンの辞任後、ゴーヴは当初、ジョンソンを首相に推したが、土壇場に来てその座には不適と言い放ち、自ら立候補する意図を公表した。ジョンソンが首相に就任する道を閉ざそうとしたゴーヴの行動は、マキアヴェリばりの政治的暗殺と評された[4]。だがゴーヴは自らの振る舞いを、自分の感情に訴えることで擁護し、次のように説明した。「政治家としてのこれまでの人生のどの段階でも、私は自分にこう問うてきた。『どうするのが正しいのか？　自分の胸に訊いてみろ』と」[5]。ゴーヴによれば、だからこそブレグジットのためにあれほど懸命に戦ってきたのであり、だからこそかつての盟友ボリス・ジョンソンを裏切って自らボスの座を目指さざるをえないと感じたのだという。彼の心がそうするように命じたというわけだ。

心へのこのような依存は、自由民主主義のアキレス腱になりかねない。なぜならいったん誰かが(北京(ペキン)であろうがサンフランシスコであろうが、どこかで)、テクノロジーを使って人間の心をハッキングして操作できるようになったら、民主政治は情動を操る人形芝居と化すだろうから。

アルゴリズムの言うとおりにしろ

個人の感情と自由選択に対する自由主義の信頼は、自然なものでもあまり古いものでもない。権限は人間の心ではなく神の法に由来し、したがって、私たちは人間の自由よりもむしろ神の言葉を神聖視するべきだ、と人々は何千年にもわたって信じてきた。権限の源泉が天上の神々から生身の人間に移ったのは、ようやく過去数世紀のことだ。間もなく、権限は再び移るかもしれない――人間からアルゴリズムへと。神の権限が宗教的な神話によって正当化され、人間の権限は自由主義の物語によって正当化されていた。それとちょうど同じで、来るべきテクノロジー革命はビッグデータアルゴリズムの権限を確立し、同時に個人の自由という考えそのものを切り崩すかもしれない。

前の章で述べたように、私たちの脳と体の機能の仕方に関する科学的見識からは、私たちの感情は何か人間ならではの霊的特性ではなく、どんな種類の「自由意志」も反映していないことがうかがわれる。むしろ感情は、あらゆる哺乳動物と鳥類が生存と繁殖の確率を素早く計算するのに使う、生化学的なメカニズムだ。感情は直感や霊感や自由には基づいていない。計算に基づいているのだ。

サルやネズミや人間がヘビを目にすると、恐れが湧き起こる。脳内の何百万ものニューロンがたちまち関連のデータを計算して死ぬ確率が高いという結論を出すからだ。別の生化学的なアルゴリズムが計算を行なって、近くの個体が、繁殖の成功や社会的絆作りやその他の望ましい目的の達成の高い確率を提供するという結論が出ると、性的魅力を感じる。不正や非道に対する憤り、罪悪感、寛大さといった道徳的感情は、集団の協力を可能にするために進化した神経メカニズムに由来する。こうした生化学的なアルゴリズムはみな、何百万年にも及ぶ進化を通して磨きをかけられてきた。どこかの遠い祖先の感情が誤りを犯せば、その感情を形作っている遺伝子は、次の世代には伝わらなかった。このように、感情は合理性の対極ではなく、進化が育んだ合理性を体現しているのだ。

私たちは、感情がじつは計算であることにたいてい気づきそこなう。なぜなら、計算の迅速な過程は、私たちがまったく自覚できない次元で起こるからだ。私たちは脳内で何百万ものニューロンが生存と繁殖の確率を計算しているのを感じないので、ヘビに対する恐れや、繁殖相手の選択や、EUについての自分の意見は、何か謎めいた「自由意志」の結果だと、誤って信じている。

私たちの感情は自由意志を反映しているという自由主義の考えが間違っているにもかかわらず、それでも感情に頼るのは今日まで依然として実用的には理に適っていた。感情には不思議なところも自由なところもまったくないとはいえ、何を学ぶべきか、誰と結婚するべきか、どの党に投票するべきかなどを決めるために、感情に頼るのは、この世で最高の方法だったからだ。そして、私の感情を私以上によく理解することを望みうる外部システムは一つもなかった。スペインの異端審問所やソ連のKGB（国家保安委員会）は、たとえ私のことを毎日密かに休みなく見張っていたとしても、十分な生物学的知識と演算能力を欠いていたため、私の欲望や選択を形作る生化学的過程をハッキングすることはできなかっただろう。実際上は、私には自由意志があると主張するのは妥当だった。なぜなら、私の意志は主に、内なる力の相互作用によって形作られており、それは誰一人外部の人間には見えなかったからだ。私は、自分の内なる秘密の活動領域を支配しており、外部の人は私の内部で何が起こっているかや私がどのように意思決定を行なっているかをけっして本当に理解できない、という幻想に浸ることができた。

したがって、自由主義が人々に、どこかの聖職者や政党の政治局員の言いなりになるより、自分の心に従うように勧めたのは正しかった。ところが、間もなくコンピューターアルゴリズムが人間の感情よりも優れた助言を与えられるようになるかもしれない。

スペインの異端審問所やKGBがグーグルや百度(バイドウ)に道を譲ったのと同じように、「自由意志」も神話であることが暴かれる可能性が高く、自由主義は実際的な優位性を失うかもしれない。

というのも、私たちは今、二つの巨大な革命のさなかにあるからだ。一方では生物学者たちが人体の謎――それもとくに、脳と人間の感情の謎――を解き明かしつつある。同時にコンピューター科学者たちが、前代未聞のデータ処理能力を私たちに与えてくれつつある。バイオテクノロジー革命が情報テクノロジー（IT）革命と融合したときには、私の感情を私よりもはるかにうまくモニターして理解できるビッグデータアルゴリズムが誕生する。その暁には、権限はおそらく人間からコンピューターへと移る。これまではアクセス不能だった私の内なる領域を理解して操作する組織や企業や政府機関に日々出くわしているうちに、自由意志という私の幻想は崩れ去るだろう。

それを簡潔に表すなら、次の公式が使える。

b×c×d=ahh!

すなわち、生物学的知識（biological knowledge）と演算能力（computing power）とデータ（data）の積は、人間をハッキングする能力（ability to hack humans）に等しい。

私たちは医療の分野でこの公式が現実のものとなりつつあるところを、すでに目の当たりにすることができる。人生で最も重要な医療上の決定は、私たちが自分の健康状態について抱く良し悪しの感じに左右されることはなく、担当医が確かな情報に基づいて立てる予想さえも頼みとしておらず、私たち本人よりも私たちの体のことをはるかによく理解しているコンピューターの計算を拠り所としている。数十年のうちには、バイオメトリックデータの途切れることのない流れに情報を提供してもらっているビッグデータアルゴリズムが、私たちの健康状態を二四時間体制で毎日モニターできるようになるのではないか。ビッグデータアルゴリズムは、私たちが異常を感じるよりもずっと以前に、インフルエンザや癌やアルツハイマー病を最初期の段階で検知することができる。そして、私たち一人ひとりに特有の体格やDNAや性格に合った適切な治療や措置、食事、日々の養生法を推薦できる。

人々は史上最高の医療を享受できるが、まさにそのせいで、おそらく四六時中、病気になるだろう。いつも体のどこかの具合が悪い。いつも改善できるところがある。過去には、人は痛みを感じないかぎり、あるいは、足を引きずるなど、明らかな障害が出ないかぎり、完全に健康だと感じていた。だが二〇五〇年までには、バイオメトリックセンサーとビッグデータアルゴリズムのおかげで、病気は痛みや障害につながるよりもはるか以前に診断され、治療されるようになるかもしれない。その結果、人はつねに何かしらの「健康問題」を抱え、アルゴリズムからのあれやこれやの勧めに従う羽目になるだろう。それを拒めば、医療保険が無効になったり、クビにされたりしかねない。保険会社や上司は、頑固な人のつけを払わされてはたまらないから。

一般統計で喫煙が肺癌と結びつけられているにもかかわらずタバコを吸い続けるのと、あなたの左肺上部に一七個の癌細胞を発見したばかりのバイオメトリックセンサーから具体的な警告を受けたにもかかわらずタバコを吸い続けるのとでは、話が大違いだ。そして、もしそれでもあなたが平然とセンサーを無視するなら、センサーがその警告をあなたの保険代理店や上司や母親に送ったときにはどうするのか？

こうした病気のいっさいに対処できる暇とエネルギーのある人などいるだろうか？おそらく私たちは、自分の健康アルゴリズムに、こうした問題の大半には適宜対処するようにただ指示しておくことも可能だろう。そうすればアルゴリズムは、せいぜい私たちのスマートフォンに定期的に最新情報を送ってきて、「癌細胞を一七個発見し、破壊しました」と知らせてくれる程度になる。健康状態をやたらと気にする人はこうした最新情報をいちいち読むかもしれないが、たいていの人は無視する。コンピューターのウイルス駆除ソフトが表示する目障りな報告を無視するのと同じことだ。

意思決定のドラマ

医療ですでに起こりかけていることは、しだいに多くの分野でも起こる可能性が高い。

そのカギを握るのがバイオメトリックセンサーの発明であり、人々はこの種のセンサーを身につけたり体内に埋め込んだりすることが可能で、生物学的な過程を電子情報に変え、コンピューターに保存させたり分析させたりすることができる。外部のデータ処理システムは、十分なバイオメトリックデータと演算能力があれば、あなたの欲望や意思決定や意見のすべてをハッキングできる。あなたがどんな人間かを正確に知りうるのだ。

たいていの人は、自分のことをあまりよく知らない。私は何年も現実から目を背けて生きた後、二一歳のときに自分が同性愛者であることにようやく気づいた。それはけっして例外的ではない。多くの同性愛者は、ティーンエイジャーの間ずっと、自分の性的指向について不確かなままで過ごす。では、二〇五〇年の状況を想像してほしい。そのときには、アルゴリズムがどんなティーンエイジャーにも、その人が同性愛と異性愛のスペクトル上のどこに位置するかを（そして、その位置にはどれほど順応性があるかさえも）教えてあげられる。ひょっとしたらそのアルゴリズムは、魅力的な男性と女性の写真や動画を見せ、あなたの目の動きや血圧や脳の活動を追い、性的指向を示すキンゼイ指標の数値を五分のうちに弾き出すかもしれない。[6] そんなアルゴリズムがあったら、私は何年も欲求不満に苦しまずに済んだだろうに。あなた自身はそんなテストは受けたくないかもしれないが、たとえばミシェルの誕生パーティで友人たちといるときに、みんな交代でこの新しいクールなアルゴリズムを使って調べてみよう、と誰かが言い出すかもしれない（そして、テストを受けている人を全員で取り囲み、結果を見守り、意見を述べるかもしれない)。あなたなら、あっさりその場を去るだろうか？

たとえそうしても、そして、たとえ自分自身やクラスメートから自分を隠し続けたとしても、アマゾンや阿里巴巴集団（アリババ）や秘密警察からは自分を隠しおおせない。あなたがネットサーフィンをし、YouTubeを眺め、ソーシャルメディアのフィードを読む間、アルゴリズムはそっとあなたをモニターし、分析し、もしあなたに炭酸飲料を売りたければ肌の露出した女性よりも男性の出てくる広告を使うほうがいいと、コカ・コーラに告げる。あなたはそれに気づきさえしない。だが、アルゴリズムは知っており、そうした情報には計り知れない金銭的価値がある。

あるいはひょっとするとすべて堂々と行なわれ、人々はより的確な推薦をしてもらうため――そして最終的には自分に代わってアルゴリズムに決定を下してもらうため――に、喜んで自分の情報を提供するかもしれない。最初は、どの映画を観るべきか決めるといった単純なことから始まる。友人たちとテレビの前で和気あいあいと夕べを過ごそうと腰を下ろしたら、まず何を観るか決めなければならない。五〇年前には選択の余地はなかったが、今日ではオンデマンドのサービスが充実してきたので、無数の作品が提供されている。意見をまとめるのは大仕事になりかねない。あなた自身はSFスリラーが好きだけれど、ジャックはロマンティック・コメディがお好みで、ジルは芸術的なフランス映画に一票を投じる。けっきょく妥協して冴えないB級映画を選び、みんながっかりする羽目になりかねない。

こんなとき、アルゴリズムがあれば役に立つ。それぞれが、これまで観た映画のうちでどれが本当に気に入ったかを告げれば、そのアルゴリズムは自らの厖大な統計データベースに基づいて、全員を満足させるのに打ってつけの作品を見つけることができる。あいにく、そのようなお粗末なアルゴリズムは簡単に欺かれてしまう。周知のとおり、人々の真の好みを判断する上では、自己申告は当てにならないのが最大の理由だ。私たちは大勢の人がある映画を傑作だと褒め称えているのを耳にして、絶対に見逃すわけにはいかないと映画館に出かけたものの、途中で飽きて眠ってしまったときにさえ、美的感覚に欠けていると思われたくないので、すばらしい経験だったと会う人ごとに言うものだ。(7)

ところがそのような問題は、怪しげな自己申告に頼る代わりに、私たちが実際に映画を観ているときにアルゴリズムがリアルタイムでデータを集めるのを許せば解決できる。第一に、アルゴリズムは私たちがどの映画を最後まで観て、どれを途中までしか観なかったかをモニターできる。アルゴリズムは、私たちが『風と共に去りぬ』こそ史上最高傑作だと誰彼かまわず言ったとしても、最初の三〇分で観るのをやめてしまい、アトランタが焼ける場面を本当は目にしなかったことを知っている。

とはいえ、アルゴリズムはそれよりもずっと深いところまで探れる。技術者たちは現在、目や顔の筋肉の動きに基づいて人間の情動を検知できるソフトウェアを開発している。(8)テレビに高性能のカメラを搭載すれば、そうしたソフトウェアは私たちがどの場面で笑い、どの場面で悲しみ、どの場面で退屈したか、知ることができる。次に、アルゴリズムをバイオメトリックセンサーに接続すれば、アルゴリズムはそれぞれの場面が心拍や血圧や脳活動にどう影響したかを知ることができる。たとえば私たちがタランティーノの『パルプ・フィクション』を観ているときに、男性間の性的暴行の場面でほんのかすかな興奮を覚えたことや、ヴィンセントが誤ってマーヴィンの頭部を撃ってしまう場面ではやましそうに笑ったこと、ビッグ・カフナ・バーガーについてのジョークがわからなかったのに、間抜けに思われたくなかったので笑ったことに、アルゴリズムは気づくかもしれない。私たちは無理やり笑うときには、何かが本当に面白くて笑うときとは違う脳回路や筋肉を使う。人間はたいていその違いが感知できない。だが、バイオメトリックセンサーならできるだろう。(9)

「テレヴィジョン(テレビ)」という言葉は、「遠い」を意味する「テーレ」というギリシア語と、「見ること」を意味する「ウィーシオー」というラテン語に由来する。テレビはもともと、遠くから見ることを可能にする装置として考案された。だがそのうち、私たちが遠くから見られるようになるかもしれない。ジョージ・オーウェルが『一九八四年』(高橋和久訳、ハヤカワepi文庫、二〇〇九年、他)で想像したように、私たちはテレビを観ているときに、テレビに監視されることになる。私たちはタランティーノの全作品を観た後、その大半を忘れてしまうかもしれない。だが、ネットフリックスであれアマゾンであれ他の企業であれ、テレビのアルゴリズムの所有者は、私たちの性格タイプや、私たちの情動を操る方法を知るだろう。そうしたデータのおかげで、ネットフリックスやアマゾンは気味悪いほどの精度で私たちのために映画を選ぶことができるだろうが、何を学ぶべきか、どこで働くべきか、誰と結婚するべきかといった、人生でとりわけ重要な決定も私たちに代わって下せるようになるだろう。

もちろんアマゾンはつねに正しいわけではない。つねに正しいことなど不可能だ。アルゴリズムは、データ不足やプログラミングの不備、目標の定義の曖昧さ、人生につきものの混沌とした側面のせいで、繰り返し誤りを犯すだろう。[10]だが、アマゾンは完璧である必要はない。平均して私たち人間に優りさえすればいいのだ。そして、それはあまり難しくはない。なぜなら、ほとんどの人は自分のことをろくに知らず、人生でとりわけ重要な決定を下すときにしばしばひどい誤りを犯すからだ。人間はアルゴリズムに輪をかけて、データ不足やプログラミングの不備（遺伝的不備や文化的不備）、曖昧な定義、人生につきものの混沌に苦しんでいるのだ。

あなたはアルゴリズムにつきまとう問題の数々を並べ立て、人はけっしてアルゴリズムを信頼するようにはならないと結論するかもしれない。だがそれは、民主主義の欠点をすべてあげつらって、正気の人ならそのような制度はけっして選択しないだろうと結論するようなものだ。有名な話だが、ウィンストン・チャーチルは次のように言っている。民主主義はこの世で最悪の政治制度だ――ただし、他のすべての政治制度を除けば、と。是非はともかく、人々はビッグデータアルゴリズムについても同じ結論に到達するかもしれない。多くの障害を抱えてはいるものの、それよりましな選択肢はない、と。

人間の意思決定の仕方について科学者が理解を深めるにつれ、アルゴリズムに頼りたいという誘惑も強まりそうだ。人間の意思決定をハッキングすれば、ビッグデータアルゴリズムの信頼性が高まるばかりでなく、同時に、人間の感情の信頼性が落ちるだろう。政府や企業が人間のオペレーティングシステムをハッキングすることに成功すれば、私たちは精密誘導の操作や広告やプロパガンダの集中砲火を浴びることになる。私たちの意見や情動を操作するのがあまりに簡単になりかねない。その場合、私たちはアルゴリズムに頼ることを余儀なくされる。めまいに襲われたパイロットが自分の感覚が告げるメッセージを無視して、機械装置を全面的に信頼しなければならないのと同じことだ。

一部の国や一部の状況では、人々はまったく選択肢を与えられず、ビッグデータアルゴリズムの決定に従うことを強制されかねない。とはいえ、自由社会とされている場所でさえも、アルゴリズムが権限を増すかもしれない。私たちはしだいに多くの事柄でアルゴリズムを信頼したほうがいいことを経験から学び、自ら決定を下す能力を徐々に失っていくだろう。考えてもみてほしい。わずか二〇年のうちに、何十億もの人が的確で信用できる情報を探すという、非常に重要な任務をグーグルの検索アルゴリズムに委ねるようになった。私たちはもう、情報を探さない。代わりに、「ググる（Google で検索する）」。そして、答えを求めてしだいにグーグルに頼るようになるにつれて、自ら情報を探す能力が落ちる。そして今日、「真実」はグーグルでの検索で上位を占める結果によって定義される[11]。

同じことが、目的地までの移動のような身体能力にも起こっている。人々はグーグルを頼りに動き回る。交差点に差しかかると、直感は「左に曲がれ」と告げているのに、グーグルマップは「右に曲がれ」と言う。最初は自分の直感に従って左に曲がり、交通渋滞に巻き込まれ、重要な会議に出席しそこなう。次のときにはグーグルの言うことを聞いて右に曲がり、時間どおりに到着する。こうして、経験からグーグルを信頼することを学ぶ。一、二年のうちに、グーグルマップが言うことなら何にでも、ろくに考えもせず従うようになり、スマートフォンが故障したら、完全にお手上げとなる。二〇一二年三月、オーストラリアで沖の小島に日帰り旅行に出ることにした日本人観光客が、干潮の太平洋に車で突っ込んだ。運転していた二一歳の野田ゆずは後に、GPSの指示に従っただけだと述べている。「車で行き着けるとのことでした。道路に導いてくれると繰り返すばかり。そのうち動けなくなってしまいました[12]」。同様の事故は他にもあり、どうやらGPSの指示に従っていて車を湖に乗り入れたり、取り壊し中の橋から落ちたりということが起こっているらしい[13]。目的地まで無事に行き着く能力は筋肉のようなもので、使わないと失われる[14]。配偶者や職業を選ぶ能力にも同じことが当てはまる。

毎年厖大な数の若者が、大学で何を学ぶか決める必要に迫られる。これはとても重要でとても難しい決定だ。若者たちは、親や友人や教師からのプレッシャーにさらされるが、こうした人々はみな、異なる関心と意見を持っている。若者たちはまた、自分自身の恐れや夢想にも対処しなくてはならない。さらに、ハリウッドの大ヒット作や低俗な小説や高度な広告キャンペーンによって判断が鈍ったり操作されたりしている。賢い決定を下すのはなおさら難しい。なぜなら、それぞれの職業で成功するためには何が必要なのかが本当にはわかっていないし、自分の長所や短所を現実的に捉えていないからだ。弁護士として成功するには何が必要か？　自分はプレッシャーの下で能力を発揮できるか？　他人とうまく協力するのが得意か？

自分の技能が正確にわかっておらず、弁護士の仕事がどういうものかについては、なおさら現実離れしたイメージしか持っていないせいで（一日中劇的な弁論を行なったり、「異議あり、裁判長！」と声を張り上げたりしているわけではない）、ロースクールに進学する学生もいるだろう。一方、彼女の友人は、必要とされる骨格も自制心も持たないのに、子供時代の夢を実現することに決め、プロになろうとバレエを学び始める。何年も過ぎてから、二人は揃って自分の選択を深く後悔する。私たちは将来、そうした決定をグーグルに任せることができるようになるだろう。たとえばグーグルは、ロースクールやバレエスクールに行くのは時間の無駄だが、すばらしい心理学者あるいは配管工にはなれるかもしれない（そしてとても幸せになれるかもしれない）と、私に教えることができるだろう。(15)

キャリアに関してや、ことによると人間関係に関してさえ、ＡＩのほうが私たちよりも優れた判断を下すようになった日には、人間性と人生の概念は変わらざるをえない。人間は、人生は意思決定のドラマだと、当たり前のように考える。自由民主主義と自由市場資本主義は個人を、世の中について絶えず決定を下している自律的な行動主体と見なす。シェイクスピアの戯曲であれ、ジェイン・オースティンの小説であれ、悪趣味なハリウッドのコメディであれ、芸術作品はたいてい、きわめて重大な決定を下さざるをえない主人公を中心に展開する。生きるべきか死ぬべきか？　妻の言うとおりにしてダンカン王を殺すべきか、それとも自分の良心に耳を傾け、王を殺さずにおくべきか？　コリンズ氏と結婚するべきか、それともダーシー氏と結婚するべきか？　キリスト教とイスラム教の神学も同じように、意思決定のドラマに重きを置き、永遠の救済あるいは断罪は、正しい選択をすることにかかっていると説く。

私たちがしだいにＡＩに頼り、決定を下してもらうようになると、この人生観に何が起こるのか？　現時点では、私たちはネットフリックスを信頼して映画を推薦してもらい、グーグルマップを信頼して右に曲がるか左に曲がるか選んでもらう。だが、何を学ぶべきかや、どこで働くべきかや、誰と結婚するべきかを、いったんＡＩに決めてもらい始めたら、人間の一生は意思決定のドラマではなくなる。民主的な選挙や自由市場は、ほとんど意味を成さなくなる。大方の宗教と芸術作品にしても同じだ。アンナ・カレーニナがスマートフォンを取り出して、カレーニンの妻であり続けるべきか、それとも颯爽としたヴロンスキー伯爵と駆け落ちするべきかをフェイスブックのアルゴリズムに尋ねるところを想像してほしい。あるいは、あなたが気に入っているシェイクスピアの戯曲で、きわめて重要な決定がすべてグーグルのアルゴリズムによって下されるところを想像するといい。ハムレットとマクベスははるかに安楽な人生を送れるだろうが、それはいったいどんな種類の人生となるのか？　そのような人生の意味を理解するためのモデルが、私たちにはあるのか？

権限が人間からアルゴリズムに移ると、私たちはもうこの世界を、自律的な個人が正しい選択をしようと悪戦苦闘する場とは見なさなくなるかもしれない。その代わり、私たちは全宇宙をデータの流れと捉え、生き物を生化学的なアルゴリズムにすぎないと見て、宇宙における人類の役割はすべてを網羅するデータ処理システムを創造し、それからその中に溶け込むことだと信じるようになるかもしれない。今日すでに私たちは、誰一人よく理解していない巨大なデータ処理システム内部のごく小さなチップと化しつつある。私は毎日、電子メールやツイートや記事を通して厖大なデータを吸収し、そのデータを処理し、これまたメールやツイートや記事を通して新たなデータを送り返している。自分がこの壮大な枠組みの中のどこに収まっているのか、そして、私のデータが他の何十億もの人やコンピューターが生み出すデータとどう結びついているのか、私にはよくわからない。それを突き止める暇もない。山のようなメールに返信するのに忙し過ぎるから。

哲学的な自動車

アルゴリズムは私たちのために重要な決定は絶対下せない、なぜなら重要な決定にはたいてい倫理的な側面があるのに、アルゴリズムには倫理は理解できないからだ、と異論を唱える人がいるかもしれない。とはいえ倫理の面においてさえ、アルゴリズムが平均的な人間を凌ぐことはできないと決めつける理由はない。スマートフォンや自動運転車のような機器は、かつては人間が独占していた決定を引き受けるのに際して、何千年にもわたって人間をさんざん苦しめてきた倫理的な問題に、今日すでに取り組み始めている。

たとえば、自動運転車の目の前に、二人の子供がボールを追いかけて跳び出してきたとしよう。自動車を運転しているアルゴリズムは電光石火の計算に基づき、この二人の子供をはねるのを避けるには、急ハンドルを切って反対車線に逸れ、近づいてくるトラックと衝突する危険を冒すしかないと結論する。その場合、アルゴリズムの計算では、自動車の所有者(後部座席で眠りこけている)が命を落とす確率が七〇パーセントある。アルゴリズムはどうするべきか?[16]

哲学者はそのような「トロッコ問題(トロリー問題)」について、何千年も論じてきた(この手の問題が「トロッコ問題」と呼ばれるのは、現代の哲学の議論で使われる典型的な例では、自動運転車ではなく、線路の上を暴走しているトロッコが話題にされるからだ[17]。これまでは、こうした議論が現実の行動に与えた影響は恥ずかしいほど小さかった。なぜなら、人間は危機に際してはたいてい、哲学的な見方を忘れ、代わりに、情動と本能的直感に従うからだ。

社会学史上でも意地の悪いことでは指折りの実験が一九七〇年一二月に、プリンストン神学校の学生の一部を対象に行なわれた。この学生たちは、長老派教会で牧師になることを目指して学んでいた。学生たちはそれぞれ、少し離れた所にある講堂に急いで行き、善きサマリア人の寓話について演説するように指示された。それは次のような寓話だ。古代エルサレムからエリコへと向かっていたユダヤ人の旅人が追剝に襲われて打ちのめされ、瀕死の状態で道端に置き去りにされた。しばらくして祭司が、続いてレビ人が通りかかったが、どちらもそのまま行ってしまった（訳註　当時、レビ人は神殿で働く祭司を助けていた）。それに対して、サマリア人（ユダヤ人にひどく蔑まれている宗派の人）は、災難に見舞われた人を目にすると立ち止まり、介抱して命を救う。人の価値は信仰している宗教ではなく、実際の行動によって判断するべきだ、というのがこの寓話の教訓だ。

さて、若い熱心な神学生たちは、善きサマリア人の寓話の教訓をどう説明するのがいちばんいいか一生懸命考えながら講堂へと急いだ。だが実験者たちは、途中にみすぼらしい身なりの人を待たせておいた。その人はうなだれ、目を閉じ、戸口にぐったりと腰を下ろしていた。この場面が仕組まれていたことを知らない神学生が急ぎ足で通りかかると、「災難に見舞われた人」は咳き込み、痛ましい呻き声を上げた。ところが、ほとんどの神学生は、救いの手を差し伸べるどころか、立ち止まって、どうしましたか、と声をかけることさえしなかった。講堂へ急ぐ必要から生み出された情動的ストレスが、苦しんでいる見知らぬ人を助ける道徳的義務を打ち負かしてしまったのだ(18)。

他の無数の状況でも人間の情動は哲学理論を打ち負かす。そのため、倫理と哲学の世界史は、りっぱな理想と理想には程遠い行動から成る、ひどく気の滅入る物語となっている。本当にもう一方の頬を差し出すキリスト教徒がどれほどいるだろうか？　本当に我執を乗り越える仏教徒がどれほどいるだろうか？　本当に隣人を自らのように愛しているユダヤ教徒がどれほどいるだろうか？　ほとんどいない。ホモ・サピエンスは自然選択によってそんなふうに形作られたのだ。哺乳動物はみなそうであるように、ホモ・サピエンスも、生死にかかわる決定は情動を使って即座に下す。私たちは数知れぬ祖先から怒りや恐れや肉欲を受け継いできた。それは、そうした祖先の全員が、自然選択というこの上なく厳格な品質管理テストに合格したからだ。

あいにく、何百万年も前にアフリカのサバンナで生き延びて繁殖するのに適していた行動は、二一世紀の高速道路では必ずしも責任あるものとは言えない。気が散っていたり、腹を立てていたり、悩み事を抱えていたりする運転者のせいで、毎年一〇〇万人以上が交通事故で命を落とす。哲学者や預言者や聖職者を全員送り込んでこれらの運転者に説教をさせることはできるだろうが、路上では哺乳動物の情動とサバンナの本能が依然として優位に立つ。だから、急いでいる神学生は苦しんでいる人を無視し、危機に陥った運転者は不運な歩行者を轢いてしまう。

神学校と路上の乖離は、倫理における屈指の現実的問題だ。イマヌエル・カントやジョン・スチュアート・ミルやジョン・ロールズは、どこかの大学の居心地の良い建物の中に座って倫理学の理論的問題について何日も論じることができるだろうが、彼らの結論は、ストレスで参った運転者が瞬時の判断を要する緊急事態に陥ったとき、現に実行できるだろうか？　史上最高のドライバーと称えられることもあるフォーミュラ1チャンピオンのミハエル・シューマッハなら、自動車を疾走させながら哲学について考えることができたかもしれないが、たいていの人はシューマッハではない。ところがコンピューターアルゴリズムは自然選択によって形作られたわけではなく、情動も本能的直感も持っていない。したがって、危機に瀕しても、人間よりもはるかにうまく倫理的指針に従うことができるだろう——ただし、正確な数値や統計の形で倫理をプログラム化する方法が見つかれば、だが。もしカントやミルやロールズにプログラムの書き方を教えれば、彼らは居心地の良い自分の研究所で自動運転車を入念にプログラムし、ハイウェイでその自動運転車が彼らの命令に確実に従うようにできるだろう。事実上、すべての自動車が、ミハエル・シューマッハとイマヌエル・カントを合体させた運転者によって運転されることになる。

たとえば、見知らぬ人が苦しんでいれば停止して助けるように自動運転車をプログラムすれば、火が降っても槍が降っても、その自動車はそうする(もちろん、火が降ったときや槍が降ったときのための例外条項を組み込んでおけば話は別だ)。同様に、もしあなたの自動運転車が、目の前の二人の子供を救うために対向車線に逸れるようにプログラムされていれば、その自動車はまさにそうするだろうことにあなたは命を賭けてもいい。つまり、トヨタやテスラは自社の自動運転車を設計するときに、倫理の哲学の理論的問題を工学の現実的問題に変えることになるわけだ。

たしかに、哲学的なアルゴリズムが完璧になることはけっしてない。誤りは依然として起こり、死傷ややたらに複雑な訴訟につながる(史上初めて、哲学者を相手取って訴訟を起こし、その哲学者の理論がもたらした不幸な結果の責任を問うことができるかもしれない。なぜなら史上初めて、哲学的な考えと現実の出来事の間の直接的な因果関係を立証することが可能になるからだ)。とはいえ、アルゴリズムは人間の運転者に取って代わるためには、完璧でなくてもかまわない。人間に優ってさえいればいいのだ。人間の運転者のせいで毎年一〇〇万人以上が亡くなることを考えれば、これはそれほど難しい注文ではない。つまるところ、あなたは誰が隣の自動車を運転しているほうが安心だろうか? 酔っぱらったティーンエイジャーか、それとも、シューマッハとカントのチームか?(19)

同じ論理が運転だけでなく他の多くの状況にも当てはまる。たとえば求職者の採用だ。

二一世紀には、誰かを雇うかどうかの決定は、しだいにアルゴリズムが行なうようになる。肝心の倫理基準を機械に定めてもらうわけにはいかない。それは依然として人間が行なう必要がある。だが、雇用市場における倫理基準（たとえば、アフリカ系の人や女性を差別するのは間違っていること）をいったん定めてしまえば、人間より機械に任せておいたほうがその基準をうまく履行し、維持することができる。[20]

人間の経営者はアフリカ系の人や女性を差別するのは倫理にもとることを知っており、それに同意してさえいるかもしれないが、それでも、アフリカ系の女性が仕事に応募してきたら、その経営者は潜在意識に促されてその人を差別し、雇わないことに決めることもありうる。もし求職者を評価することをコンピューターに許し、人種と性別を無視するようにプログラムすれば、そのコンピューターはそうした要因を本当に無視すると思って間違いない。コンピューターには潜在意識がないからだ。もちろん、求職者を評価するプログラムを書くのは楽ではないし、技術者が自分の潜在意識の偏見をソフトウエアに何らかの形でプログラムしてしまう危険はつねにある。[21]もっとも、いったんそのような誤りを見つけてしまえば、ソフトウエアを手直しするほうが、人間から人種的な偏見や女性嫌悪の偏見を取り除くよりもずっと簡単だろう。

すでに見たとおり、ＡＩが普及すれば、運転者や交通巡査を含め、ほとんどの人間が雇用市場から締め出されかねない（乱暴な人間が従順なアルゴリズムに取って代わられれば、交通巡査は不要になる）。とはいえ、哲学者には新しい働き口が生まれるかもしれない。なぜなら、従来は市場価値がないに等しかった彼らの技能に対する需要が急増するからだ。だから、将来良い働き口を保証するものを学びたければ、哲学に賭けるのもあまり悪くはないかもしれない。

当然ながら、何が正しい行動方針かに関して哲学者の間で合意を見ることはめったにない。あらゆる哲学者が満足するような形で解決された「トロッコ問題」はほとんどないし、ジョン・スチュアート・ミル（彼は行動の是非を結果で判断した）のような、重要な結果を社会にもたらした思想家は、イマヌエル・カント（彼は行動の是非を絶対的な法則によって判断した）のような義務論者とはまったく違う意見を持っていた。テスラは自動車を生産するために、そのような込み入った問題で、実際に態度を明確にしなければならないのだろうか？

ひょっとするとテスラは、それをあっさり市場に委ねるかもしれない。テスラは、「テスラ利他主義者（アルトゥルーイスト）」と「テスラ利己主義者（エゴイスト）」という、二つのモデルの自動運転車を生産する。緊急の場合には、アルトゥルーイストはより大きな善のために、所有者を犠牲にするが、エゴイストのほうは、たとえ二人の子供の命を奪うことになっても、所有者を救うために全力を挙げる。こうしておけば、消費者はお気に入りの哲学的な見方に合うほうの自動車を買うことができる。テスラエゴイストを買う人のほうが多くても、それでテスラを非難することはできない。なにしろ、顧客はつねに正しいのだから。

これは冗談ではない。二〇一五年のある先駆的な研究では、複数の歩行者を自動運転車が今にも轢こうとしているという、架空の筋書きが参加者に示された。ほとんどの参加者は、そのような場合には自動運転車は所有者の命を奪うという代償を払ってさえ、歩行者を助けるべきだと述べた。ところが、より大きな善のためには所有者を犠牲にするようにプログラムされた自動車を、自分なら買うかどうか尋ねられると、大半の参加者はノーと答えた。自分で買うなら、彼らはテスラエゴイストを選ぶのだ。(22)

次のような状況を想像してほしい。あなたは新車を購入したが、使い始める前に、設定メニューを開いて、いくつかの項目の脇の四角にチェックを入れなければならない。事故が起こった場合、この自動車にあなたの命を犠牲にしてほしいですか、それとも、もう一方の自動車に乗っている一家の命を奪うことを選びますか？　あなたはそもそもこんな選択をしたいだろうか？　どの四角に印をつけるかをめぐって、配偶者と戦わせなくてはならない議論を想像してほしい。

というわけで、ひょっとすると国家が介入して市場を統制し、すべての自動運転車を拘束する倫理規定を定めるべきなのだろうか？　つねに一字一句まで従わせることのできる法律をついに制定できる機会に胸を躍らせる議員も間違いなくいるだろう。そのような、前例のない全体主義的な責務におののく議員もいるかもしれない。何しろ歴史を通して、法の執行に限界があったために立法者の偏見や誤りや行き過ぎには、願ってもない歯止めがかかっていたのだから。同性愛や冒瀆を禁じる法律が部分的にしか執行されなかったのは、すこぶる幸運だった。誤りを免れない政治家の決定が、重力のように厳然たるものになるような制度を、私たちは本当に望むだろうか？

デジタル独裁制

人々がAIに対してしばしば恐怖心を抱くのは、AIがいつまでも従順なままではいないと思っているからだ。主人である人間にロボットが反抗し、街中を暴れ回り、手当たり次第に人間を殺すというSF映画を、私たちは嫌と言うほど観てきた。とはいえ、ロボットの抱える本当の問題は、それとは正反対だ。私たちがロボットを恐れるべきなのは、ロボットがおそらくつねに主人に従順で、けっして反抗しないからなのだ。

もちろん、たまたまロボットが善良な主人に仕えているかぎりは、無条件に従順であっても何一つ問題はない。戦時にさえ、殺人ロボットに任せておけば、史上初めて、戦争にまつわる法律が戦場で実際に遵守されることが確実になりうる。人間の兵士は情動に駆られ、戦争関連の法律を破って殺人や略奪や性的暴行を犯すことがある。私たちは普通、情動を思いやりや愛や共感と結びつけるが、戦時には恐れと憎しみと残酷さという情動が主導権を握ることがあまりに多い。ロボットは情動を持っていないので、無味乾燥な軍法につねに一字一句従い、個人的な恐れや憎しみに振り回されることはけっしてない。[23]

一九六八年三月一六日、南ヴェトナムのソンミ村（ミライ）でアメリカ軍兵士の一団が暴れ狂い、何百人もの民間人を虐殺した。この戦争犯罪は、数か月にわたってジャングルでのゲリラ戦に参加していた兵士たちが現地で主導して行なわれた。何の戦略目的にも適わず、アメリカの法と軍事政策の両方に反する行為で、人間の情動のせいだった。(24)もしアメリカが殺人ロボットをヴェトナムに配備していたら、ミライ村の虐殺はけっして起こらなかっただろう。

それでもやはり、私たちは慌てて殺人ロボットを開発して配備する前に、ロボットは自分に組み込まれたプログラムの特性をつねに反映し、増幅することをしっかりと思い起こさなければならない。もしそのプログラムが節度のある慈悲深いものであれば、おそらくそのロボットは平均的な兵士よりもはるかに優るだろう。ところがそのプログラムが無慈悲で残酷なら、悲劇的な結果につながる。ロボットにまつわる本当の問題は、彼らのＡＩではなく、人間の主人たちが生まれながらにして持っている愚かさと残酷さなのだ。

一九九五年七月、ボスニアのセルビア人部隊が、スレブレニツァの町とその周辺で八〇〇〇人以上のムスリム人（ボシュニャク人）を虐殺した。無計画なミライ虐殺とは違い、スレブレニツァ虐殺は、ムスリム人を排除してボスニアを「民族浄化」するという、同国のセルビア人の政策を反映する、長期的で十分に組織化された作戦行動だった。(25)もしボスニアのセルビア人が一九九五年に殺人ロボットを持っていたら、このときの残虐行為は、少しもましにならないどころか、さらに陰惨なものになっていたことだろう。ロボットは一台の例外もなく、何を命令されても一瞬もためらうことなく実行に移し、思いやりや嫌悪、あるいはたんなる無気力からムスリム人の子供一人さえ命を助けてやることはなかったはずだ。

そのような殺人ロボットを擁する無慈悲な独裁者は、どれほど冷酷で無茶な命令を下しても、配下の兵士が離反することを恐れなくて済む。もしロボットの軍隊があったなら、おそらく一七八九年にフランス革命の芽を摘んでしまっただろうし、もし二〇一一年にエジプトのホスニ・ムバラク大統領が殺人ロボットの一隊を持っていたら、裏切りを恐れることなく、民衆に立ち向かわせられただろう。同様に、ロボットの軍隊を頼みとする帝国主義の政府は、ロボットがやる気をなくしたり、その家族が抗議行動を起こしたりすることを心配せずに、評判の悪い戦争を行なうことが可能だろう。もしアメリカがヴェトナム戦争のときに殺人ロボットを持っていたら、ミライ虐殺は防げたかもしれないが、戦争自体はさらに何年も長引きかねなかっただろう。なぜならアメリカ政府は、兵士が士気を挫かれたり、大規模な反戦デモが起こったり、「戦争に反対するロボット帰還兵」の運動が展開されたりすることを、それほど心配しなくてもいいからだ（アメリカ国民のなかには、依然として戦争に反対する人もいたかもしれないが、自分が徴兵される恐れや、自らの残虐行為の記憶や、大切な親族を失った苦しみがなければ、おそらく抗議運動家たちは数も少なく、あまり熱心ではなかったことだろう[26]）。

この種の問題は、民間の自動運転車にはほとんど関係がない。なぜなら、人を標的にして殺すような悪意のあるプログラムを製品に搭載する自動車メーカーはないからだ。仮に邪悪とはいえ、自律型の兵器システムがいつ大惨事をもたらしてもおかしくない。倫理的に堕落しがちの政府があまりに多過ぎるからだ。

危険はなにも、殺人機械に限られない。監視システムも同じぐらい危険になりうる。そのものではないにしても、強力な監視アルゴリズムは、慈悲深い政府の手中にあれば、人類にとってこれ以上幸いなことはないだろう。その反面、同じビッグデータアルゴリズムは、将来の「ビッグ・ブラザー」〔訳註　オーウェルの『一九八四年』に登場する全体主義国家オセアニアを統治する独裁者〕の武器にもなりかねず、その場合には、あらゆる人が一日二四時間監視されている、オーウェル風の社会に行き着く恐れもある。(27)

それどころか、私たちはオーウェルでさえほとんど想像できないような完全な監視政府に支配されることすらありうる。そのような政府は、外面的な活動や発言をすべて追うだけでなく、私たちの中にまで入り込んで、内面的な経験を観察することさえできる。たとえば、北朝鮮の金正恩（キム・ジョンウン）政権が新しいテクノロジーを使って何をしかねないか考えてほしい。将来、北朝鮮国民の一人ひとりが、いっさいの言動に加えて血圧や脳活動もモニターするバイオメトリックブレスレットの着用を義務づけられるかもしれない。私たちは人間の脳をますます深く理解するようになっているので、それを利用し、機械学習の途方もない力も活かせば、北朝鮮の政府は史上初めて、国民のそれぞれが一瞬一瞬考えていることを余すところなく読み取ることが可能になる。もしあなたが金正恩の写真を見たときに、バイオメトリックセンサーが怒りを示す動かぬ証拠(血圧の上昇や扁桃体の活動の増加)を検知したら、あなたは翌朝には強制労働収容所に放り込まれていることだろう。

たしかに、北朝鮮政府は孤立しているので、必要なテクノロジーを単独で開発するのは難しいかもしれない。とはいえ、テクノロジーは、その方面の先進国で開発され、北朝鮮などの後進国の独裁政権がそれを真似たり買ったりするかもしれない。中国とロシアの両国は監視手段を絶えず改良しており、それは、アメリカから私の母国のイスラエルまで、多くの民主国家も同様だ。「スタートアップ国家」の異名を取るイスラエルには、はなはだ活発なハイテク部門と、最先端のサイバーセキュリティ産業がある。同時に、イスラエルはパレスティナ人との死闘にはまり込んでおり、指導者や将軍や国民の少なくとも一部は、必要なテクノロジーが開発され次第、ヨルダン川西岸に完全監視体制を喜んで確立しようとするだろう。

今日すでに、パレスティナ人が電話をかけたり、フェイスブックに何かを投稿したり、町から町へと移動したりするときにはいつも、イスラエルのマイクロフォンやカメラ、ドローン、スパイソフトウェアに監視されている可能性が高い。集められたデータは、ビッグデータアルゴリズムの助けを借りて分析される。そのおかげでイスラエルの治安部隊は、あまり多くの人員を配備しなくても、潜在的な脅威を特定して無効にできる。

パレスティナ人はヨルダン川西岸の町や村をいくつか統治しているかもしれないが、イスラエルは空と放送電波とサイバースペースを支配している。したがって、ヨルダン川西岸のおよそ二五〇万のパレスティナ人を、驚くほど少数のイスラエル軍兵士で効果的に支配している。[28]

二〇一七年一〇月、こんな悲喜劇が起こった。あるパレスティナ人労働者が、仕事場でブルドーザーと並んで写っている自分の写真を、フェイスブックの自分の個人アカウントに投稿した。彼はその画像の隣に、「おはよう！」と書き込んだ。ところが、自動アルゴリズムがアラビア語の文字を翻訳するときにちょっとした過失を犯した。そのアルゴリズムは、「おはよう！」を意味する「Ysabechhum!」の文字を、「彼らを傷つけろ！」を意味する「Ydbachhum!」と読み違えたのだ。この労働者はブルドーザーで人を轢くことを意図しているテロリストかもしれないと疑ったイスラエルの治安部隊は、即座に彼の身柄を拘束した。アルゴリズムが間違いを犯したことに気づくと、治安部隊は彼を解放した。それにもかかわらず、例のフェイスブックの投稿は削除された。念には念を入れるというわけだ。[29]今日ヨルダン川西岸でパレスティナ人が経験していることは、やがて世界中で何十億もの人が経験することの素朴な予告編にすぎないのかもしれない。

二〇世紀後期には、民主国家はたいてい独裁国家に優った。民主国家のほうがデータ処理がうまかったからだ。民主主義は、情報を処理して決定を下す力を、多くの人や組織に行き渡らせるのに対して、独裁制は情報と権力を一か所に集中させる。二〇世紀のテクノロジーでは、あまりに多くの情報と権力を一か所に集中するのは効率が悪かった。十分な速さですべての情報を処理し、正しい判断を下す能力を持っている人は誰もいなかった。ソ連がアメリカよりもずっとお粗末な決定を下したのも、ソ連経済がアメリカ経済に大きく後れを取ったのも、一つにはそのためだった。

ところが、間もなくAIが振り子を逆方向に向かわせかねない。AIのおかげで、厖大な情報を中央で処理することが可能になる。それどころか、AIを使えば、集中型のシステムのほうが分散型のシステムよりもはるかに効率が良くなるかもしれない。機械学習は、分析できる情報が多いほどうまくいくからだ。プライバシーにいっさい配慮せず、一〇億人に関する情報をすべて一つのデータベースに集中すれば、個人のプライバシーを尊重して一〇〇万人の部分的な情報だけをデータベースに持っている場合よりも、はるかに優れたアルゴリズムを作り上げられる。たとえば、独裁的な政府が全国民にDNAをスキャンさせ、医療データをすべて中央当局に提供するように命じれば、医療データが厳密に私有されている社会よりも、遺伝学と医学研究の分野で計り知れないほど優位に立てる。二〇世紀の独裁政権にとっての最大のハンディキャップだった、あらゆる情報を一か所に集中する試みは、二一世紀には決定的な強みとなるかもしれない。

アルゴリズムが私たちを非常によく知るようになると、独裁政権はナチス時代のドイツのものさえ凌ぐほどの、国民に対する絶対的な支配力を獲得しうるので、そうした政権への抵抗は完全に不可能になりかねない。政権は、あなたがどう感じているかを正確に知るだけではなく、何なりと望みどおりのことをあなたに感じさせることもできるようになりうる。独裁者は国民に医療や平等は提供できないかもしれないが、彼らに自分を敬愛させ、敵対者を憎ませることができるだろう。バイオテクノロジーとＩＴが融合したら、民主主義は現在のような形のままでは生き延びられない。民主主義がまったく新しい形に自らを仕立て直すか、さもなければ、人間が「デジタル独裁国家」で生きるようになるかの、どちらかだ。

これは、ヒトラーやスターリンの時代への回帰ではない。デジタル独裁国家とナチスドイツの違いは、ナチスドイツとフランスの旧制度（アンシャン・レジーム）の違いほど大きい。ルイ一四世は中央集権化を行なった専制君主だが、近代的な全体主義国家を建設するテクノロジーを持っていなかった。彼は自分の支配に対する抵抗には遭わなかったが、ラジオも電話も列車もなかったため、遠いブルターニュの村々に住む農民たちの日々の暮らしや、パリ中心部の都市住民の暮らしさえ、思いどおりにできなかった。大衆政党や全国的な青年運動や国家的な教育制度を確立する意思も能力も持ち合わせていなかった[30]。二〇世紀の新しいテクノロジーがあったからこそ、ヒトラーはそうする意欲と力を持ったのだった。二〇八四年のデジタル独裁国家の動機付けや力がどんなものになるかは予断を許さないが、独裁者たちがたんにヒトラーとスターリンを真似る可能性は非常に低い。一九三〇年代の戦いを再現する態勢を整えたとしたら、まったく異なる方向からの攻撃に不意を衝かれかねない。

たとえ民主主義がなんとか適応して生き延びたとしても、人々は新しい種類の迫害と差別の犠牲になるかもしれない。今日すでに、しだいに多くの銀行や企業や機関が、アルゴリズムを使って私たちに関するデータを分析し、決定を下している。あなたが銀行に融資を申し込むと、あなたの申込書は人間ではなくアルゴリズムによって処理される可能性のほうが高い。そのアルゴリズムは、あなたについての大量のデータと他の何百万もの人についての統計を分析し、あなたが融資するに足るほど信頼のおける人物かどうかを判定する。アルゴリズムのほうが人間の銀行員よりも的確な判断を下すことがよくある。だが問題は、もしアルゴリズムが一部の人を不当に差別しても、それがなかなかわからない点だ。もし銀行があなたへの融資を断り、「なぜですか?」というあなたの問いに、「アルゴリズムがそう申しておりますので」と返答したとしよう。「なぜアルゴリズムはノーと言ったのですか? 私のどこが悪いのですか?」と訊くと、「申し訳ありませんが、わかりかねます。このアルゴリズムを理解している人間は一人もおりませんので。なぜなら、それは高度な機械学習に基づいておりますものですから。しかしながら、私どもは弊社のアルゴリズムを信頼しておりますから、お客様への融資はいたしかねます」と銀行側は答える。(31)

差別が女性やアフリカ系の人といった集団全体に向けられたときには、その集団は団結して、自分たち全員に対する差別に抗議することができる。だが、今やアルゴリズムはあなた個人を差別しかねないし、あなたにはその理由が想像もつかない。そのアルゴリズムは、あなたのＤＮＡか、経歴か、フェイスブックのアカウントに、何か気に入らない点を見つけたのかもしれない。そのアルゴリズムは、あなたが女性だから、あるいはアフリカ系だから差別するのではなく、あなたがあなただから差別する。あなたが持っている、何か特定の点が、そのアルゴリズムには気に入らないのだ。それが何か、あなたにはわからないし、仮にわかったとしても、他の人々と団結して抗議することはできない。それと完全に同じ偏見に苦しんでいる人は誰もいないからだ。その偏見が向けられているのはあなた一人なのだ。私たちは二一世紀には、集団的な差別に加えて、しだいに深刻化する個人的な差別の問題にも直面する恐れがある。(32)

権力の最上層にはおそらく、名目のみの支配者として人間がとどめられ、アルゴリズムはたんなる顧問にすぎず、最終的な権限は相変わらず人間の掌中にあるという幻想を私たちに抱かせるだろう。私たちは、ＡＩをドイツの首相やグーグルのＣＥＯ（最高経営責任者）に任命したりはしない。とはいえ、その首相やＣＥＯが下す決定は、ＡＩによって方向づけられる。首相は依然としていくつか異なる選択肢から選べるものの、その選択肢はすべてビッグデータ分析の結果であり、人間たちの世界観ではなくＡＩの世界観を反映している。

それに似た例を挙げよう。今日、世界中の政治家は、いくつか異なる経済政策のうちからどれかを選べるが、どの選択肢も資本主義の経済観を反映していると思ってまず間違いない。政治家たちは自分には選択権があるという幻想を抱いているが、本当に重要な決定は、メニューの選択肢を決める経済の専門家や銀行家や実業家によって、ずっと以前にすでに下されている。二〇年ほどのうちに、政治家はAIが用意したメニューから選ぶようになっているかもしれない。

AIと生まれつきの愚かさ

一つ吉報がある。少なくとも今後数十年間は、AIが意識を獲得して人類を奴隷にしたり一掃したりすることに決めるという、SFのような本格的な悪夢には対処しなくて済みそうだ。私たちはしだいにAIに頼り、自分のために決定を下してもらうようになるだろうが、アルゴリズムが意識的に私たちを操作し始めることはありそうにない。アルゴリズムが意識を持つことはない。

SFは知能と意識を混同し、人間の知能に追いついたりそれを凌いだりするにはコンピューターは意識を持たなくてはならないと思い込みがちだ。AIについての映画や小説の筋はほぼ例外なく、コンピューターやロボットが意識を獲得する奇跡的な瞬間を中心に展開する。その瞬間が来たら、人間の主人公がロボットと恋に落ちたり、ロボットが人間を皆殺しにしようとしたり、その両方が同時に起こったりする。

だが現実には、ＡＩが意識を獲得すると考える理由はない。なぜなら、知能と意識はまったくの別物だからだ。知能とは問題を解決する能力を指す。意識は痛みや喜び、愛、怒りといったものを感じる能力を指す。私たちが両者を混同しがちなのは、人間や他の哺乳動物では、知能と意識が切っても切れない関係にあるからだ。哺乳動物は、ものを感じることによってほとんどの問題を解決する。ところがコンピューターは、それとはまったく違う方法で問題を解決する。

じつは、高度な知能へと至る道はいくつかあり、意識を獲得する段階を含むのは、そのうちの一部にすぎない。飛行機は羽毛を持つようにはならなかったが、それでも鳥より速く飛ぶ。それと同じで、コンピューターはけっして感情を持つに至らないまま、哺乳動物よりも上手に問題を解決するようになるかもしれない。人間の疾患を治療したり、人間のテロリストを識別したり、人間の配偶者を推薦したり、人間の歩行者だらけの通りで乗り物を誘導したりするためには、ＡＩはたしかに人間の感情を正確に分析しなければならないだろう。だが、自らはまったく感情を持たないまま、そうすることができる。アルゴリズムは、喜んでいるサルや怒っているサルや恐れているサルの、異なる生化学的パターンを認識するためには、喜びや怒りや恐れを感じる必要はないのだ。

ＡＩが独自の感情を発達させるのが絶対に不可能ではないことは言うまでもない。一般的には、不可能だと言い切るほど私たちはまだ、意識についてよくわかっていない。次の三つの可能性を考察する必要がある。

1 意識は有機生化学と何らかの形で結びついており、非有機的システムに意識を持たせるのは不可能である。

2 意識は有機生化学とは関係ないが、知能とは特定の形で結びついており、そのためコンピューターは意識を発達させられるし、一定以上の知能を持つためには、意識を発達させざるをえない。

3 意識には、有機生物学とも高度な知能とも本質的な結びつきはない。したがって、コンピューターは意識を発達させるかもしれないが、必ずしもそうするとはかぎらない。まったく意識を持たないまま、超知能を持ちうる。

現時点での私たちの知識を考えると、これら三つの可能性のどれ一つとして排除できない。とはいえ、まさに意識についてわずかしか知らないからこそ、私たちが早々にコンピューターをプログラムして意識を持たせられるとは思えない。したがって、AIには途方もない力があるにもかかわらず、当面はその使用はある程度まで人間の意識に依存し続けるだろう。

何が危険かと言えば、それは、もし私たちがAIの開発にあまりに多くを投資し、人間の意識の育成を顧みなければ、コンピューターの非常に高度なAIが、人間の生まれつきの愚かさを助長するだけになるかもしれない点だ。私たちは、今後数十年間にロボットの反乱に直面することはなさそうだが、私たちの情動的なスイッチの入れ方を母親よりもしっかり心得ていて、その超人的な能力を使い、自動車であれ政治家であれまるごと一つのイデオロギーであれ、何かを売り込もうとするロボットの大群に対処する羽目になるかもしれない。ロボットは、私たちの心の奥底にある恐れや憎しみや渇望を識別し、そうした内面的な影響力を、私たちに不利な形で利用できる。すでに私たちは世界各地の最近の選挙や国民投票でその前触れを経験している。ハッカーたちが個々の有権者のデータを分析し、彼らが持つ偏見につけ込み、彼らを操作する術を身につけているからだ(33)。SFのスリラー作品は、炎と煙に包まれた劇的な大惨事という破滅的な結末になりがちだが、現実には、私たちはマウスのクリックがもたらす平凡な破局に直面するかもしれない。

そのような結果を避けるには、AIの改良に投入するのと同じだけの資金と時間を、人間の意識の向上に注ぎ込むのが賢明だろう。あいにく私たちは、現時点では人間の意識の研究開発は、ほとんど行なっていない。私たちは、意識ある生き物としての、自分の長期的な必要ではなく、主に経済制度や政治制度の目先の必要に即して、人間のさまざまな能力の研究開発を行なっている。私の上司は、できるかぎり迅速に電子メールに返信することを望んでいるが、私が食べているものをじっくり味わい、堪能する能力にはほとんど関心がない。その結果、私は食事中にさえメールをチェックし、それとともに、自分自身の感覚に注意を払う能力を失っていく。経済制度は私に、投資ポートフォリオを拡大し、多様化するように圧力をかけるが、思いやりを拡大し、多様化するように促す動機はまったく与えてくれない。だから私は、株式取引の神秘を理解しようと奮闘するものの、苦しみの深い原因を理解するための努力はほとんどしない。

この点で、人間は家畜に似ている。私たちは品種改良によって、廃大な量の乳を出す従順な雌牛を誕生させたが、そうした牛は、乳量以外の点では野生の祖先にはるかに劣る。彼らは敏捷性の点でも、好奇心の点でも、才覚の点でも、祖先に及ばない[34]。私たちは今、廃大な量のデータを生み出し、巨大なデータ処理メカニズムの中の非常に効率的なチップとして機能する、従順な人間を創り出そうとしているが、この、いわば「データ雌牛」が人間の潜在能力を最大限に発揮することはおよそありえない。じつのところ、人間の潜在能力の全貌は、私たちには想像すらできない。なぜなら、人間の心についてはほとんどわかっていないからだ。それにもかかわらず、私たちは人間の心の探究にはろくに投資しておらず、インターネット接続の速度とビッグデータアルゴリズムの効率を上げることに専心している。気をつけないと、ダウングレードされた人間がアップグレードされたコンピューターを誤用して、自らとこの世界に大惨事をもたらすことになる。

私たちを待ち受けている危険は、デジタル独裁国家だけではない。自由主義の秩序は、自由と並んで平等の価値もおおいに重視する。自由主義は政治的平等をいつも大切にしてきたし、経済的平等もそれに劣らず重要であることに少しずつ気づいてきた。なぜなら、社会的セーフティネットと多少の経済的平等がなければ、自由主義は意味がないからだ。だがビッグデータアルゴリズムは、自由を消し去りかねないばかりか、同時に、かつてないほど不平等な社会も生み出しかねない。あらゆる富と権力が、ほんの一握りのエリートの手に集中する一方で、ほとんどの人が搾取ではなく、それよりもはるかに悪いもの、すなわち存在意義の喪失に苦しむことになるかもしれない。

4 平等

データを制する者が未来を制する

過去数十年間、世界中の人々は、人類は平等への道を歩んでおり、グローバル化と新しいテクノロジーのおかげで私たちは早く平等に行き着くと言われてきた。現実には、二一世紀は史上最も不平等な社会を生み出すかもしれない。グローバル化とインターネットは各国間の溝を埋めるものの、階級間の亀裂を拡げそうであり、人類がグローバルな統一を果たしそうに見えるまさにそのときに、人間という種は、異なる生物学的カーストに分かれていきかねない。

不平等は石器時代にまでさかのぼる。三万年前、狩猟採集民の生活集団では、マンモスの牙から作った何千もの珠や腕輪、装身具、美術品でいっぱいの豪華な墓に埋葬される人がいる一方、ただの地面の穴に葬られる人もいた。それでも、古代の狩猟採集民の生活集団は、その後の人間社会のどれよりも、依然として平等主義的だった。なぜなら彼らには、ほとんど財産がなかったからだ。財産こそが、長期的な不平等の前提条件なのだ。

農業革命の後、財産が増え、それに伴って不平等も増大した。人間が土地や動植物や道具の所有権を獲得すると、硬直した階層社会が出現し、少人数のエリートが何世代にもわたって、富と権力の大半を独占した。人間はこの体制を自然なもの、さらには神に定められたものとさえ考え、受け容れた。階層制は標準であるばかりではなく理想でもあった。貴族と庶民の間、男性と女性の間、親と子供の間に明確な階層制がなければ、どうして秩序を保ちうるだろう? 人間の体はすべての部分が平等ではなく、足は頭に従わなければならないのとちょうど同じで、人間の社会でも、平等は混乱状態をもたらすだけだと、世界中の聖職者や哲学者や詩人は説いた。

ところが近代後期に、ほぼすべての人間社会で平等は理想になった。それは一つには、共産主義と自由主義という新しいイデオロギーの台頭のせいだ。だがそれはまた、産業革命に負うところもある。産業革命のおかげで、一般大衆がかつてないほど重要になったからだ。工業国の経済は厖大な数の庶民階級の労働者に依存し、工業国の軍隊は厖大な数の庶民階級の兵士を頼みにしていた。民主国家と独裁国家の両方で、政府は一般大衆の健康と教育と福祉に多額の投資を行なった。なぜなら、生産ラインを動かすためには何百万もの健康な労働者が必要だったし、塹壕(ざんごう)戦を行なうには何百万もの兵士が欠かせなかったからだ。

その結果、二〇世紀の歴史はおおむね、階級や人種やジェンダー間の不平等の縮小を中心に展開した。二〇〇〇年の世界には、まだそれなりの階層制が残っていたとはいえ、そこは一九〇〇年の世界よりもはるかに平等な場所になっていた。二一世紀初頭、人々はこの平等主義の過程が継続し、加速さえすることを予期していた。具体的には、グローバル化が世界中に経済的繁栄を行き渡らせ、その結果、インドやエジプトの人々がフィンランドやカナダの人々と同じような機会と恩恵を享受するようになるだろうと期待していた。まるごと一世代の人々が、この見込みを持って育った。

今やこの見込みは実現しないかもしれないように見える。たしかにグローバル化は人類の多くの階層のためになってきたが、社会と社会の間でも、社会の内部でも、不平等が増している表れが見られる。一部の集団がグローバル化の成果をしだいに独占していく一方で、何十億もの人々が後に取り残されている。すでに今日、一パーセントの最富裕層が世界の富の半分を所有している。富裕者の上位一〇〇人の資産を合わせると、貧困層の下位四〇億人の資産合計を上回るのだから、なおさら驚かされる。[1]

事態はこれよりはるかに悪くなりうる。これまでの章で説明したとおり、ＡＩが普及すれば、ほとんどの人の経済価値と政治権力が消滅しかねない。同時に、バイオテクノロジーが進歩すれば、経済的な不平等が生物学的な不平等に反映されることになるかもしれない。超富裕層はついに、自分の莫大な富を使って本当にやり甲斐のあることができるようになる。これまで彼らが買えるものと言えば、ステータスシンボルがせいぜいだったが、間もなく彼らは生命そのものを買えるようになるかもしれない。寿命を延ばしたり、身体的能力や認知的能力をアップグレードしたりするための治療や処置には多額のお金がかかるようであれば、人類は生物学的なカーストに分かれかねない。

歴史を通して、金持ちや貴族はいつも、自分たちは他の人々よりも優れた技能を持っていると考えてきた。だから彼らは主導権を握っているというわけだ。だが私たちの知るかぎりでは、彼らの技能のほうが優れていたというのは真実ではない。平均的な公爵は、平均的な農民よりも有能ではなかった。金持ちや貴族が優位に立てたのは、不当な法律的差別や経済的差別があったからにすぎない。ところが二一〇〇年までには、金持ちはスラム街の住民よりも才能や創造性や知能の面で本当に優位に立っているかもしれない。能力に関して、富める人と貧しい人の間にいったん本当の溝ができてしまえば、それを埋めることは不可能に近くなる。もし、富める人が優れた能力を使ってさらに豊かになり、多くのお金を使えば能力を強化した体や脳を買えるなら、その溝は時間とともに拡がるばかりだろう。二一〇〇年までには、一パーセントの最富裕層は、世界の富の大半ばかりではなく、世界の美と創造性と健康の大半をも手に入れているかもしれない。

したがって、生物工学とＡＩの普及の組み合わせという、この二つの過程の相乗効果は、一握りの超人の階級と、厖大な数の無用のホモ・サピエンスから成る下層階級へと人類を二分しかねない。一般大衆が経済的重要性と政治権力を失えば、国家は彼らの健康と教育と福祉に投資する動機の少なくとも一部を失うかもしれないので、このすでに不吉な状況はさらに悪化するだろう。彼らが余剰人員と化すのは非常に危険だ。そのような事態が起こったら、一般大衆の将来は少数のエリート層の善意次第となる。善意は数十年間は存在するかもしれない。だが、気候変動による大災害のような危機を迎えたら、余剰な人員をどうしても見捨てたくなるだろうし、そうすることは簡単だろう。

自由主義の信念や社会保障制度の長い伝統を持つフランスやニュージーランドのような国では、エリート層は一般大衆が必要でなくなったときにさえ、彼らの面倒を見続けるかもしれない。とはいえ、もっと資本主義的なアメリカでは、エリート層は残っている社会保障制度をさっさと廃止するかもしれない。インドや中国、南アフリカ、ブラジルといった、大きな開発途上国の前途には、なおいっそう深刻な問題が立ちはだかっている。こうした国々では、いったん庶民が経済価値を失えば、不平等が急激に拡大しかねない。

その結果、グローバル化がグローバルな統合につながる代わりに、実際には「種分化」が起こるかもしれない。すなわち、人類が異なる生物学的カーストに、あるいは異なる種にさえ分かれるのだ。グローバル化が進めば国境がなくなり、世界は水平方向には統一されるが、同時に人類が垂直方向に分割される。アメリカやロシアといったおおいに異なる国々の支配権を握る寡頭制政権どうしが、普通のサピエンスから成る一般大衆を相手に回して融合したり提携したりするかもしれない。この視点に立つと、現在「エリート層」に向けられているポピュリズムの憤懣（ふんまん）も、確かな根拠に基づいていることになる。用心していないと、シリコンヴァレーの大物やモスクワの億万長者の孫たちが、アパラチアの田舎者やシベリアの村人の孫たちよりも優れた種になりかねない。

長期的には、そのような筋書きどおりになれば、上位のカーストが「文明」を自称するものの中に集まり、壁や堀を建設して、外の「野蛮人」の群れからその文明を隔絶し、世界は非グローバル化することさえあるかもしれない。二〇世紀には、工業文明はその「野蛮人」に依存して、安価な労働力や原材料や市場を確保していた。したがって、彼らを征服し、吸収していた。だが二一世紀には、AIと生物工学とナノテクノロジーを頼みとするポスト工業化文明は、はるかに自己完結的で自立的になるかもしれない。階級ばかりではなく国家や大陸までもがいくつもまるごと存在意義を失いかねない。ドローンやロボットで守られた防壁が、論理爆弾（ロジックボム）〔訳註　一定の条件下で起動して破壊を行なう、遅発型の悪意あるコンピューターウイルス〕でサイボーグどうしが戦う、文明的と自称する地域を、なたや自動小銃で凶暴な人間どうしが戦う、野蛮な土地から隔てることも考えうる。

本書を通して、私は将来の人類について述べるときに、しばしば「私たち」という一人称複数の代名詞を使う。「私たち」の問題について、「私たち」はどうするべきなのかについて語る。だが、「私たち」など存在しないかもしれない。「私たち」の抱える大問題の一つは、異なる人間の集団がそれぞれ完全に異なる将来を迎えることかもしれない。世界には、自分の子供たちにコンピュータープログラムを書くことを教えるべき地域もあれば、素早く銃を抜いて狙いたがわず撃つことを教えたほうがいい地域も出てくる可能性がある。

誰がデータを制するか？

もし、一握りのエリート層の手に富と権力が集中するのを防ぎたいのなら、データの所有権を統制することが肝心だ。古代には、土地はこの世で最も重要な資産であり、政治は土地を支配するための戦いで、あまりに多くの土地があまりに少数の手に集中したときには、社会は貴族と庶民に分かれた。近代には機械と工場が土地よりも重要になり、政治闘争は、そうした必要不可欠な生産手段を支配することに焦点を合わせた。そして、あまりに多くの機械があまりに少数の手に集中したときには、社会は資本家階級と無産階級に分かれた。それに対して二一世紀の最も重要な資産はデータで、土地と機械はともにすっかり影が薄くなり、政治はデータの流れを支配するための戦いと化すだろう。もしデータがあまりに少数の手に集中すると、人類は異なる種に分かれることになる。

データの獲得競争はすでに始まっており、グーグルやフェイスブック、百度（バイドウ）、騰訊（テンセント）といった巨大なデータ企業が先頭を走っている。これまでのところ、こうした巨大企業の多くは、「注意商人（attention merchant）」というビジネスモデルを採用しているようだ。(2) 彼らは無料の情報やサービスや娯楽を提供することで私たちの注意を惹き、その注意を広告主に転売する。とはいえ巨大なデータ企業はおそらく、従来のどの「注意商人」よりもはるかに上を狙っている。彼らの真の事業は広告を売ることではまったくない。むしろ、私たちの注意を惹いて、私たちに関する厖大な量のデータを首尾良く蓄積することだ。そうしたデータはどんな広告収入よりも価値がある。私たちは彼らの顧客ではなく、製品なのだ。

中期的には、このようなデータの蓄積は、これまでとは根本的に異なるビジネスモデルへの道を拓く。その最初の犠牲者は、広告業界そのものになるだろう。新しいモデルは、物を選んで買う権限を含め、さまざまな権限を人間からアルゴリズムへと移すことに基づいている。いったんアルゴリズムが私たちのために物を選んで買うようになれば、旧来の広告業界は壊滅する。グーグルを考えてほしい。グーグルは、私たちが何を尋ねても、世界一の答えを与えられる段階にまで到達することを望んでいる。私たちが、「こんにちは、グーグル。あなたが自動車について知っていることのいっさいと、私

（私の必要や習慣、地球温暖化についての見方、さらには中東の政治についての意見まで含む）について知っていることのいっさいに基づけば、私にいちばんふさわしいのはどの自動車？」とグーグルに訊くと、どうなるか？ もしグーグルが適切な答えを与えることができ、もし私たちが、簡単に操作されてしまう自分自身の感情ではなくグーグルの知恵を信頼することを経験から学べば、自動車の広告など、なんの役に立つだろう？[3]

長期的には、巨大なデータ企業は十分なデータと十分な演算能力を併せ持つことで、生命の最も深遠な秘密をハッキングし、そうして得た知識を使って私たちのために選択をしたり私たちを操作したりするだけでなく、有機生命体を根本から作り直したり非有機生命体を創り出したりできるようになりうる。巨大なデータ企業は、短期的には経営を維持するために広告の販売を必要とするかもしれないが、アプリケーションや製品や企業を、それらが生み出すお金ではなく獲得するデータに即して評価することが多い。人気のあるアプリは、ビジネスモデルを欠いていて、短期的には損失を出しさえするかもしれないが、データを惹き寄せてくれるかぎり、莫大な金銭的価値を持ちうる。[4] たとえ今はそのデータからどうやって利益をあげるかわからなくても、データは持っておく価値がある。なぜなら、将来、生命を制御したり、生命の行方を決めたりするカギを握っているかもしれないからだ。巨大なデータ企業がそれについてそういう形で明確に考えているかどうかは、はっきりとはわからないが、彼らの行動を見ると、ただのお金よりもデータの蓄積を重視していることがうかがわれる。

普通の人間は、この過程に逆らおうとしたら、ひどく難儀するだろう。現時点では、人々は自分の最も貴重な資産、すなわち個人データを、無料の電子メールサービスや面白おかしい猫の動画と引き換えに、喜んで手放している。色鮮やかなガラス珠や安価な装身具と引き換えに、ヨーロッパの帝国主義者に図らずも国をまるごと売ってしまったアフリカの部族やアメリカの先住民と少し似ている。後で普通の人々がデータの流れを遮断しようと決めたとしても、そうするのはしだいに困難になるだろう。自分のありとあらゆる決定はもとより、医療や身体的生存のためにさえ、ネットワークに頼るようになれば、なおさらだ。

人間と機械は完全に融合し、人間はネットワークとの接続を絶たれれば、まったく生き延びられないようになるかもしれない。子宮の中にいるうちからネットワークに接続され、その後、接続を絶つことを選べば、保険代理店からは保険加入を拒否され、雇用者からは雇用を拒否され、医療サービスからは医療を拒否されかねない。健康とプライバシーが正面衝突したら、健康の圧勝に終わる可能性が高い。

あなたの体や脳からバイオメトリックセンサーを通してスマートマシンへ流れるデータが増えるにつれて、企業や政府機関は簡単にあなたを知ったり、操作したり、あなたに代わって決定を下したりするようになる。なおさら重要なのだが、企業や政府機関は、すべての体と脳の難解なメカニズムを解読し、それによって生命を創り出す力を獲得しうる。そのような神のような力を一握りのエリートが独占するのを防ぎたければ、そして、人間が生物学的なカーストに分かれるのを防ぎたければ、肝心の疑問は、誰がデータを制するか、だ。私のDNAや脳や人生についてのデータは私のものなのか、政府のものなのか、どこかの企業のものなのか、人類という共同体のものなのか？

政府にそのデータを国有化するよう義務づければ、おそらく大企業の力を制限できるが、ぞっとするようなデジタル独裁国家を誕生させかねない。政治家はミュージシャンのようなもので、彼らが演奏する楽器は人間の情動系と生化学系だ。彼らが演説を行なう。すると国中に恐れの波が拡がる。彼らがツイートする。すると憎しみの爆発が起こる。こうしたミュージシャンにこれ以上高性能の楽器を与えて演奏させるべきではないと思う。いったん政治家が、直接私たちの情動のスイッチを入れて、不安や憎しみ、喜び、退屈を意のままに生み出せるようになれば、政治はただの情動操作の茶番と化すだろう。私たちは大企業の力を恐れるべきではあるが、歴史を振り返ると、やたらに強力な政府の管理下に置かれるほうが必ずしもましではないことが見て取れる。二〇一八年三月現在、私は自分のデータを提供するのならウラジーミル・プーチンよりもマーク・ザッカーバーグのほうがましな気がする（もっとも、ケンブリッジ・アナリティカ・スキャンダル〔訳註　データ分析会社のケンブリッジ・アナリティカがフェイスブックユーザーのデータを不正に収集したとされる事件〕からは、あまり選択の余地がないことが明らかになった。ザッカーバーグに託したデータは何であれ、プーチンの手に落ちる可能性が十分あるからだ)。

自分自身のデータの個人所有は、前述のどちらの選択肢よりも魅力的に思えるかもしれないが、それが実際には何を意味するかははっきりしない。私たちは土地の所有の規制については、何千年にも及ぶ経験がある。農地の周りに柵を巡らし、門に番人を置き、出入りを制限する方法は心得ている。過去二世紀の間に、私たちは産業の所有を非常に巧妙に規制するようになった。たとえば、今日私は株式を買うことで、ゼネラルモーターズやトヨタの一部を所有できる。だが私たちには、データの所有を規制する経験はあまりない。それは本質的に、はるかに難しい任務だ。データは土地や機械とは違い、どこにでもあると同時にどこにもなく、光速で移動でき、好きなだけコピーを作れるからだ。

だから私たちは弁護士や政治家、哲学者、さらには詩人にさえも、この難問、すなわちデータの所有をどう規制するかという問題に注意を向けるよう求めたほうがいい。これこそおそらく、私たちの時代の最も重要な政治的疑問だろう。早々にこの疑問に答えられなければ、私たちの社会政治制度は崩壊しかねない。人々はすでに、来るべき大変動に感づいている。だから世界中の人々が自由主義の物語への信頼を失いかけているのかもしれない。ほんの一〇年前にはたまらないほど魅力的に見えた、自由主義の物語への信頼を。

それでは、私たちはここからどうやって前へ進み、バイオテクノロジー革命とIT革命がもたらす途方もない課題の数々に対処するべきなのか？　そもそも世界を混乱させた当の科学者や起業家が、ひょっとしたら何らかのテクノロジー上の解決策を立案できるだろうか？　たとえば、ネットワーク化されたアルゴリズムは、あらゆるデータを集団的に所有し、将来における生命の発展を監督するグローバルな人間コミュニティの足場を形成できるだろうか？　グローバルな不平等が増し、社会的な緊張が世界中で強まったら、ことによるとマーク・ザッカーバーグは、自分の二〇億の友達に呼びかけ、力を合わせて何かいっしょにやろうとするだろうか？

II
政治面の難題

情報テクノロジーとバイオテクノロジーの融合は、
現代の価値観の核となる自由と平等を脅かす。
テクノロジー上の難題の解決策なら
どのようなものであろうと、
グローバルな協力が欠かせない。
だが、ナショナリズムや宗教や文化のせいで
人類は敵対する陣営に分かれてしまい、
グローバルなレベルでの協力が非常に難しくなる。

5 コミュニティ

人間には身体がある

カリフォルニア州の人々は地震には慣れているが、それでも二〇一六年の選挙の政治的な激震は、シリコンヴァレーの不意を衝き、猛烈な衝撃を与えた。自分たちが問題の一因かもしれないことに気づいたコンピューターの専門家たちは、技術者が最も得意とする反応を見せた。すなわち、技術的な解決策を探したのだ。この反応が最も顕著だったのが、メンローパークにあるフェイスブックの本社だった。それも無理はない。フェイスブックはソーシャルネットワーキングを仕事としているので、社会的な騒乱には最も敏感だったのだ。

マーク・ザッカーバーグは三か月にわたって内省を重ねた後、二〇一七年二月一六日に大胆な声明を発表し、グローバルなコミュニティを築く必要性を訴え、その事業でフェイスブックが果たすべき役割を明らかにした。(1) ザッカーバーグは二〇一七年六月二二日に初のコミュニティサミットでその声明を踏まえて講演し、薬物依存症の蔓延から残忍な全体主義体制まで、私たちの時代の社会政治的混乱は、コミュニティの崩壊に負うところが大きいと説明した。「過去数十年間に、あらゆる種類の団体の所属者数が四分の一も減りました。今やどこか別の場所で目的と支援を見つける必要がある人が、こんなに大勢いるのです」と彼は嘆いた。(2) そして、フェイスブックはそうしたコミュニティの再建事業の先頭に立ち、教区牧師たちが投げ出した責務を同社の技術者が担うことを約束し、「我が社は、コミュニティの構築を楽にするツールを発表していきます」と述べた。

彼はさらに説明を続けた。「みなさんにとって有意義であろう団体をもっと上手に推薦できないかを検討するプロジェクトを、我が社はスタートさせました。これを行なうための人工知能を構築し始めました。そして、うまくいっています。最初の半年間で、これまでより五〇パーセント多くの人が有意義なコミュニティに加わるお手伝いができました」。彼の最終目標は「一〇億人が有意義なコミュニティに加わるのを助けること」で、「もし我が社がそれを達成できれば、過去数十年間に目にしてきた、コミュニティ所属者数の減少傾向が逆転するだけでなく、私たちの社会的な結びつきが強まり、世界はより緊密になり始めるでしょう」。これは非常に重要な目標なので、ザッカーバーグは「フェイスブックの使命をそっくり変え、この責務を引き受ける」ことを誓った。[3]ザッカーバーグがコミュニティの崩壊を嘆いたのは、たしかに正しかった。とはいえ、ザッカーバーグがこの誓いを立ててから数か月後、本書が印刷に回されようとしていたまさにそのとき、ケンブリッジ・アナリティカ・スキャンダルが発覚し、フェイスブックに託されていたデータが第三者の手に落ち、世界中で選挙を操作するのに使われたことが暴露された。これでザッカーバーグの高尚な約束は台無しになり、フェイスブックに対する世間の信頼も粉々に砕け散った。新しいコミュニティの構築に取りかかる前に、フェイスブックがまず既存のコミュニティのプライバシーとセキュリティの保護に取り組んでくれることを願うばかりだ。

それでも、フェイスブックのコミュニティのビジョンを詳しく検討し、セキュリティが強化された暁には、オンラインの社会的ネットワークがグローバルなコミュニティの構築に役立つか考察してみる価値はある。二一世紀の人間は神にアップグレードされるかもしれないが、二〇一八年現在では、私たちは依然として石器時代の動物だ。栄えるためには相変わらず、親密なコミュニティに根差している必要がある。人類は何百万年にもわたって、数百人未満の小さな生活集団での暮らしに適応してきた。今日でさえ、ほとんどの人は一五〇人以上を本当によく知ることはできずにいる。フェイスブックの友達がどれほど多くいようと関係ない(4)。このような親密な集団がなければ、人間は寂しさや疎外感を覚える。

あいにく過去二世紀の間、親密なコミュニティは現に崩壊し続けてきた。互いを実際に知っている人々の小集団を、国家や政党という想像上のコミュニティで置き換える試みが、完全に成功することはありえないだろう。国家という家族の中の何百万もの兄弟や、共産党の何百万もの同志が束になっても、たった一人の真の兄弟や友人が与えてくれる温かい親密さを提供できない。その結果、人々はますます接続が増える地球上で、ますます孤独な暮らしを送ることになる。私たちの時代の社会的混乱や政治的混乱の多くは、人間関係のこの低迷状態に元をたどれる。[5]

したがって、人間どうしを再び結びつけるというザッカーバーグのビジョンは時宜を得ている。だが、言うは易く行なうは難しで、このビジョンを実現するためには、フェイスブックは自社のビジネスモデルをまるごと変えなければならないかもしれない。人々の注意を惹き、その注意を広告主に売ってお金を稼ぎながら、グローバルなコミュニティを構築することは、とうてい望めない。そうではあるものの、そのようなビジョンを考え出す意欲があっただけでも、ザッカーバーグは称賛に値する。ほとんどの企業は、自分たちはお金を稼ぐことに専心し、政府はなるべく何もせず、人類は市場原理を信頼して本当に重要な決定を市場に委ねるべきだと信じている。[6]したがって、もしフェイスブックが独自のイデオロギーを表明してコミュニティの構築に本気で取り組むつもりなら、フェイスブックの力を恐れる人は、「ビッグ・ブラザー！」と非難の声を浴びせて同社を再び企業の殻の中に閉じこもらせるべきではない。むしろ、他の企業や機関や政府にも、イデオロギーを表明して自らも真剣に取り組むことでフェイスブックと競うように促すべきだ。

もちろん、コミュニティの崩壊を嘆き、再建のために奮闘している組織はいくらでもある。フェミニズムの活動家からイスラム原理主義者まで、誰もがコミュニティの構築に乗り出しており、そうした試みのいくつかについては、後の章で詳しく考察する。フェイスブックの取り組みのどこが独特かと言えば、それは視野がグローバルで、企業が後ろ盾になっており、テクノロジーを厚く信頼している点だ。ザッカーバーグは、フェイスブックの新しいAIが「有意義なコミュニティ」を識別できるだけでなく、「社会的な結びつきを強め、世界をより緊密にする」こともできると確信しているように聞こえる。だがそれは、AIを使って自動車を運転したり癌を診断したりするよりもはるかに野心的だ。

フェイスブックのコミュニティのビジョンは、AIを使ってグローバルな規模で中央計画型のソーシャル・エンジニアリングを行なう、最初のあからさまな試みなのかもしれない。したがってそれは、きわめて重要なテスト・ケースになっている。もしそれが成功すれば、同じような試みが数多くなされ、アルゴリズムは人間の社会的ネットワークの新たな主人として認められるだろう。逆に、それが失敗に終われば、新しいテクノロジーの限界が明らかになる。すなわち、アルゴリズムは自動車を運転したり病気を治したりするのは得意かもしれないが、社会的問題の解決に関しては、私たちは相変わらず政治家や聖職者に頼るべきであるということだ。

オンラインvs.オフライン

フェイスブックは近年、驚異的な成功を収めており、現在、二〇億を超えるオンラインのアクティブユーザーがいる。ところが、新しいビジョンを実現するためには、同社はオンラインとオフラインの間の溝を埋めなくてはならない。コミュニティはオンラインで始まってもかまわないが、真の意味で盛んになるためには、オフラインの世界にも根を張らなければならない。もし、ある日どこかの独裁者が自国からフェイスブックを締め出したり、インターネットを完全に使用不能にしたりしたら、その国のさまざまなコミュニティは消滅するだろうか？　それとも、再編成して反撃に出るだろうか？　それらのコミュニティは、オンラインのコミュニケーションなしでデモを組織できるだろうか？

ザッカーバーグは二〇一七年二月の声明で、オンラインのコミュニティはオフラインのコミュニティを育むのを助けると説明した。それは正しいこともある。とはいえ、多くの場合、オンラインはオフラインの犠牲の上に成り立っており、両者には根本的な違いがある。現実のコミュニティには、少なくとも当分は、バーチャルなコミュニティには及びもつかない深さがある。もし私が病気になってイスラエルで寝ていたら、カリフォルニア州のオンラインの友人たちはお見舞いの言葉をかけてくれることはできるが、スープやお茶を運んできてくれることはできない。

人間には体がある。過去一世紀の間に、テクノロジーは私たちを自分の体から遠ざけてきた。私たちは、自分が嗅いでいるものや味わっているものに注意を払う能力を失ってきた。その代わり、スマートフォンやコンピューターに心を奪われている。通りの先で起こっていることよりもサイバースペースで起こっていることのほうにもっと関心を払う。スイスにいるいとこと話すのは、かつてないほど簡単になったが、朝の食卓で配偶者と話すのは難しくなった。彼は私ではなくスマートフォンを絶えず見ているからだ。(7)

昔なら、人間はそんな不注意なことはしていられなかった。太古の狩猟採集民は、絶えず油断なく気を配っていた。キノコを探して森の中を歩き回っているときには、それらしきものを何一つ見落とさないように地面に視線を走らせた。草むらで少しでも物音がすれば耳を傾け、そこにヘビが隠れてはいないかどうか探った。食べられそうなキノコが見つかれば、似たような毒キノコと区別するために、細心の注意を払いながら口にした。今日の豊かな社会の人々は、それほど鋭い感覚は必要としない。スマートフォンで電子メールを送りながらスーパーマーケットの通路を歩き回り、保健所などがすべて品質を監督している無数の惣菜から好きなものを買うことができる。だが何を選んだにしても、テレビの画面の前で、メールをチェックしたり番組を観たりしながら、味にはろくに注意も払わず、せかせかとお腹に入れることになりかねない。

ザッカーバーグは、フェイスブックはこれからも一生懸命に「みなさんに自分の経験を」他者と「シェアする力を提供するツールの改良を重ねていく」と述べた[8]。とはいえ、人々が本当に必要としているのは、自分自身の経験と接触するツールかもしれない。人々は、「経験をシェアする」という名目で、自分に起こっていることを、他人にどう見えるかという観点から理解することを促される。何か胸の躍るようなことが起これば、フェイスブックのユーザーは本能的にスマートフォンを取り出し、写真を撮り、投稿し、「いいね！」という反応が返ってくるのを待つ。その間、彼らは自分自身がどう感じているのかには、ほとんど注意を払わない。それどころか、彼らがどう感じるかは、オンラインの反応によってしだいに決まるようになってきている。

自分の体や感覚や身体的環境と疎遠になった人々は、疎外感を抱いたり混乱を覚えたりしている可能性が高い。有識者はそのような疎外感を、宗教的な絆や国民の絆の衰退のせいにすることが多いが、自分の体とのかかわりを失うことのほうが、おそらく重大だろう。人類は何百万年にもわたって、教会や国民国家なしで生きてきた。おそらく二一世紀にも、両者なしで幸せに暮らせるはずだ。それでも、自分の体から切り離されていては、幸せには生きられないだろう。自分の体にしっくり馴染めないなら、世界にしつくり馴染むことはけっしてできない。

今までのところ、フェイスブック自体のビジネスモデルは、たとえオフラインの活動に充てる時間とエネルギーが減ることになっても、より多くの時間をオンラインで費やすように人々を奨励する。フェイスブックは、本当に必要なときにだけインターネットに接続し、自分の身体的環境と自分自身の体や感覚にもっと注意を向けるように、人々を奨励する新しいモデルを採用できるだろうか？　株主たちはこのモデルをどう思うだろう？（そのような代替モデルの青写真を、最近、トリスタン・ハリスが提案している。彼は元グーグル社員のテクノロジー哲学者で、「有益に使われた時間（time well spent）」という新しい測定規準を考案した人物だ[9]）。

オンラインの関係特有の制約も、社会的分極化に対するザッカーバーグの解決策の妨げとなる。彼がいみじくも指摘しているように、人々を結びつけ、異なる意見にさらすだけでは、社会格差は解消しない。なぜなら、「反対の視点からの記事を人々に見せると、他の視点を異質のものと位置づけることによって、実際には分極化を深める」からだ。そうする代わりに、「対話を改善する最善の解決策は、互いをただの意見としてではなく人間としてまるごと知ることから得られるかもしれず、それを実現させるには、他に並ぶ者がないほどフェイスブックがふさわしいかもしれない。スポーツチームやテレビ番組、興味など、私たちが共有しているものに関して人々を結びつければ、意見が合わないことについて、対話を持ちやすくなる」とザッカーバーグは主張する[10]。

とはいえ、互いを人間として「まるごと」知るのははなはだ難しい。たっぷり時間がかかるし、じかの身体的な交流が必要になる。すでに指摘したとおり、平均的なホモ・サピエンスが親密に知ることのできる人の数は、おそらく一五〇人を上回らないだろう。理想的には、コミュニティの構築はゼロサムゲームであってはならない。人間は異なる集団に対して同時に忠誠心を持つことができる。あいにく、親密な関係はおそらくゼロサムゲームだ。あるところから先は、イランやナイジェリアのオンラインの友人たちを知るために費やす時間とエネルギーは、隣人たちを知る能力を犠牲にして捻出することになる。

オンラインでの買い物時間を減らし、友人たちとオフラインで行なう有意義な活動の時間を増やすように人々を仕向ける新しいツールを、どこかの技術者が発明したときに、フェイスブックは正念場を迎える。フェイスブックはそのようなツールを採用するか？それとも、使用を阻止するか？フェイスブックは思い切って、金銭的利害に社会的問題を優先させるだろうか？もしそうしたなら（そして、首尾良く破産を免れたなら）、それは画期的な転身となる。

四半期報告書よりもオフラインの世界に対して多くの注意を向ける道を選んだなら、フェイスブックの納税方針にも影響が及ぶ。アマゾンやグーグル、アップル、その他巨大なテクノロジー企業数社と同じで、フェイスブックは繰り返し脱税の罪を問われてきた。[11]オンラインの活動に課税するのは本来難しいので、これらのグローバル企業は、ありとあらゆる種類の粉飾決算を簡単に行なうことができる。人々が主にオンラインで生活していて、自社が彼らにオンラインでの暮らしに必要なツールをすべて提供していると考えていたら、オフラインの政府に税金を払うのを避けていたとしても、自社を有益な社会サービスだと見なすことができる。だが、人間には体があり、したがって、依然として道路や病院や下水設備を必要とすることをいったん思い出したなら、脱税を正当化するのははるかに難しくなる。重要そのもののコミュニティ・サービスを金銭的に支援するのを拒んでおいて、コミュニティのすばらしさを褒め称えることなど、どうしてできるだろう？

私たちは、フェイスブックがビジネスモデルを改め、もっとオフラインに優しい納税方針を採用し、世界統一を助け、なおかつ黒字を維持できることを願うばかりだ。とはいえ、グローバルなコミュニティというビジョンを実現するフェイスブックの能力に、現実離れした期待を膨らませてはならない。歴史を振り返ると、企業が社会改革や政治改革を導くのに理想的な手段だったことはない。真の改革は、企業やその従業員や株主が払いたがらないような犠牲を、遅かれ早かれ求めるものだ。だから改革者は教会を創立したり、政党を発足させたり、軍隊を組織したりする。アラブ世界におけるいわゆる「フェイスブック革命」と「ツイッター革命」は、希望に満ちたオンラインのコミュニティで始まったが、混乱したオフラインの世界に出ていった途端、宗教的狂信者や軍事政権に奪い取られてしまった。もし今フェイスブックがグローバルな改革を引き起こすことを狙っているのなら、オンラインとオフラインの間の溝をもっとずっとうまく埋めなくてはならない。フェイスブックをはじめとするオンラインの巨大企業は、人間を視聴覚的な動物——すなわち、二つの目と二つの耳が一〇本の指と電子機器の画面とクレジットカードにつながったもの——と見なしがちだ。だが、人類の統一を目指すのであれば、人間には体があることを正しく認識することが欠かせない。

もちろん、それを正しく認識することには負の側面もある。オンラインのアルゴリズムの限界に気づけば、巨大なテクノロジー企業はさらに手を拡げようとするだけかもしれないからだ。グーグルグラスのような機器やポケモンGOのようなゲームは、オンラインとオフラインの区別を取り除き、両者を融合させて単一の拡張現実にするようにデザインされている。さらに深いレベルでは、バイオメトリックセンサーや、脳とコンピューターを直接つなぐブレイン・コンピューター・インターフェイスが、電子機械と有機的な体の境界を少しずつ消し去り、人体という領域に文字どおり食い込むことを目指している。巨大なテクノロジー企業は、いったん人間の体と折り合いをつけてしまえば、現在私たちの目と指とクレジットカードを操作しているのと同じやり方で、体全体を操作することになりかねない。そのときには、私たちはオンラインがオフラインと切り離されていた古き良き時代を懐かしむ羽目になるかもしれない。

6

文明

世界にはたった一つの文明しかない

マーク・ザッカーバーグがオンラインで人類を統一することを夢見ているのに対して、オフラインの世界で最近起こっている出来事は、「文明の衝突」という見方に新しい命を吹き込んでいるように見える。多くの有識者や政治家や一般市民は、シリアの内戦やイスラミックステート（イスラム国）の台頭、ブレグジット騒動、ＥＵの不安定な状態はみな、「西洋文明」と「イスラム文明」の衝突に起因すると信じている。西洋がイスラム諸国に民主主義と人権を押しつけようとしたため、イスラム教の暴力的な反発を招き、イスラム教徒の移民の波とイスラム教徒によるテロ攻撃が相まって、ヨーロッパの有権者は多文化の夢を捨て、外国人を嫌って地元のアイデンティティを優先する道を選んだというわけだ。

文明の衝突という見方によれば、人類はこれまでずっとさまざまな文明に分かれて暮らしてきており、異なる文明に属する人は、相容れない世界観を持っているという。これらの相容れない世界観のせいで、文明間の争いは避けられない。自然界では冷酷な自然選択の法則に従ってさまざまな種が生存競争を繰り広げるのとちょうど同じで、文明は歴史を通して衝突を繰り返し、適者のみが生き延びてきたのだ。自由主義の政治家であれ、空想に耽る技術者であれ、この厳然たる事実を見過ごす人は、重大な過ちを犯している(1)。

「文明の衝突」という見方には、広範に及ぶ政治的意味合いがある。この見方を支持する人は、以下のように主張する。「西洋」と「イスラム世界」との折り合いをつけようとする試みはすべて失敗に終わる運命にある。イスラム諸国はけっして西洋の価値観を採用しないし、西洋諸国はイスラム教徒の少数派をけっしてうまく受け容れることはできない。したがって、アメリカはシリアやイラクからの移民を入国させるべきではないし、EUは異文化の共存という誤った考え方を捨て、平然と西洋のアイデンティティを掲げるべきだ。長期的には、たった一つの文明だけが自然選択の情け容赦ないテストを生き延びるのであり、ブリュッセル〔訳註 EUの本部の所在地〕の官僚たちが西洋をイスラム教の危険から救うのを拒否したら、イギリスやデンマークやフランスは、独自にそうしたほうがいい。

この見解は広く支持されているものの、誤解を招きやすい。イスラム原理主義は現に過激な難問を突きつけてくるかもしれないが、イスラム原理主義が挑んでいる「文明」は、西洋独特の現象ではなく、グローバルな文明だ。だからこそ、イスラミックステートに対抗してイランとアメリカが手を結んだのだ。そして、イスラム原理主義者たちでさえ、中世の幻想にあれほど浸っているにもかかわらず、七世紀のアラビアよりも現代のグローバルな文化にはるかにしっかりと根差している。彼らは、中世の農民や商人の恐れや希望にではなく、現代の疎外された若者の恐れや希望にうまくつけ込んだり応じたりしている。パンカジ・ミシュラとクリストファー・デ・ベレイグが説得力を持って主張しているとおり、過激なイスラム原理主義者たちはムハンマドだけではなくマルクスやフーコーにも大きな影響を受けており、彼らはウマイヤ朝やアッバース朝の支配者(カリフ)ばかりでなく、一九世紀ヨーロッパの無政府主義者の遺産も受け継いでいる(2)。したがって、イスラミックステートでさえも、どこかの謎めいた異質の系統の分枝というよりもむしろ、私たち全員が共有するグローバルな文化の、正道を逸脱した枝と見るほうが正確だ。

さらに重要なのだが、「文明の衝突」という見方を支えるために、歴史と生物学の類似性を想定するのは間違っている。小さな部族から巨大な文明まで、人間の集団は根本的に動物の種とは違うし、歴史上の争いは自然選択の過程とはおおいに異なる。動物の種は何千世代にもわたって存続する客観的なアイデンティティを持っている。あなたがチンパンジーかゴリラかは、あなたの信念ではなく遺伝子次第であり、異なる遺伝子が異なる行動を左右する。チンパンジーはオスとメスが混ざった集団で暮らす。彼らはオスとメスの両方から支持者を集めて連合を確立することで権力を競う。それとは対照的に、ゴリラの場合には一頭の支配的なオスが複数のメスから成るハーレムを形成し、自分の地位に挑みかねない他の大人のオスはみなたいてい追い払う。チンパンジーはゴリラのもののような社会体制は採用できないし、ゴリラはチンパンジーのようには自らを組織できない。そして、私たちの知るかぎりでは、チンパンジーとゴリラのそれぞれ特徴的な社会制度は、過去数十年どころか、何十万年にもわたってまったく変わっていない。

ところが、人間の場合はまるで違う。たしかに人間の集団も明確な社会制度を持ちうるが、それらは遺伝的に決まるわけではなく、数世紀以上存続することはめったにない。たとえば、二〇世紀のドイツ人を考えてほしい。一〇〇年にも満たぬ間に、ドイツ人は自らを六つの非常に異なる制度に組織した。ホーエンツォレルン帝国、ワイマール共和国、第三帝国、ドイツ民主共和国（共産主義の東ドイツ）、ドイツ連邦共和国（西ドイツ）、そして最後が再統一された民主主義のドイツだ。もちろんドイツ人は同じ言語と、ビールとブラートブルスト〔訳註　ドイツの国民的なソーセージ〕を愛する気持ちを持ち続けた。だが、ドイツ国民を他のあらゆる国民と区別し、ウィルヘルム二世の時代からアンゲラ・メルケルの時代まで変わらなかったドイツ人ならではの本質など、あるだろうか？ そして仮にあなたが何か思いついたとして、それは一〇〇〇年前、あるいは五〇〇〇年前にもあっただろうか？

（批准されなかった）欧州憲法の前文の冒頭には、「侵すことも奪うこともできない人間の権利、民主主義、平等、自由、法の支配という普遍的価値観が発達する元となった、ヨーロッパの文化的、宗教的、人道的な継承物」からインスピレーションを得たとある。[3]そこからは、ヨーロッパの文明が人権や民主主義、平等、自由という価値観を特徴とするという印象を受けても無理はない。無数の演説や文書が、古代アテネの民主主義を今日のEUと一直線に結びつけ、二五〇〇年に及ぶヨーロッパの自由と民主主義を褒め称える。だがそれを聞くと、目の見えない人がゾウの尾を手に取り、ゾウは刷毛のようなものだと結論する有名な話が思い出される。たしかに民主主義的な考え方は、何世紀にもわたってヨーロッパ文化の一部だったが、それがけっしてすべてではない。アテネの民主主義はたっぷり称賛され、大きな影響を与えてきたとはいえ、バルカン半島の一隅でせいぜい二〇〇年しか続かなかった及び腰の実験にすぎない。もしヨーロッパ文明が過去二五世紀間、民主主義と人権を特徴としてきたのなら、スパルタやユリウス・カエサル、十字軍やスペインの征服者（コンキスタドール）、異端審問や奴隷貿易、ルイ一四世やナポレオン、ヒトラーやスターリンはどう考えたらいいのか？ 彼らはみな、どこかよその文明からの侵入者だったのか？

実際には、ヨーロッパ文明はヨーロッパ人が思っているものには程遠く、それはキリスト教はキリスト教徒が思っているものには程遠く、イスラム教はイスラム教徒が思っているものには程遠く、ユダヤ教はユダヤ教徒が思っているものには程遠いのとちょうど同じだ。そして、彼らは何世紀もの間に、驚くほどさまざまな解釈を生み出してきた。人間の集団は、何であれ継続しているものよりも、経験する変化によって特徴づけられるが、それでも自らのために、大昔にさかのぼるアイデンティティを創出してのける。それは物語を語る技能のおかげだ。彼らはどのような変革を経験しても、古いものと新しいものを織り交ぜて一本の糸を紡ぎ出す。

個人でさえも、人生における重大な変化をいくつも編み込んで、首尾一貫した強力な一つの伝記にまとめ上げる。「私はかつては社会主義者だったが、やがて資本主義者になった。フランスで生まれ、今はアメリカに住んでいる。結婚し、それから離婚した。癌にかかったものの、また元気になった」。同様に、ドイツ人といった人間の集団も、自らが経験した変化そのものによって自分を特徴づけるようになることもある。「私たちはかつてナチズムを信奉していたが、その経験に学び、今では平和を好む民主主義者になっている」。何かドイツ人に独特の本質があり、それがまずウィルヘルム二世に、次にヒトラーに、最後にメルケルに表れたなどということはないので、そんな本質を探す必要はない。こうした根本的な変化こそが、ドイツ人のアイデンティティの特徴だ。

二〇一八年にドイツ人であるというのは、厄介なナチズムの遺産に対処しつつ、自由主義と民主主義の価値観を擁護することを意味する。だが、二〇五〇年にドイツ人であるのが何を意味するかは、知れたものではない。

人々はこうした変化から目を背けることが多い。政治や宗教の本質的価値観がかかわる場合にはなおさらだ。私たちは、自分たちの価値観は太古の祖先から伝わる貴重な遺産だと言い張る。とはいえ、私たちがそう言えるのは、祖先がとうの昔に死んでいて、何一つ発言できないからにすぎない。たとえば、女性に対するユダヤ教徒の態度を考えてほしい。今日、ユダヤ教超正統派は公共の場に女性の画像を掲示することを禁じている。ユダヤ教超正統派に狙いをつけた屋外の大きな掲示板や広告は、たいてい男性の大人や子供しか描かず、女性は大人も子供もけっして登場させない。[4]

二〇一一年に、ブルックリンのユダヤ教超正統派の新聞「ディー・ツァイトゥン」がウサマ・ビンラディンの隠れ家を襲撃する様子を見守るアメリカの高官たちの写真を掲載したとき、大騒ぎになった。ヒラリー・クリントン国務長官らの女性がその写真からデジタル処理で消し去られていたのだ。同紙は、ユダヤ教の「慎みの戒律」によってそうせざるをえなかったと釈明した。やはりユダヤ教超正統派の新聞「ハー・メヴァサー」が、敬虔な信者の心に淫らな思いを掻き立てないために、「シャルリー・エブド」紙襲撃事件に対する抗議行動の写真からアンゲラ・メルケルの姿を抹消したときにも、同じような騒ぎが起こった。これまたユダヤ教超正統派の新聞「ハモディア」の発行者は、「我々は何千年にも及ぶユダヤ教の伝統に支えられている」と説明して、このような方針を擁護した(5)。

女性を目にすることの禁止がいちばん厳しいのがシナゴーグ〔訳註 ユダヤ教の礼拝堂〕だ。ユダヤ教正統派のシナゴーグでは、女性は注意深く男性から隔離され、垂れ幕の陰に隠れて制限された区域内に閉じこもっていなければならない。男性が祈りの言葉を口にしたり聖典を読んだりしているときに、偶然女性の姿形を目にしないで済むようにするためだ。とはいえ、もしこれがすべて、何千年にも及ぶユダヤ教の伝統と無数の聖なる戒律によって支えられているのなら、イスラエルでミシュナ〔訳註 ユダヤ教の口伝律法の集大成〕やタルムードの時代の古いシナゴーグを考古学者が発掘したとき、性差別の形跡はまったく見つからず、女性を描いた美しい床のモザイクや壁画が出てきて、そのうちには肌もあらわなものもあった事実を、どう説明すればいいのか? ミシュナやタルムードを書いたラビ〔訳註 ユダヤ教の指導者〕たちは、そうしたシナゴーグでいつも祈り、学んでいたが、今日のユダヤ教正統派ならそれを、古代からの伝統に対する冒瀆行為と見なすだろう(6)。

これと同じような古代からの伝統の歪曲は、あらゆる宗教に見られる。イスラミックステートは、本来の純粋なバージョンのイスラム教に立ち戻ったと自慢しているが、実際には、彼らの解釈は真新しい。たしかに彼らは尊い文書をたくさん引用するが、どの文書を引用し、どの文書を無視するかや、どう解釈するかに関しては、やりたい放題だ。

そもそも、聖典の解釈には「ドゥー・イット・ユアセルフ」の態度で臨むということ自体、非常に現代的だ。伝統的には、解釈は学識あるウラマー（カイロのアル＝アズハルのような評判の高い機関でイスラム法と神学を学んだ学者）たちの専売特許だった。アブー・バクル・アル＝バグダーディーらのイスラミックステートの指導者でそのような資格を持った者はほとんどおらず、おおいに尊敬を集めているウラマーのほとんどは、アブー・バクル・アル＝バグダーディーやその類を無知な犯罪者として退けている。[7]

だからといって、一部の人が主張するように、これまでイスラミックステートが「非イスラム教的」あるいは「反イスラム教的」だったということではない。バラク・オバマのようなキリスト教を信じる指導者が、アブー・バクル・アル＝バグダーディーのような自称イスラム教徒に、イスラム教徒であるとはどういうことかを無分別にも言って聞かせるのは、はなはだ皮肉な話だ。[8] イスラム教の真の本質について激しい議論を戦わせても、無意味としか言いようがない。イスラム教には不変のＤＮＡなどない。イスラム教とは、イスラム教徒がどのように考えるか次第なのだ。[9]

ドイツ人とゴリラ

人間の集団と動物の種を区別する違いには、さらに深遠なものもある。種はしばしば分岐するが、けっして融合することはない。およそ七〇〇万年前には、チンパンジーとゴリラの共通の祖先がいた。この単一の祖先の種が二つの個体群に分かれ、やがてそれぞれ別の進化の道をたどった。いったんそれが起こると、もう元へは戻れなかった。異なる種に属する個体どうしは、繁殖力のある子孫を残せないので、異なる種どうしは絶対に融合できない。ゴリラはチンパンジーと融合できないし、キリンはゾウと融合できないし、犬は猫と融合できない。

それとは対照的に、人間の部族は時とともに融合し、しだいに大きな集団を形成する傾向がある。現代のドイツ人は、少し前までは反目し合っていたサクソン人やプロイセン人、シュヴァーベン人、バイエルン人が融合して生まれた。オットー・フォン・ビスマルクは（ダーウィンの『種の起源』を読んで）、バイエルン人はオーストリア人と人間の間の失われた環（ミッシングリンク）であると言ったとされている。[10] フランス人はフランク人、ノルマン人、ブルターニュ人、ガスコーニュ人、プロヴァンス人の融合から生まれた。一方、英仏海峡の向こうでは、イングランド人、スコットランド人、ウェールズ人、アイルランド人が（進んでか、不本意ながらかはともかく）徐々に融合し、イギリス人を形成した。そう遠くない将来、ドイツ人とフランス人とイギリス人がさらに融合してヨーロッパ人になるかもしれない。

昨今、ロンドンやエディンバラやブリュッセルの人が思い知らされたように、融合がいつも続くとはかぎらない。ブレグジットのせいで、イギリスとEUの両方が同時に崩壊を始めるかもしれない。だが長い目で見れば、歴史の方向性は明確だ。一万年前、人類は無数の孤立した部族に分かれていた。時の流れとともに、それらの部族が融合してしだいに大きな集団となり、異なる文明の数は減る一方だった。ここ数世代の間に、わずかに残っていた文明も、単一のグローバルな文明にまとまりつつある。政治的、民族的、文化的、経済的な隔たりは続いているが、それで統合への根本的な方向性が損なわれるわけではない。それどころか、そうした隔たりのなかには、包括的な共通構造によってのみ起こるものもある。たとえば、経済では分業は誰もが単一の市場を共有していなければ成り立たない。一国が自動車あるいは石油の生産に特化することができるのは、小麦や米を栽培する国から食糧を買える場合に限られる。

人間の統一の過程は、二つの明確な形を取ってきた。異なる集団の間に結びつきを確立することと、さまざまな集団の慣行を均質化することだ。著しく異なる形で行動し続ける集団どうしの間にも結びつきは形成できる。それどころか、不倶戴天（ふぐたいてん）の敵どうしの間にさえ、でき上がることもある。戦争そのものが、人間のあらゆる絆のうちでもとりわけ強力なものを生み出しうる。グローバル化は一九一三年に最初の頂点に達し、それから二つの世界大戦と冷戦の時代に長い衰退期に入り、一九八九年以降、ようやく上向いたと、歴史学者はしばしば主張する。[11] これは経済のグローバル化については正しいかもしれないが、それとは異なるものの同じぐらい重要な、軍事のグローバル化のダイナミクスを無視している。戦争は交易よりもはるかに迅速に、アイデアやテクノロジーや人々を拡散させる。アメリカは一九一三年の時点よりも一九一八年の時点のほうが、ヨーロッパと緊密に結びついていた。そして、次の戦争までの間に両者はだんだんと離れていったものの、第二次世界大戦と冷戦によって両者の運命は二度と引き離せないほど絡み合った。

戦争があると、人々が互いに大きな関心を抱くようにもなる。冷戦の間ほど、アメリカがソ連と密接に連絡を取り合ったことはなかった。当時、ソ連の中枢部の廊下に一つ咳が響くたびに、ワシントンの階段を人々が駆け足で上り下りした。私たちは貿易相手よりも敵のことをはるかに気にする。台湾についてのアメリカ映画一本につき、ヴェトナムについての映画はおそらく五〇本はあるだろう。

中世のオリンピック

二一世紀初頭の世界は、異なる集団を結びつけるばかりか、それよりもはるか先まで行っている。世界中の人々が、互いに連絡を取り合うだけでなく、同一の信念や慣行をしだいに共有するようになっている。一〇〇〇年前、地球は何十もの政治モデルを育む肥沃な土壌を提供していた。ヨーロッパでは、小規模な封建国家が、独立した都市国家や小さな神政国家と競い合っていた。イスラム世界は全世界の支配権を主張するカリフの統治下にあったが、王やスルタンや首長が支配する国の存立も試していた。中国の歴代帝国は、自分たちこそが唯一の正当な政治的実体だと信じており、その一方で、帝国北方と西方のさまざまな部族連合は嬉々として相争っていた。インドと東南アジアでは多くの政権が目まぐるしく変化し、アメリカとアフリカとオーストラリアでは小さな狩猟採集民の生活集団から広大な帝国まで、多様な政治組織体が見られた。隣接する人間集団でさえ、国際法はもとより、共通の外交手続きに関してさえ、なかなか合意できなかったのも無理はない。それぞれの社会が独自の政治パラダイムを持っており、よそ者の政治概念を理解し、尊重するのは困難だった。

それに対して今日、単一の政治パラダイムがどこでも受け容れられている。地球はおよそ二〇〇の主権国家に分かれているが、どの国も同じ外交儀礼と共通の国際法をおおむね認めている。スウェーデン、ナイジェリア、タイ、ブラジルはみな、鮮やかに着色されて同じように地図帳に記載されており、みな国連の加盟国で、無数の違いがあるにもかかわらず、同じような権利と特典を享受する主権国家として認知されている。実際、これら四か国は他にも、代議政体や政党、普通選挙、人権を少なくとも名目上は認めていることを含め、多くの政治的な考え方や慣行を共有している。ロンドンやパリばかりではなくテヘランやモスクワ、ケープタウン、ニューデリーにも議会がある。グローバルな世論の支持を求めてイスラエル人とパレスティナ人、ロシア人とウクライナ人、クルド人とトルコ人が競うときには、彼らはみな、人権と主権国家と国際法という同じ言葉で語る。

世界にはさまざまな種類の「機能不全国家」が散在しているかもしれないが、国家としてうまく機能するためのパラダイムは一つしかない。このようにグローバルな政治は、「アンナ・カレーニナの原則」に従っている。すなわち、機能している国家は互いにみなよく似ているが、機能不全の国家のそれぞれが、主要な政治パッケージの要素のどれかを欠いているために、独自の形で機能していないのだ。イスラミックステートは、このパッケージを完全に拒絶し、世界イスラム帝国という、まったく異なる政治的実体を確立しようとして、ひときわ目を惹いている。だが、まさにその目標のせいで失敗した。数え切れないほど多くのゲリラ部隊やテロ組織が、首尾良く新しい国を創設したり既存の国を征服したりしてきた。だが彼らはきまって、グローバルな政治秩序の根本原理を受け容れることでそれを成し遂げた。タリバンでさえ、アフガニスタンという主権国家の正当な政府として国際的に認めてもらおうとした。グローバルな政治の原理を拒絶する集団が、それなりの広さの領土を継続的に支配できたことはこれまで一度もない。

グローバルな政治パラダイムの強みは、戦争と外交にまつわる政治の中核的な問題ではなく、二〇一六年のリオデジャネイロオリンピックのようなものについて考えると、いちばん正しく認識できるかもしれない。このオリンピックがどう組織されたか、しばらく時間をかけてじっくり考えてほしい。一万一〇〇〇人の選手が、宗教や階級や言語ではなく、国籍によってグループ分けされていた。仏教徒の選手団も、無産階級の選手団も、英語を話す人の選手団もなかった。一握りのケース（台湾とパレスティナがその典型）を除けば、選手の国籍を判断するのはわけもなかった。

二〇一六年八月五日の開会式では、選手たちは国ごとに分かれ、国旗を振りながら行進した。マイケル・フェルプスが金メダルを獲得するたびに、アメリカの国歌が演奏されるなか、星条旗が掲げられた。エミリ・アンデオルが柔道で金メダルを勝ち取ると、フランスの三色旗が掲揚され、「ラ・マルセイエーズ」が流れた。

なんと好都合なことだろうか、世界のどの国も同じ普遍的なモデルに則った国歌を持っている。ほとんどすべての国歌が、世襲制の聖職者の特別なカーストによってだけ歌われる、二五分もかかる詠唱歌ではなく、オーケストラで演奏できる数分の曲だ。サウジアラビアやパキスタンやコンゴのような国でさえ、自国の国歌には西洋音楽の約束事を採用している。そのほとんどは、ベートーヴェンがかなり調子の悪い日に作曲したかのように聞こえる（友人たちといっしょにYouTubeでさまざまな国歌を聞き、どれがどの国のものかを当てて、夜の楽しいひとときを過ごすことができる）。歌詞までもが世界中でほぼ同じで、政治の概念と集団への忠誠の概念が万国共通であることがうかがわれる。たとえば、あなたは次の国歌がどの国のものだと思うだろうか（国名だけを、どの国にも当てはまる「我が国」に変えてある）？

我が国、我が祖国

私が自分の血を流した国土
そこに私は立つ
母国の護衛者となるために。
我が国、我が国民
我が民族、我が祖国
宣言しよう
「我が国を一つに！」
我が国土よ、万歳、我が国家よ、万歳
我が国民よ、我が祖国よ、永遠に。
その魂を築き、その肉体を目覚めさせよ
偉大なる我が国のために！
独立して自由な偉大なる我が国
愛する我が故郷と我が国。
独立して自由なる偉大な我が国よ
偉大なる我が国よ、万歳！

答えはインドネシアだ。だが、答えはじつはポーランド、あるいはナイジェリア、あるいはブラジルだと言われていても、あなたは驚かなかったのではないか？

国旗もやるせないほどの類似性を見せている。たった一つの例外を除いて、すべての国旗は極端に限られた種類の色と縞と幾何学的な形を特徴とする長方形の布だ。唯一、枠にはまっていないのはネパールで、三角形を上下に二つ重ねた形になっている（ただし、オリンピックでメダルを獲得したことは一度もない）。インドネシアの国旗は、上半分が赤、下半分が白だ。ポーランドの国旗は上半分が白で、下半分が赤だ。モナコの国旗はインドネシアの国旗とまったく同じデザインになっている。色覚異常の人は、ベルギー、チャド、コートジヴォワール、フランス、ギニア、アイルランド、イタリア、マリ、ルーマニアの国旗の区別がほとんどつかないだろう。色こそさまざまだが、どれも縦縞三本でできているからだ。

これらの国々のなかには、激しい戦争を行なった国どうしもあるが、激動の二〇世紀の間に、戦争のせいで中止になったオリンピックは三回（一九一六年、一九四〇年、一九四四年）しかない。一九八〇年にはアメリカと仲間の西側諸国がモスクワオリンピックをボイコットし、一九八四年にはソ連ブロックがロサンジェルスオリンピックをボイコットしたし、その他何度か、オリンピックは政治的激動の中心となっている（特筆するべきなのが、ナチスドイツがベルリンでオリンピックを開催した一九三六年と、ミュンヘンオリンピックでパレスティナ人テロリストがイスラエルの選手たちを虐殺した一九七二年だ）。それでも全体とすれば、政治的な論争がオリンピックという事業を頓挫させることはこれまでなかった。

今度は一〇〇〇年前にさかのぼろう。あなたが一〇一六年にリオデジャネイロで中世オリンピックを開催したかったとしよう。当時リオデジャネイロは先住民のトゥピ族の小さな村にすぎなかったことや、アジア人とアフリカ人とヨーロッパ人はアメリカの存在に気づいてさえいなかったことは、しばらく忘れることにする。飛行機のない時代に世界の一流選手を全員リオデジャネイロにどうやって連れてくるのかという、輸送の問題も脇に置くことにする。世界中で行なわれているスポーツはほとんどなかったし、すべての人間が走れたとはいえ、競走の規則に関して全員が合意することはありえなかっただろうことも忘れよう。たんに自問してほしい。参加する選手たちをどうグループ分けするか？　現代の国際オリンピック委員会は、台湾問題とパレスティナ問題の検討に厖大な時間を費やしている。それを一万倍すれば、中世オリンピックの政治に費やさなくてはいけない時間数が概算できる。

まず、一〇一六年には、中国の宋は、地球上の他のどんな政治的実体も自分と同等とは認めていなかった。したがって、海の向こうの国からの原始的な野蛮人の選手団は言うまでもなく、朝鮮の高麗やヴェトナムのダイコヴェトの選手団に与えられる地位と同じ地位を自国の選手団に与えられるのは、考えられないほどの屈辱だっただろう。

バグダードのカリフも全世界の覇権を主張し、イスラム教スンニ派の大半が彼を最高指導者と認めていた。だが実際には、カリフはかろうじてバグダードを支配しているにすぎなかった。というわけで、スンニ派の選手は全員、カリフの統治区域出身者として単一の代表団に入るのか、それとも、スンニ派の世界のおびただしい数の首長国やスルタン国の何十もの代表団に分かれるのか？　だが、首長国やスルタン国で止まる必要があるだろうか？　アラビア砂漠には自由なベドウィンのさまざまな部族が満ちあふれており、彼らはアッラー以外の支配者は誰も認めなかった。各部族は、アーチェリーやラクダ競走などに、独立した選手団を送り込む資格があっただろうか？　ヨーロッパもそれに劣らず、あなたにとっては多くの悩みの種となることだろう。ノルマン人の町イヴリーは、地元のイヴリー伯爵と彼の君主のノルマンディー公、さらには優柔不断なフランス王を加えてもいいのだが、そのなかのいったい誰の旗の下で戦うのだろうか？

こうした政治的実体の多くは、わずか数年のうちに現れたり消えたりした。あなたは一〇一六年のオリンピックの準備をしている間、どこの選手団がやって来られるか、前もって知ることができない。なぜなら、どの政治的実体が翌年も依然として存在しているか、誰にもわからないからだ。もしイングランドが一〇一六年のオリンピックに選手団を送り込んでいたら、選手たちがメダルを手に帰国してみると、ロンドンはちょうどデンマーク人の手に落ちたところで、イングランドはデンマーク、ノルウェー、スウェーデンの一部とともに、クヌート一世の北海帝国に吸収されようとしていたはずだ。北海帝国はそれから二〇年もしないうちに崩壊したが、イングランドはその三〇年後に、今度はノルマンディー公によって再び征服される。

言うまでもないが、これらの儚い政治的実体の大多数は、演奏できるような国歌も、掲揚できるような国旗も持っていなかった。もちろん政治的シンボルは非常に重要だったが、ヨーロッパの政治の象徴的言語は、インドネシア人や中国人やトゥピ族の象徴的言語とは大違いだった。勝利を示す共通の儀礼に関して合意を見ることは、ほぼ不可能だったことだろう。

だから、二〇二〇年に東京オリンピックを観るときには、これは一見すると国々が競っているように見えるとはいうものの、じつは驚くほどグローバルな合意の表れであることを思い出してほしい。人々は自国の選手が金メダルを獲得して国旗が掲揚されるときに、国民としておおいに誇りを感じるものの、人類がこのような催しを計画できることにこそ、はるかに大きな誇りを感じるべきなのだ。

ドルという単一の通貨で彼ら全員を支配する

近代以前には、人間は多種多様な政治制度ばかりではなく、気が遠くなるほどさまざまな経済モデルも試してみた。ロシアの大貴族、インドの藩王(マハーラージャ)、中国の高級官吏、アメリカ先住民の部族長は、貨幣や交易、課税、雇用に関して、まったく異なる考えを持っていた。それに対して今日では、ほとんど誰もが同じ資本主義のわずかに違うバージョンを信じており、私たちはみな、単一のグローバルな生産ラインの歯車になっている。あなたがコンゴ、モンゴル、ニュージーランド、ボリビアのどこに住んでいようと、日々の仕事や金運は、同じ経済理論、同じ企業や銀行、同じ資本の流れ次第だ。イスラエルとイランの財務大臣が昼食を共にしたとしても、共通の経済言語を使い、相手の苦悩を簡単に理解し、それに同情することができるだろう。

イスラミックステートがシリアとイラクの広大な範囲を占領したとき、何万もの人を殺害し、遺跡を取り壊し、彫像を倒し、それまでの政権や西洋文化の影響の象徴を計画的に破壊した。[13]だが、戦闘員たちが地元の銀行に入り、アメリカドルを金庫の中で見つけたときにはどうしたか？　アメリカの大統領たちの顔が描かれ、アメリカの政治的理想と宗教的理想を称賛する英語のスローガンが印刷された、そのようなアメリカ帝国主義の象徴を、彼らは焼きはしなかった。ドル紙幣は、政治的な溝や宗教的な溝を超えて、世界中で崇められているからだ。ドル紙幣は食べたり飲んだりできないので、本質的な価値はまったくないのにもかかわらず、ドルと連邦準備制度理事会の叡智に対する信頼は絶大なので、イスラム原理主義者やメキシコの麻薬密売組織の首領、北朝鮮の圧政者も、全員がその信頼を共有している。

とはいえ、現代の人類の同質性が最も顕著なのは、自然界と人体を私たちがどう見ているかだ。あなたが一〇〇〇年前に病気になったら、どこに住んでいるか次第でまったく異なる展開になった。ヨーロッパでは地元の聖職者に、「あなたは神を怒らせたのだ。健康を取り戻すためには教会に何か寄進し、聖地に巡礼の旅に出て、神の赦しを求めて熱心に祈らなくてはいけない」と言われただろう。あるいは、村の魔女が、「あなたは悪霊に取り憑かれたのだ」と説明し、「歌と踊りと黒い雄鶏の血を使ってその悪霊を追い払ってあげよう」と申し出たかもしれない。

中東では、古典的伝統に則って養成された医師が、「あなたは四体液の均衡が崩れたのだ。だから、適切な食事ときつい匂いの薬とで、体液を調和させてやらなければならない」と説明したかもしれない。インドではアーユルヴェーダ〔訳註 インドの伝統的な医術と長命術〕の専門家が、三つの体質（「ドーシャ」）の間のバランスについての自説を示し、薬草とマッサージとヨガのポーズを使った治療を勧めるだろう。中国の医師、シベリアのシャーマン（呪術師）、アフリカのまじない師……。どの帝国や王国や部族にも独自の伝統があり、専門家がいて、そのそれぞれが人体と病気の性質について独自の見方を取り、独自の儀式や調合薬や治療法を提供していた。なかには驚くほどよく効くものもあれば、死刑宣告に等しいものもあった。ヨーロッパ、中国、アフリカ、アメリカの医療に共通していたのは、子供の少なくとも三人に一人が成人する前に亡くなり、平均寿命は五〇歳には遠く及ばないことぐらいのものだった。(14)

今日、あなたが病気になったとしても、どこに暮らしているかは、中世と比べればはるかに重要性が低い。トロント、東京、テヘラン、テルアヴィヴのどれに住んでいても、似たような外見の病院に連れていかれ、同じような医科大学で同じような科学理論を学んだ白衣の医師の診察を受ける。医師は同じような手順を踏み、同じような検査をし、非常によく似た診断に至る。それから同じ国際的な製薬会社が製造した同じ薬を投与する。細かい文化的な差異は依然としてあるものの、カナダや日本、イラン、イスラエルの医師はみな、人体と人間の疾病についてはほぼ同じ見方をしている。イスラミックステートがラッカとモスルを攻略したとき、地元の病院は破壊しなかった。それどころか、世界中のイスラム教徒の医師や看護師に、そこでボランティアとして働くよう呼びかけた。[15] おそらくイスラム教原理主義の医師や看護師でさえ、体は細胞からできており、疾病は病原体が引き起こし、抗生物質はバクテリアを殺すと信じているのだろう。

それでは、細胞やバクテリアは何からできているのか？　実際、全世界は何からできているのか？　一〇〇〇年前には、宇宙や、宇宙の根本的な構成要素について、どの文化も独自の物語を持っていた。今日、世界中の学識ある人は、物質やエネルギー、時間、空間について、まったく同じことを信じている。イランと北朝鮮の核開発計画を例に取ろう。問題は、物理に関してイラン人や北朝鮮人がイスラエル人やアメリカ人とまったく同じ見方をしている点に尽きる。もしイラン人や北朝鮮人が $E=mc^4$ だと信じていたら、イスラエルとアメリカは、彼らの核開発計画など気にも留めないだろう。

人々は相変わらず違う宗教や国民のアイデンティティを持っている。だが、国家や経済の構築、病院の建設、爆弾の製造の仕方といった実際的な話になると、私たちのほぼ全員が同じ文明に所属している。意見の相違があることに疑いはないが、それを言うなら、どんな文明もそれぞれ内部に紛争を抱えているものだ。それどころか、文明はそうした紛争によってそれぞれ特徴が決まる。人々は自分のアイデンティティをざっと述べようとするときには、共通の特性を列挙することが多い。だが、それは間違いだ。共通の争いやジレンマの一覧を作ったほうが、ずっとうまくいく。たとえば、一六一八年にはヨーロッパには単一の宗教的アイデンティティはなかった。ヨーロッパは宗教的な争いを特徴としていた。一六一八年にヨーロッパ人であるというのは、カトリックとプロテスタント、あるいはカルヴァン主義者とルター主義者の間の些細な教義上の違いにこだわり、そうした違いのせいで喜んで殺したり殺されたりすることを意味した。もし一六一八年に争いを嫌う人がいたら、それはイスラム教徒かヒンドゥー教徒かもしれないが、断じてヨーロッパ人ではなかった。

同様に、一九四〇年にはイギリスとドイツは非常に異なる政治的な価値観を持っていたものの、両国とも「ヨーロッパ文明」の本質的な部分だった。ヒトラーもチャーチルに劣らずヨーロッパ的だった。むしろ両国の闘争こそが、歴史のあの特定の時点でヨーロッパ人であることの意味を決めていた。それに対して、一九四〇年のクン族の狩猟採集民はヨーロッパ人ではなかった。なぜなら彼にしてみれば、人種や帝国をめぐるヨーロッパ人の衝突はほとんど意味がなかっただろうからだ。

私たちが最も頻繁に争う相手は、身内の人だ。アイデンティティは合意よりも争いやジレンマを特徴とする。二〇一八年にヨーロッパ人であるとは何を意味するのか？　それは、白い肌を持っていること、イエス・キリストを信じていること、自由を支持することではない。むしろ、移民やEU、資本主義の限界について激しい議論を戦わせることを意味する。また、「何が私のアイデンティティを決めるのか？」と、執拗なまでに自問したり、高齢化や消費拡大主義の蔓延や地球温暖化などについて心配したりすることも意味する。争いやジレンマの点で、二一世紀のヨーロッパ人は一六一八年と一九四〇年の先人とは違うが、中国やインドの貿易相手にはしだいに似てきている。

将来どんな変化が私たちを待ち受けているにせよ、それらは異質の文明どうしの衝突というよりはむしろ、単一の文明内の兄弟喧嘩を伴う可能性が高い。二一世紀の大きな難題はみな、本質的にグローバルだ。気候変動が生態系の崩壊を引き起こしたらどうなるのか？　ますます多くの任務でコンピューターが人間を凌ぎ、しだいに多くの仕事で人間に取って代わっていったらどうなるのか？　人間をアップグレードし、寿命を延ばすことが、バイオテクノロジーのおかげで可能になったら何が起こるのか？　こうした問題をめぐって大論争になり、激しい争いが起こることに疑問の余地はない。だが私たちは、そうした議論や争いのせいでばらばらにはなりそうにない。その正反対だ。私たちは、なおいっそう頼り合うようになるだろう。人類は円満なコミュニティを築き上げるには程遠いが、私たちはみな、混乱したやかましい単一のグローバル文明の成員なのだ。

それならば、世界の大半を呑み込みつつあるナショナリズムの波は、どう説明すればいいのか？　私たちはグローバル化に熱狂するあまり、古き良き国家というものを早まって退けてしまったのか？　伝統的なナショナリズムへの回帰は、絶望的なグローバル危機の解決策となるのか？　もしグローバル化がそれほど多くの問題をもたらすのなら、グローバル化などきっぱりと断念してしまえばいいではないか？

7
ナショナリズム
グローバルな問題はグローバルな答えを必要とする

全人類は今や単一の文明を構成しており、すべての人が共通の難題と機会を分かち合っている。それにもかかわらず、イギリス人、アメリカ人、ロシア人をはじめ、無数の集団がナショナリズムに基づく孤立をしだいに支持するようになっている。これは、私たちのグローバルな世界が抱える前例のない問題の数々の解決策になりうるだろうか？

この疑問に答えるために、まず指摘しておかなければならないが、今日の国民国家は、人間の生態の不変の要素ではないし、人間の心理の避けようのない産物でもない。五〇〇〇年前には、イタリア人もロシア人もトルコ人もいなかった。たしかに人間は根っからの社会的動物で、遺伝子には集団への忠誠心が刻みつけられている。とはいえ人類は何百万年にもわたって、大きな国民国家ではなく小さくて親密なコミュニティで暮らしてきた。

やがてホモ・サピエンスは、大規模な協力の基盤として文化を使うことを学んだ。それが私たちの種としての成功のカギを握っている。だが、文化は柔軟だ。したがって、アリやチンパンジーとは違い、サピエンスはさまざまな形で自らを組織し、変化する状況に適応できる。国民国家は、サピエンスのメニューに載っている選択肢の一つにすぎない。他の選択肢としては、部族、都市国家、帝国、教会、企業などがある。将来は、何らかの種類のグローバルな連合組織の構築さえ可能になるかもしれない。ただしその組織は、十分強力な文化基盤を持っていなくてはならないが。人々が一体感を持ちうる集団の大きさには上限がないようだ。現代の国家のほとんどには、一万年前の世界の全人口よりも多い人が暮らしている。

人々が国民国家のような大きな共同体をわざわざ構築したのは、小さな部族では対処できないような難題と機会に直面したからだ。何千年も前にナイル川沿いに暮らしていた古代の部族を例に取ろう。ナイル川は彼らの生命の源だった。畑を潤し、交易を支えた。だがそれは、気まぐれな盟友だった。雨が少な過ぎると、人々は飢え死にした。雨が多過ぎると、ナイル川は土手を越えてあふれ、集落をまるごといくつも破壊した。どんな部族も単独ではこの問題を解決できなかった。なぜなら、各部族は川のほんの一部分を支配しているだけで、動員できる労働者はせいぜい数千人だったからだ。協力して巨大なダムを建設し、何百キロメートルにも及ぶ水路を掘って初めて、強大なナイル川を抑え込み、利用することを望みえた。それが一因で、さまざまな部族が少しずつ融合して単一の国家となり、ダムや水路を建設したり、ナイル川の流れを調節したり、不作の年に備えて穀物を蓄えておいたり、輸送とコミュニケーションの全国的なシステムを確立したりする力を手に入れた。

そのような利点があったとはいえ、部族や氏族（クラン）をまとめて単一の国家に変えるのは、古代でも今日でも、けっして容易なことではない。なぜならナショナリズムには二つの面があり、一方は簡単だがもう一方はとても難しいからだ。簡単なのは、自分たちのような人々をよそ者よりも好むことで、人類はそれを何百万年もやってきた。外国人嫌いは、私たちのDNAに組み込まれている。

ナショナリズムの難しいほうの面は、ときおりよそ者を友人や身内より好むことだ。たとえば、良き愛国者は正直に税金を払うので、国内の遠く離れた場所にいる見ず知らずの子供たちが、手厚い国民医療制度の恩恵を享受できる。たとえそのせいで、その愛国者は我が子には、個人病院で高額な治療を受けさせられなくなるとしても、だ。同様に、愛国的な役人は、実入りの良い仕事を、自分の兄弟姉妹やいとこではなく、最も適任の志願者に与える。これは何百万年もの進化の結果とは相反する行為だ。脱税や身内贔屓（びいき）をするのは、私たちにとってわけもないことだが、それは「不正行為」だ、とナショナリズムは言う。国家は人々にそうした不正行為をやめさせ、国益を血縁関係に優先させるためには、保健や安全や福祉の国家制度に加えて、教育とプロパガンダと愛国心高揚のための巨大な機関を創設しなければならなかった。

全国民と一体感を持つのがどれほど難しいかに気づくには、「私はこれらの人々を知っているだろうか？」と自問するだけでいい。私は二人の姉と一一人のいとこ全員の名前を挙げられるし、彼らの性格や癖や関係についてまる一日かけて語り続けることができる。だが、自分と同じイスラエル国籍を持っている八〇〇万の人の名前は知らないし、そのほとんどとは会ったこともなければ、将来も会いそうにない。それでもこの漠とした人々の集まりに私は忠誠心を感じられるというのは、比較的新しい歴史上の奇跡だ。

だからといって、国民の絆に何か不都合な点があるというわけではない。巨大な制度は大勢の人々の忠誠心なしには機能できないし、人間の共感の輪を拡げることに利点があるのは間違いない。穏やかな形の愛国心は、人間が生み出したもののうちでも、とりわけ慈善の心に富んでいる。自分の国は唯一無二である、忠誠を尽くしてしかるべきである、その成員に対して特別の義務があると信じていればこそ、私は他者を気遣い、彼らのために犠牲を払う気になる。ナショナリズムがなくなれば、私たちはみな自由主義の楽園で暮らせるなどと想像するのは、危険な過ちだ。ナショナリズムなしでは、部族社会特有の混乱状態の中で暮らす羽目になる可能性のほうが高い。とくに民主主義はナショナリズムを抜きにしてはきちんと機能できない。人々はたいてい、当事者全員が同じ国家への忠誠心を共有しているときにだけ、民主的な選挙の結果を進んで受け容れるものだ。スウェーデンやドイツやスイスのような、平和で繁栄している自由主義の国はみな、ナショナリズムの強固な感覚を享受している。強い国民の絆を欠いている国のリストには、アフガニスタン、ソマリア、コンゴ他、機能不全の国のほとんどが含まれる。[1]

問題は、有益な愛国心が狂信的排外主義の超国家主義（ウルトラナショナリズム）に変容したときに始まる。私は、自分の国は唯一無二である（それはどの国についても当てはまる）と信じる代わりに、自分の国は至上である、私は国に忠誠心のいっさいを尽くすべきである、他の誰に対してもこれといった義務はないと感じ始めるかもしれない。これは暴力的な争いの温床となる。何世代にもわたって、ナショナリズムに対する最も基本的な批判は、それが戦争につながる、というものだった。とはいえ、ナショナリズムと暴力が結びつけられても、ナショナリズムの過剰が抑え込まれることはほとんどなかった。各国が、近隣諸国の陰謀から国民を守る必要から、自国の軍備拡張を正当化したから、なおさらだ。前例のないレベルの安全と繁栄を国家がほとんどの国民に提供しているかぎり、国民はその代償として喜んで血を流した。一九世紀と二〇世紀初期には、ナショナリズムの取り決めは、依然として魅力的に見えた。ナショナリズムは史上空前の規模の恐るべき争いにつながっていったにもかかわらず、近代の国民国家は、医療や教育や福祉の堂々たる制度も構築した。国民保健サービスの確立を考えると、パッシェンデールとヴェルダン

〔訳註　どちらも第一次世界大戦の激戦地〕も価値があったように見えた。

ところが、一九四五年に状況が一変した。核兵器が発明されると、ナショナリズムの取り決めの均衡が大きく崩れた。広島への原爆投下後、人々はもう、ナショナリズムがただの戦争につながることは恐れなかった。核戦争につながることを恐れ始めたのだ。完全な壊滅の可能性が出てくると、人々は目を覚まされるもので、主にこの人類共通の実存的脅威のおかげで、さまざまな国家の上に、グローバルなコミュニティが徐々に発展してきた。なぜなら、そのようなコミュニティにしか核の魔物は抑え込めなかったからだ。

一九六四年、アメリカの大統領選挙のとき、リンドン・B・ジョンソンは有名な「ヒナギク」の広告を放送した。これは、テレビの歴史上でも有数の成功を収めたプロパガンダだ。この広告は、幼い女の子がヒナギクの花びらを数えながらむしる場面から始まるが、女の子が一〇まで数えると、無感情な男性の声が後を引き継ぎ、一〇、九、八……とミサイル発射の秒読みが始まる。そして、ゼロまできたとき、核爆発のまばゆい閃光が画面を覆い、大統領候補のジョンソンが、アメリカ国民に次のように告げる。「これが選択肢なのです。神の子供たち全員が暮らせるような世界を作り上げるか、それとも闇に突入するか。私たちには、互いに愛し合うか、さもなければ死ぬかのどちらかしかありません」(2)。「戦争をしないで愛し合おう」というスローガンは、一九六〇年代後期のカウンターカルチャーと結びつけられがちだが、じつはすでに一九六四年には、ジョンソンのような現実的な政治家たちの間でも常識だったのだ。

その結果、ナショナリズムは冷戦中、国際政治へのもっとグローバルなアプローチの後塵を拝し、冷戦が終わると、グローバル化は逆らいようのない未来の波のように思えた。人類はナショナリズムの政治を、一握りの発展途上国に住む知識不足の人々の興味を惹くのがせいぜいの、より原始的な時代の遺物として、完全に後に置き去りにすることが見込まれた。ところが近年の出来事を見ると、ナショナリズムはロシアやインドや中国は言うまでもなく、ヨーロッパやアメリカの各国民に対してさえ、依然として強力な支配力を持っていることがわかる。グローバルな資本主義の非情な力によって疎外され、医療と教育と福祉の国家制度の行く末を恐れ、人々は世界中で国家の懐の中に安心と意味を探し求める。

とはいえ、ヒナギクの広告でジョンソンが提起した疑問は、一九六四年当時よりも今日のほうがなおさら当を得ている。私たちはすべての人がいっしょに暮らせる世界を作り上げるか、それとも闇に突入するか？　ドナルド・トランプ、テリーザ・メイ、ウラジーミル・プーチン、ナレンドラ・モディやその同輩たちは、私たちの国民感情を煽り立てることで世界を救うのか、それとも、現在のナショナリズムのうねりは、私たちが直面する手に負えないグローバルな問題の数々からの一種の現実逃避なのか？

要塞のネットワーク

　特定の国家の運営の仕方に関しては、ナショナリズムは多くの名案を持っている一方、不幸にも、世界全体を運営するための実行可能な計画は一つも持ち合わせていない。たとえばトルコのナショナリズムは、トルコの問題を管理する上では妥当な手引きにはなりえても、トルコ人以外に対して提供するものはほとんどない。もちろん、ナショナリズムが帝国主義に変容し、ある国に全世界を征服して支配するように求めれば、話は別だが。一世紀前、いくつかのナショナリズムの運動がそのような野望を抱いた。だが、トルコ、ロシア、イタリア、中国のどこであれ、今日のナショナリスト（ナショナリズムの信奉者）はこれまでのところ、世界征服を唱道することを控えている。

　力ずくでグローバルな帝国を打ち立てる代わりに、トランプ大統領の元側近のスティーヴン・バノンやハンガリーのヴィクトル・オルバーン首相、イタリアの政党「同盟（レーガ）」、イギリスのEU離脱支持者のように、平和な「ナショナリスト・インターナショナル」を夢見るナショナリストもいる。彼らは、今日の国家はみな、同じ敵と向かい合っていると主張する。グローバル化や多文化主義や移民という手強い相手が、あらゆる国の伝統やアイデンティティを破壊する恐れがある。したがって世界中のナショナリストは提携し、こうしたグローバルな力に抵抗するべきだ。ハンガリー人やイタリア人、トルコ人、イスラエル人は壁を建設し、柵を立て、人や財、お金、考えの動きを遅らせるべきだ、と。

そうすると世界は、それぞれ独自の神聖なアイデンティティと伝統を持った明確な国民国家に分かれることになる。すべての国民国家は、こうした異なるアイデンティティを互いに尊重し、それに基づいて平和な形で互いに協力したり交易したりできるだろう。ハンガリーはハンガリー人のもの、トルコはトルコ人のもの、イスラエルはイスラエル人のものとなり、自分が何者で世界の中でどんな位置を占めるのが適切かを誰もが知るだろう。それは移民も、普遍的な価値観も、多文化主義も、グローバルなエリート層も存在しない世界だが、国際関係は平和で、ある程度の交易が行なわれる。ようするに、「ナショナリスト・インターナショナル」は、壁で囲まれてはいるものの友好的な要塞のネットワークという世界を思い描いているのだ。

このビジョンの決定的な問題は、要塞はめったに友好的ではない点だ。たいてい、国家という要塞はそれぞれ隣国を犠牲にして、もう少しばかり領土や安全や繁栄を手に入れようとするし、張り合っている要塞どうしは、普遍的な価値観やグローバルな組織の助けなしには、合意に達してどんな共通ルールを定めることもできない。世界を国民国家ごとに明確に分割しようとする試みは、これまですべて、戦争と大量虐殺につながった。

だが、もしあなたがアメリカやロシアのような格別強い要塞の中に暮らしていたら、どうしてそんなことを気にかける必要があるだろうか？　実際、ナショナリストのなかには、もっと極端な孤立主義の立場を採用する人もいる。彼らはグローバルな帝国の正当性も、要塞のグローバルなネットワークの正当性も信じていない。それどころか、どんなグローバルな秩序の必要性も否定する。「私たちの要塞は、さっさと跳ね橋を引き上げるべきだ」と彼らは言う。「世界の残りがどんな目に遭おうとかまいはしない。外国の人や考えや財が入ってくるのを拒むべきであり、私たちの壁が堅固で番人たちが忠実であるかぎり、外国人がどうなろうと、知ったことではない」

ところが、このような極端な孤立主義は、経済の現実から完全に乖離してしまっている。グローバルな交易ネットワークがなければ、既存の国家経済は、北朝鮮のものも含めてすべて破綻する。多くの国は、輸入なしでは自国民に十分な食糧を提供することさえできないし、ほぼすべての製品の価格が高騰するだろう。私が着ている中国製のシャツの値段は五ドルほどだった。イスラエルの石油（そんなものは、そもそも存在していないが）で動くイスラエル製の機械を使い、イスラエルで栽培した綿でイスラエルの労働者が作っていたら、このシャツは一〇倍も高かっただろう。したがって、ドナルド・トランプからウラジーミル・プーチンまで、ナショナリズムを信奉する指導者たちは、グローバルな交易ネットワークの悪口をさんざん言うかもしれないが、自国をそのネットワークから完全に切り離すことを真剣に考えている者など一人もいない。そして、規則を定めるための何らかのグローバルな秩序がなければ、グローバルな交易ネットワークは存在しえない。

なおさら重要なのだが、好むと好まざるとにかかわらず、今日の人類は、あらゆる国境を嘲笑うような、そしてグローバルな協力を通してしか解決のしようがないような、三つの共通の難題に直面している。

核の難題

人類にとってお馴染みの強敵から始めよう。核戦争だ。キューバ・ミサイル危機の二年後の一九六四年にジョンソンのヒナギクの広告が放送されたとき、核兵器による人類滅亡は明白な脅威だった。有識者も一般人も同じように、人類は破滅を防ぐ叡智を持ち合わせておらず、冷戦が手に負えないほど過熱するのは時間の問題ではないかと恐れた。実際には、人類はこの核の難題に見事に対処した。アメリカ人もソ連人もヨーロッパ人も中国人も、何千年にもわたって行なわれてきた地政学的な駆け引きの方法を変えたので、冷戦はほとんど流血を見ずに終わり、新しい国際主義の世界秩序が前例のない平和な時代を育んだ。核戦争が回避されたばかりでなく、あらゆる種類の戦争が減少した。一九四五年以降、露骨な侵略を通して書き換えられた国境は驚くほど少なく、ほとんどの国は標準的な政治ツールとして戦争を使うのをやめた。二〇一六年には、シリア、ウクライナ、その他いくつかの紛争地域では戦争があったものの、人間の暴力による死者の数は、肥満、自動車事故、自殺のどれによる死者の数をも下回った。[3]これは、私たちの時代における最大の政治的・道徳的偉業だったとしてもおかしくなかった。

あいにく、今はもう私たちはこの偉業にすっかり慣れてしまったので、それが当たり前に感じられる。人々が火遊びをするのも、一つにはそのせいだ。ロシアとアメリカは最近、新たな核軍拡競争に乗り出し、過去数十年間に苦労して手に入れた成果を帳消しにして、核による滅亡の淵に私たちを引き戻しかねないような、新しい破滅的な兵器を開発している。[4]その間、一般大衆は(映画『博士の異常な愛情』の副題にあったように)心配をやめて爆弾を好むようになるか、あるいは、たんに核兵器の存在を忘れるかしてしまった。

だから、ブレグジットをめぐるイギリス(主要な核保有国の一つ)での議論は、主に経済と移民に関する疑問を中心に展開したのに対して、ヨーロッパと全世界の平和へのEUのきわめて重要な貢献はおおむね無視されてきた。フランス人とドイツ人とイタリア人とイギリス人は、何世紀もの恐ろしい流血の後、ヨーロッパ大陸の平和を確実にするメカニズムをとうとう作り上げた――と思いきや、イギリスの国民が、この奇跡の仕組みを台無しにした。

核戦争を防ぎ、グローバルな平和を守る国際主義の政治体制を構築するのは、きわめて難しい。この政治体制を、たとえば、アメリカへの依存を減らし、中国やインドといった西洋以外の大国にもっと大きな役割を与えるなどして、刻々と変化する世界情勢に適応させる必要があることは言うまでもない[5]。だが、この政治体制をすっかり見捨てて、ナショナリズムの権力政治に逆戻りするのは、無責任なギャンブルだろう。たしかに一九世紀には、各国はナショナリズムのゲームを展開したものの、人間の文明を破壊することはなかった。だが、それは広島以前の時代だ。それ以後、核兵器のせいで危険性が高まり、戦争と政治の性質が根本から変化した。ウランとプルトニウムの濃縮法を私たちが知っているかぎり、人間の生存は、どこか特定の国の権益よりも核戦争の防止を優先することにかかっている。「自国第一(ファースト)！」と叫ぶ熱狂的なナショナリストは、自国が国際協力の確固たるシステムなしに、独力で核による破壊から世界を、いや、自分自身をさえ守れるのか、自問するべきだ。

生態系の難題

今後数十年間に、人類は核戦争に加えて、一九六四年には政治のレーダーにはほとんど映っていなかった新たな実存的脅威にも直面する。すなわち、生態系の崩壊だ。人間はグローバルな生物圏を多くの方面で不安定にしている。私たちは環境からますます多くの資源を取り出す一方、逆に厖大な量の廃棄物と毒物を環境に送り込み、土壌や水や大気の組成を変えている。

私たちは、何百万年もかけて形作られてきた繊細な生態系の均衡を、自分たちがどれほど多くの形で乱しているか、ほとんど気づいてさえいない。たとえば、肥料としてのリンの使用について考えてほしい。リンは少量であれば、植物の生長に不可欠の栄養分だ。だが、量が多過ぎると毒になる。現代の工業化された農業は、大量のリンで人工的に農地を肥やすことを基本としているが、高濃度のリンを含む農場からの流去水がやがて川や湖や海を汚染し、海洋生物に壊滅的な打撃を与える。アイオワ州でトウモロコシを育てている農家が、こうしてはるか南のメキシコ湾の魚を図らずも殺しているかもしれない。

そのような活動の結果、生息環境が劣化し、動植物が絶滅し、オーストラリアのグレート・バリア・リーフやアマゾンの熱帯雨林のような生態系がまるごと破壊されかねない。ホモ・サピエンスは何千年もの間、生態系の連続殺人犯として振る舞ってきたが、今や生態系の大量殺人者に変容しつつある。もし私たちがこのまま進めば、全生物のうち多くの割合が絶滅するだけでなく、人間の文明の基盤まで蝕(むしば)まれかねない(6)。

なかでも最大の脅威は気候変動の見通しだ。人間は何十万年も地球上に存在しており、何度となく氷河期や温暖期を生き延びてきた。ところが、農業や都市や複雑な社会が登場してからはせいぜい一万年余りにすぎない。完新世として知られるこの期間、地球の気候は比較的安定していた。完新世の標準から少しでも逸脱すれば、人間の社会はかつて遭遇したことのない、桁外れの難題に直面することになる。それは、何十億もの人間モルモットを対象に無制限の実験を行なうようなものだ。人間の文明が新しい状況に最終的には適応したとしても、その適応の過程でどれほど多くの犠牲者が亡くなるか、知れたものではない。

このぞっとするような実験は、すでに始まっている。将来の可能性である核戦争とは違い、気候変動は今起こっている現実なのだ。人間の活動、とりわけ、二酸化炭素のような温室効果ガスの排出は、恐ろしい速さで地球の気候を変えているというのが、科学界の一致した見方だ。[7]取り返しがつかない大変動を引き起こさずに、どれだけ二酸化炭素を大気中に排出し続けられるか、はっきりしたことは誰にもわからない。だが、最も信頼のおける科学的推定によれば、今後二〇年間に温室効果ガスの排出量を劇的に減らさないかぎり、地球の平均気温は二度以上上がってしまい、[8]その結果、砂漠が拡がり、極地の氷冠が消え、海水面が上昇し、ハリケーンや台風のような異常気象現象が増えるという。そして、今度はこうした変化のせいで、農業生産が乱れたり、都市が浸水したり、世界の大半が居住不能になったり、何億もの難民が出て新たな住み処を探し求めたりすることになる。[9]

そのうえ私たちは、いくつもの臨界点に近づきつつあり、その点を超えてしまえば、たとえ温室効果ガスの排出を劇的に減らしても、流れを逆転させて世界的な悲劇を避けることはできなくなる。たとえば、地球温暖化のせいで極地の氷床が解けるにつれ、地球から宇宙へ反射される日光が減る。つまり、地球はより多くの熱を吸収し、気温がさらに上昇し、氷がなおさら速く解けるわけだ。このフィードバック・ループが決定的な臨界点をいったん超えてしまえば、歯止めの利かない弾みがつき、たとえ人間が石炭や石油や天然ガスを燃やすのをやめても、極地の氷がすべて解けてしまう。したがって、私たちは自分が直面している危険に気づくだけでは足りない。今すぐ実際に何か手を打つことが肝心なのだ。

あいにく、二〇一八年現在、温室効果ガスの排出は減っていないどころか、相変わらず増えている。人類はさっさと化石燃料への依存を断ち切らないと手後れになる。今日にもリハビリを始める必要がある。来年や来月ではなく、今日だ。「私はホモ・サピエンスといいます。化石燃料依存症です。よろしくお願いします」と。

この穏やかならぬ構図のどこにナショナリズムは収まるのか？　生態学的な脅威に対するナショナリズムの答えはあるのか？　どれほど強力な国であれ、単独で地球温暖化を止められるのか？　たしかに個々の国はさまざまな環境に優しい（グリーン）政策を採用でき、その多くが、環境面だけでなく経済面でも理に適っている。政府は炭素排出に課税し、石油やガスの価格に外部性のコストを上乗せしたり、今まで以上に厳しい環境規制を採用したり、汚染をしている業界への助成金を削減したり、再生可能エネルギーへの転換を奨励したりできる。また、一種の生態系版マンハッタン計画として、生態系に優しい画期的なテクノロジーの研究開発に、これまでより多くの資金を投入することもできる。

過去一五〇年間の進歩の多くは内燃機関のおかげだが、安定した物理的・経済的環境を維持したければ、内燃機関はもう引退させ、化石燃料を燃やさない新しいテクノロジーで代替しなければならない。(10)

テクノロジーの飛躍的な発展は、エネルギー以外の多くの分野でも役に立ちうる。たとえば、「クリーン肉(ミート)」開発の持つ可能性を考えてほしい。現在、食肉産業は何十億という感覚ある生き物に甚大な苦痛を与えているだけでなく、地球温暖化の主要な原因の一つや、抗生物質と毒物の主要な消費者の一つ、大気と土壌と水の主要な汚染者の一つにもなっている。イギリスの機械技術者協会がまとめた二〇一三年の報告によれば、一キログラムのジャガイモを生産するには二八七リットルの真水が必要なのに対して、一キログラムの牛肉を生産するにはおよそ一万五〇〇〇リットルの真水がいるという。(11)

中国やブラジルのような国が繁栄して、さらに何億もの人がジャガイモの代わりに牛肉を日常的に食べることが可能になると、環境への負荷は悪化しそうだ。アメリカ人やドイツ人はもとより、そうした中国人やブラジル人を説得して、ステーキやハンバーガーやソーセージを食べるのをやめさせるのは難しいだろう。だが、もし技術者たちが、細胞から肉を「栽培する」方法を発見できたらどうなるだろう？　ハンバーガーがほしければ、牛をまる一頭育てて殺す（そして、死体を何千キロメートルも輸送する）代わりに、たんにハンバーガーを栽培すればいいではないか。

これはSFのように聞こえるかもしれないが、すでに世界初のクリーン・ハンバーガーは二〇一三年に栽培され（そして食べられ）ている。そのときには三三万ドルかかった。その後四年間の研究開発のおかげで、価格は一個当たり一一ドルまで下がり、今後一〇年以内には、工業生産されたクリーン・ミートは家畜を殺して生産した肉よりも安くなることが見込まれている。このようなテクノロジーが発達すれば、何十億もの動物を見るも無残な生活から救い出し、何十億もの栄養不良の人間に食べ物を与えるのを助け、同時に生態系の崩壊を防ぐ一助にもなりうる。(12)

したがって、気候変動を避けるために政府や企業や個人ができることはたくさんある。だが効果をあげるためには、グローバルなレベルでそれらを行なわなければならない。気候に関しては、国家には断じて主権はない。国家は地球の裏側の人々が取る行動のなすがままだ。太平洋の島国であるキリバス共和国は、たとえ自国の温室効果ガスの排出をゼロまで減らしたところで、他の国々が追随してくれなければ、上昇する海面の下に沈んでしまいうる。アフリカのチャド共和国は、たとえ国内のすべての屋根にソーラーパネルを取りつけたとしても、遠方の外国人たちの無責任な環境政策のせいで不毛の砂漠となりかねない。中国や日本のような大国でさえ、生態系に関する主権は持っていない。上海や香港や東京を凄まじい洪水や台風から守るためには、中国と日本はロシアとアメリカの政府を説得し、旧態依然のアプローチを放棄してもらわざるをえない。

ナショナリズムに基づく孤立主義は、気候変動に関しては核戦争よりもなおさら危険かもしれない。全面的な核戦争が起これればすべての国が破壊されかねないので、それを防ぐことはあらゆる国にとって等しく重要だ。それに対して地球温暖化の影響はおそらく、国ごとに違うだろう。じつは、温暖化によって得をする国もあり、その筆頭がロシアだ。ロシアは海岸沿いにはあまり資産を持っていないから、中国やキリバスと比べると、海面上昇に対する懸念がはるかに小さい。そして、気温が上がればチャドは砂漠になってしまいそうだが、同時に、シベリアは世界の穀倉地帯に変わるかもしれない。そのうえ、高緯度の氷が解けると、ロシアが幅を利かせる北極海の海上交通路はグローバルな交易の動脈になりうるし、カムチャツカは世界の交通の要衝としてシンガポールに取って代わる可能性がある。[13]

同様に、化石燃料を再生可能エネルギー資源へ切り替えるのがどれほど魅力的かも、国によって異なる。中国と日本と韓国は、厖大な量の石油とガスの輸入に依存している。その負担から解放されれば、大喜びするだろう。ロシアとイランとサウジアラビアは、石油とガスの輸出を頼みとしている。石油とガスが太陽光と風に突然道を譲ったら、これらの国の経済は破綻する。

したがって、中国と日本とキリバスのような国は、グローバルな炭素排出をできるだけ早く減らすことを強く推奨しそうなのに対して、ロシアとイランのような国はまったく乗り気ではない。アメリカのように、地球温暖化によって多くを失う立場にある国においてさえ、ナショナリストは目先のことや自分のことばかりしか頭になく、危険を正しく認識できないかもしれない。些細なものではあるが、それを如実に物語る例が、二〇一八年一月に見られた。アメリカが、再生可能エネルギーへの切り替えを遅らせるという代償を払ってまで、自国の生産業者を支援するために、外国製のソーラーパネルとソーラー設備に三〇パーセントの関税を課すことにしたのだ。[14]

原子爆弾はあまりに明白で差し迫った脅威なので、誰も無視できない。それに対して地球温暖化は捉え所がなく、徐々に忍び寄る脅威だ。だから、環境に対する長期的な配慮のために、つらい短期的な犠牲を求められると、ナショナリストは目先の国益を第一にし、環境のことは後で心配すればいいと言って自分を安心させたり、あっさり他の国の人に任せてしまったりする誘惑に駆られかねない。あるいは、頭から問題を否定するかもしれない。気候変動に懐疑的な態度を取るのが、右翼のナショナリストであることが多いのは偶然ではない。左翼の社会主義者が「気候変動は中国のデマだ」などとツイートするところは、めったに見られない。地球温暖化の問題に対しては国家レベルでの答えはないので、ナショナリズムを信奉する政治家のなかには、この問題が存在しないと信じたがる人もいる。[15]

テクノロジー面の難題

同じダイナミクスが、二一世紀の第三の実存的脅威である技術的破壊への、ナショナリズムに基づく対抗手段を反故にしそうだ。最初のほうの数章で見たとおり、情報テクノロジー（IT）とバイオテクノロジーの融合は、デジタル独裁国家からグローバルな無用者階級の創出まで、多種多様な破滅の筋書きへの扉を開く。

これらの脅威に対するナショナリズムの答えは何か？

じつは、ナショナリズムの答えはない。気候変動の場合と同じで、技術的破壊についても、脅威に取り組むための枠組みとしては、国民国家は完全に不適当なのだ。研究開発はどこか一国の独占事業ではないので、アメリカのような超大国でさえ、単独では研究開発を制限することはできない。たとえアメリカ政府が人間の胚細胞を遺伝子工学で操作することを禁じたとしても、中国の科学者がそれを行なうのを防げるわけではない。そして、中国の科学者が成果をあげ、経済あるいは軍事の面で中国に決定的な優位性をもたらしたら、アメリカは自国の禁止令を撤回したくなるだろう。とくに、食うか食われるかの外国嫌いの世界では、ハイリスク、ハイリターンのテクノロジーの道をたった一国でも突き進むことを選べば、他の国々も追随せざるをえなくなる。どの国も後に取り残されるわけにはいかないからだ。そのような、いわゆる「底辺への競争」を避けるためには、おそらく人類は何らかのグローバルなアイデンティティと忠誠心を必要とするだろう。

そのうえ、核戦争と気候変動は人類の身体的生存だけを脅かすのに対して、破壊的技術は人間というものの性質そのものを変えかねず、それゆえに、人間の最も根本的な倫理的信念や宗教的信念と絡み合っている。核戦争や生態系の崩壊は避けるべきだということには誰もが同意するが、生物工学とAIを使って人間をアップグレードしたり新しい生命体を生み出したりすることに関しては、人々の意見は大きく分かれる。もし、全世界が受け容れるような倫理的指針を考案して実行に移すことに人類が失敗すれば、フランケンシュタイン博士の研究解禁ということになる。

そのような倫理的指針を考案する段になると、ナショナリズムは想像力の不足にとりわけ悩まされる。ナショナリストは、何世紀も続く領土紛争の観点から考えるが、二一世紀のテクノロジー革命は本来、宇宙の観点から理解するべきだ。四〇億年にわたって、自然選択によって有機生命体が進化した後、科学は知的設計によって形作られる非有機生命体の時代の幕を開けようとしている。

その過程で、ホモ・サピエンス自体は消えてしまう可能性が高い。今日、私たちは依然としてヒト科のサルだ。体の構造や身体能力や心的能力のほとんどは、今もなおネアンデルタール人やチンパンジーと変わらない。手や目や脳が紛れもなくヒト科のものであるばかりでなく、愛や怒りや社会的絆にしても同じだ。だが、一、二世紀のうちに、バイオテクノロジーとAIの組み合わせのおかげで、ヒト科の枠から完全に抜け出した、身体的特性や物理的特性や精神的特性が生み出されるかもしれない。意識はどんな有機的構造からも分離することさえあり、生物学的制約や物理的制約を免れてサイバースペースを自由に動き回れるようになると信じている人もいる。その一方で、私たちは知能が意識から完全に切り離されるところを目の当たりにし、ＡＩの発達によって、超知能を持つもののまったく意識はない存在が支配する世界が誕生しかねない。

イスラエルやロシアやフランスのナショナリズムは、これについて何か言うことがあるだろうか？　あまりない。ナショナリズムはそのような次元では考えていない。たとえばイスラエルのナショナリズムは、「今から一世紀後、エルサレムを支配しているのはイスラエル人だろうか、それともパレスティナ人だろうか？」という問いには強い関心があっても、「今から一世紀後、地球を支配しているのはサピエンスか、それともサイボーグか？」という問いにはまったく興味がない。生命の将来について賢明な選択をするためには、ナショナリズムの見地をはるかに超え、グローバルな視点から、いや、宇宙の視点からさえ物事を眺める必要がある。ナイル河畔の古代の諸部族と同じで、今日の国家はみな、情報や科学的発見やテクノロジー上の発明という単一のグローバルな川沿いに暮らしており、その川が私たちの繁栄の基盤であると同時に、私たちの存在に対する脅威でもあるのだ。このグローバルな川の水を治めるには、すべての国が力を合わせるべきだ。

宇宙船地球号

核戦争、生態系の崩壊、技術的破壊というこれら三つの問題のどれ一つを取っても、人間の文明の将来を脅かすほど深刻だ。だが、三つが揃えば、前例のない実存的危機につながる。三者が重なることによって、それぞれの力がさらに増し、影響も大きくなるから、なおさらだ。

たとえば、生態系の危機は私たちが知っているような人間の文明の存続を脅かすとはいえ、AIや生物工学の発達に歯止めをかけることはなさそうだ。もしあなたが、海面の上昇や食糧供給の減少や移民の大量流入のせいで、私たちの注意がアルゴリズムや遺伝子から逸れることを当てにしているのなら、考え直したほうがいい。生態系の危機が深まると、ハイリスク、ハイリターンのテクノロジーの開発がおそらく加速するだけだろう。

実際、気候変動は二つの世界大戦と同じ機能を果たすことになる可能性がある。一九一四年から一九一八年にかけてと、一九三九年から一九四五年にかけて、テクノロジーの発展のペースは急上昇した。総力戦を行なっていた国々が、用心も経済性もかなぐり捨て、ありとあらゆる種類の向こう見ずな事業やとっぴな事業に莫大な資源を投入したからだ。こうした事業の多くは失敗に終わったが、戦車やレーダー、毒ガス、超音速ジエット機、大陸間ミサイル、核爆弾の製造につながるものもあった。同様に、気候の大変動に直面した国々は、テクノロジーの面でのるかそるかの賭けに希望を託すという誘惑に駆られかねない。人類はＡＩや生物工学に対してもっともな懸念をたくさん抱いているが、人は危機が迫れば危険なこともするものだ。あなたが破壊的技術の規制についてどう考えていようと、気候変動のせいでグローバルな食糧不足が起こったり、世界中の都市が水浸しになったり、何億もの難民が国境を越えたりしたとしてもなお、そうした規制が守られるかどうか、自問してほしい。

そして今度は技術的破壊自体が、グローバルな緊張を高めるばかりか核の力の均衡を揺るがすことによっても戦争の危険を増大させ、ついには、世界を滅亡に導きかねない。一九五〇年代以来、超大国が互いに争うことを避けてきたのは、戦争が相互確証破壊を意味することを誰もが承知していたからだ。だが、新しい種類の攻撃兵器と防御兵器が登場すると、新興のテクノロジー超大国は、自国は無傷のまま敵を殲滅できると結論するかもしれない。逆に、落ち目の大国は、自国の従来の核兵器が間もなく時代後れになることを恐れ、その前に使ったほうがいいと考えるかもしれない。従来、核をめぐる対決は、極端なまでに論理的なチェスの対局に似ていた。だが、対戦者がサイバー攻撃で敵の駒の支配権を奪えたり、匿名の第三者が誰にも正体を知られずにポーン〔訳註　将棋で言えば「歩」に相当するチェスの駒〕を動かせたり、あるいは、アルファゼロが普通のチェスを卒業して核のチェスに進んだりするようになったときには、何が起こるのか?

異なる難題が互いに問題を深め合うだけではない。一つの難題に立ち向かうのに必要な善意が、別の方面の問題によって損なわれてしまうかもしれない。武力闘争にはまり込んでいる国々は、AI開発の制限で合意を見ることはなさそうだし、テクノロジー面での業績でライバルたちを引き離そうとしている国々は、気候変動を止めるための共通の計画に合意するのは非常に難しいだろう。競争関係にある国々に世界が分かれているかぎり、これら三つの難題をすべて同時に克服することは困難きわまりない。だが、どれか一つについてさえ、首尾良く対応できなければ、悲劇的な結末につながりかねない。

結論としては、こうなる。世界を席巻しているナショナリズムの波は、時計を一九三九年や一九一四年に巻き戻すことはできない。どの国も独力では解決できない一連のグローバルな実存的脅威を生み出すことによって、テクノロジーがすべてを変えてしまったからだ。共通の敵は、共通のアイデンティティを作り上げるための最善の触媒であり、人類には今、そのような敵が少なくとも三つある。核戦争と気候変動と技術的破壊だ。これらの共通の脅威があるのにもかかわらず、人間が自国への忠誠心を他のすべてに優先させることを選んだら、結果は一九一四年や一九三九年のときよりもはるかに悪くなりかねない。

それよりもずっと良い道筋がEUの憲法の草案に概説されている。すなわち、「ヨーロッパの諸民族は、各自の国家のアイデンティティと歴史に誇りを持ち続けながらも、かつての分断を超越し、これまで以上に緊密に団結して共通の運命を作り上げる決意である」⑯。これは、国家のアイデンティティをすべて無効にし、地元の伝統をすべて捨て、人類を同種のものから成る代わり映えのしない集団に変えるということではない。愛国心の発露をすべて中傷することでもない。実際には、EUは軍隊と経済的な防壁を提供することで、フランドルやロンバルディア、カタロニア、スコットランドといった場所で、地元の愛国心を育んだと言っていい。独立したスコットランドあるいはカタロニアを打ち立てるという考えは、ドイツの侵略を恐れる必要がなく、地球温暖化やグローバル企業に対抗するヨーロッパの共同戦線を当てにできるときのほうが、魅力的に見える。

したがって、ヨーロッパのナショナリストたちは気楽に構えている。国家の復活がしきりに語られているにもかかわらず、そのために実際に進んで殺したり殺されたりする気があるヨーロッパ人はほとんどいない。一三世紀から一四世紀にかけてのウィリアム・ウォレスやロバート・ブルースの時代にスコットランド人がイングランドの支配を脱しようとしたときには、軍を組織しなければならなかった。それに対して、二〇一四年のスコットランド独立の住民投票のときには、一人として死者は出なかったし、次にスコットランド人が独立のために投票を行なうことがあったら、バノックバーンの戦いを再現しなくても済むことはほぼ確実だ。スペインから離脱しようとするカタロニアの試みは、はるかに多くの暴力につながっているが、それもやはり一九三九年と一七一四年にバルセロナが経験した大虐殺には遠く及ばない。

それ以外の世界の各地域も、ヨーロッパの例から学べるといいのだが。私の国の独自性を称賛し、その国に対する私の特別な義務を強調する種類の愛国心のための余地なら、地球が統一された暁にさえ、たっぷりあるだろう。とはいえ、もし私たちが生き延びて栄えたければ、そのような局地的な忠誠心を、グローバルなコミュニティに対する相当の義務で補ってやる以外に、人類にはほとんど選択肢がない。人は家族、近隣の人々、同業の仲間、国家に同時に忠実であるべきだ。それならば、それに人類と地球を加えてもいいではないか？ たしかに、忠誠心の対象が複数あると、ときには葛藤が避けられない。だが、そもそも人生が単純だなどとは、誰も言ってはいない。つべこべ言わずに、対処するべきだ。

これまでの時代には、国家のアイデンティティは、地元の部族の範囲をはるかに超え、全国的な協力があって初めて処理できる問題や機会に人間が直面したから創り出された。二一世紀には国家は昔の部族と同じ状況に置かれている。時代の最も重要な課題に対処する枠組みとしては、もう適切ではないのだ。私たちは新しいグローバルなアイデンティティを必要としている。なぜなら国の機関は、前例のない一連のグローバルな苦境に対応することができないからだ。今やグローバルな生態環境やグローバルな経済やグローバルな科学の時代なのにもかかわらず、私たちは依然として国政だけのレベルで立ち往生している。この食い違いのせいで、政治制度は私たちの主要な問題に効果的に対応できない。効果的な政治を行なうためには、生態系と経済と科学の進歩を非グローバル化するか、さもなければ、政治をグローバル化するかしなければならない。生態系と科学の進歩を非グローバル化するのは不可能だし、経済を非グローバル化する代償はおそらく法外なものになるだろうから、唯一の現実的な解決策は、政治をグローバル化することだ。

そのようなグローバリズムと愛国心との間には、何の矛盾もない。なぜなら愛国心とは、外国人を憎むことではないからだ。愛国心は同国人の面倒を見ることを意味する。そして二一世紀には、同国人の安全と繁栄を守るためには、外国人と協力しなければならない。だから、良きナショナリストは今や、グローバリストであるべきなのだ。

これは「グローバル政府」設立の呼びかけではない。グローバル政府の設立は、不確かで非現実的なビジョンだ。政治のグローバル化というのはむしろ、それぞれの国の中の政治的ダイナミクスが、さらには都市の中の政治的ダイナミクスが、グローバルな問題や利益をもっとずっと重視するべきことを意味する。次の選挙が巡ってきて、政治家が自分に票を入れるように請い求めたら、彼らに次の四つの質問をしてほしい。

もし当選したら、核戦争の危険を減らすためにどんな行動を取るか？

気候変動の危険を減らすためにどんな行動を取るか？

ＡＩや生物工学のような破壊的技術を規制するためにどんな行動を取るか？

そして最後に、二〇四〇年の世界をどう見ているか？　あなたの考えている最悪の筋書きはどんなものか？　最善の筋書きは、どのように思い描いているか？

もしこうした疑問が理解できない政治家がいたら、あるいは、将来への有意義なビジヨンを考え出せずに絶えず過去について語っていたら、そういう政治家には投票してはならない。

あいにく、国益に基づく非常に狭い見方しかできず、グローバルな協力を激しく非難する政治家が多過ぎる。だとすれば、世界を統一する助けとするために、普遍的な人類の宗教伝統に頼ることができるだろうか？　何百年も前、キリスト教やイスラム教のような宗教はすでに、局地的ではなくグローバルな観点で物事を考えていたし、特定の国の政治闘争だけではなく生命にまつわる大きな問題にも、つねに強い関心を抱いていた。だが、伝統的な宗教は今の世の中にも依然としてふさわしいのか？　それらは世界の行方を決める力をまだ持っているのか、それとも、現代の国家や経済やテクノロジーの強大な力によってあちらへ、こちらへと振り回される、生気を失った過去の遺物にすぎないのだろうか？

8

宗教

今や神は国家に仕える

これまでのところ、現代のイデオロギーと科学の専門家や各国政府は、人類の将来についての実行可能なビジョンを生み出しそこねている。そのようなビジョンは、人間の宗教伝統の深い井戸から汲み出せるだろうか？　ひょっとしたら答えは、聖書やクルアーン（コーラン）やヴェーダのページの中でずっと以前から私たちを待っていたのかもしれない。

非宗教的な人は、この考えに対しては嘲りや懸念といった反応を見せやすい。聖典は中世には意味があったかもしれないが、AIや生物工学、地球温暖化、サイバー戦争の時代に、どうして手引きになりうるだろうか？　とはいえ、非宗教的な人は少数派だ。依然として何十億もの人が進化論よりもクルアーンや聖書を信じると公言している。宗教運動は、インド、トルコ、アメリカといった多様な国々の政治を左右する。そして、宗教的な敵意がナイジェリアからフィリピンまで、多くの場所で対立を煽る。

では、キリスト教やイスラム教やヒンドゥー教のような宗教は、どれほど当を得たものなのか？　それらは私たちが直面する主要な問題の数々を解決する助けになりうるのか？　二一世紀の世界で伝統的な宗教が果たす役割を理解するには、三つの種類の問題を区別する必要がある。

1　技術の問題――たとえば、乾燥した国の農民が、地球温暖化が引き起こす深刻な旱魃（かんばつ）にどう対処するか？

2　政策の問題――たとえば、そもそも地球温暖化を防ぐために、政府はどんな対策を採用するべきか？

3　アイデンティティの問題――たとえば、そもそも私は地球の裏側の農民が抱える問題を気にかけるべきなのか？　それとも、自分の部族や国の人々の問題だけを気にかけるべきなのか？

これから見ていくように、伝統的な宗教は技術と政策の問題にはおおむね無関係だ。それに対して、アイデンティティの問題にはおおいに関係がある。だが、伝統的な宗教はほとんどの場合、解決策の候補というよりもむしろ、問題の大きな要因となっている。

技術の問題──キリスト教の農業

宗教は近代以前には、農業のような俗世の分野の多様な技術的問題を解決する責任を担っていた。神聖な暦によって種蒔きや収穫の時期が決まり、神殿の儀式で降水を確保し、害虫を防いだ。旱魃やイナゴの大発生で農業の危機が迫ると、農民は聖職者を頼って、神にとりなしてもらった。医療も宗教の担当範囲に収まっていた。預言者や導師(グル)やシャーマンのほぼ全員が治療師も兼ねていた。たとえばイエス・キリストは、多くの時間を費やして病人を癒し、目の不自由な人が見えるようにし、口の利けない人が話せるようにし、精神の錯乱した人に正気を取り戻させた。古代のエジプトに暮らしていようと、中世のヨーロッパに暮らしていようと、病気になった人はおそらく医師ではなく呪術医の所に行き、病院ではなく名高い神殿に巡礼の旅をしたことだろう。

最近は、生物学者や外科医が聖職者や奇跡を起こす人の後を引き継いだ。もし今、エジプトがイナゴの大発生に見舞われたら、エジプト人はアッラーに救いを求めるだろうが（いいではないか？）、化学者や昆虫学者や遺伝学者にも忘れずに電話をかけ、より強力な殺虫剤や害虫に強い品種を開発するように依頼するだろう。もし敬虔なヒンドゥー教徒の子供が重い麻疹にかかったら、父親は神々の医師であるダンヴァンタリ神に祈りを捧げ、地元の神殿で花と菓子を供えるだろうが、それは子供を最寄りの病院に大急ぎで連れていき、そこの医師たちに治療を任せてからのことだ。宗教的な治療師の最後の砦である精神疾患さえも、神経学が魔神信仰と入れ替わり、抗鬱薬のプロザックが悪魔祓いに取って代わるなか、徐々に科学者の手へと移りつつある。

　科学の勝利はあまりに完璧だったので、宗教についての私たちの考え方そのものが変わった。私たちはもう、宗教を農業や医療とは結びつけない。多くの狂信的な信者でさえ、今や集団的健忘症にかかっており、伝統的な宗教がこれらの領域の支配権を主張していたことを忘れがちだ。「技術者や医師を頼ったからといって、それがどうしたというのか？」と狂信者たちは問う。「それは何の証明にもなりはしない。そもそも宗教は、農業や医療と何の関係があるのか？」

　伝統的な宗教が得意分野のこれほど多くを失ったのは、率直に言って、農業も医療も得意ではなかったからだ。聖職者やグルの真の専門技術はもともと、雨を降らしたり、治療をしたり、預言をしたり、魔法を使ったりすることではなく、物事を解釈することだった。聖職者とは、雨乞いの踊りの仕方や旱魃の終わらせ方を知っている人ではない。聖職者とは、雨乞いの踊りがうまくいかなかった理由や、神は祈りにまったく耳を傾けてくれないように思えるのに、私たちがその神を信じ続けなくてはいけない理由を正当化する方法を知っている人なのだ。

とはいえ宗教指導者は、まさに解釈の才能があるがゆえに、科学者と競うときには不利な立場に置かれる。科学者も手抜きをしたり証拠をねじ曲げたりする方法を心得ているが、けっきょく、科学の特徴は進んで失敗を認め、別の方針を試すことだ。だから科学者は、前より優れた作物を育てたり、優れた薬を作ったりする方法をしだいに学ぶのに対して、聖職者やグルが学ぶことといったら、前よりもうまい言い訳をする方法に限られる。何世紀も過ぎるうちに、宗教の熱狂的な信者でさえもその違いに気づいた。だからこそ、宗教の権威はますます多くの技術分野で衰えてきているのだ。そしてまた、全世界がしだいに単一の文明になりつつあるのもこのためだ。物事が本当にうまくいくと、誰もがそれを採用する。

政策の問題――イスラム教の経済学

科学は、麻疹をどう治すかといった技術的な疑問に明快な答えを提供してくれるものの、政策の問題に関しては、科学者の間でかなりの意見の食い違いがある。科学者のほぼ全員が地球温暖化は現実のものだと認めるが、この脅威にはどのような経済的対応をするのが最善かについては合意はない。だがそれは、伝統的な宗教がこの問題を解決する役に立ちうるということではない。古代の聖典は現代の経済にとっては、良い手引きでは断じてないし、たとえば資本主義者と社会主義者を分けるような主要な断層線は、伝統的な宗教間の境界線とは一致しない。

たしかに、イスラエルのラビやイランのアヤトラ〔訳註 イスラム教シーア派の高位の宗教法学者・指導者〕は政府の経済政策について直接の発言権があるし、アメリカやブラジルのような、もっと非宗教的な国においてさえ、宗教指導者は課税から環境規制まで、さまざまな問題に関する世論に影響を与える。とはいえ、詳しく見てみると、そうしたケースのほとんどで、じつは伝統的な宗教は現代の科学理論の脇役に回っていることが明らかになる。アヤトラ・ハメネイがイラン経済についてきわめて重大な決定を下さなければならないときには、必要な答えはクルアーンの中には絶対に見つからない。なぜなら七世紀のアラブ人は、現代の産業経済とグローバルな金融市場の問題や機会について、まったく知らなかったからだ。だからハメネイかその補佐官たちは、カール・マルクスやミルトン・フリードマンやフリードリヒ・ハイエク、そして経済学という現代科学に頼り、答えを得なければならない。ハメネイは、金利を上げたり、減税をしたり、政府の独占事業を民営化したり、国際的な関税協定に調印したりすることに決めたら、今度は宗教の知識と権威を使って、科学的な答えをクルアーンのどこかの一節という衣にくるみ込んで、アッラーの思し召しとして一般大衆に提示する。だが、衣はどうでもいい。シーア派のイラン、ワッハーブ派のサウジアラビア、ユダヤ教のイスラエル、ヒンドゥー教のインド、キリスト教のアメリカの経済政策を比べれば、たいした違いは見当たらない。

一九世紀と二〇世紀の間、イスラム教やユダヤ教、ヒンドゥー教、キリスト教の思想家は、現代の物質主義や非情な資本主義、官僚国家の行き過ぎを激しく非難した。彼らは、機会さえ与えられれば、現代の病弊をすべて解決し、自分たちの教義に謳われた永遠の精神的価値観に基づく、まったく異なる社会経済制度を確立すると約束した。ところが、ずいぶん多くの機会を与えられたにもかかわらず、現代経済という建物に彼らがもたらした、それとわかる変化は、ペンキの塗り替えと、それぞれの宗教を象徴する巨大な三日月や十字架、ダビデの星、あるいはオームの文字の屋根への設置ぐらいのものだった。

雨乞いの場合とちょうど同じで、経済の話になると、それぞれの宗教の学者が長年磨いてきた文書の再解釈の専門技術のせいで、宗教は無意味になる。ハメネイがどんな経済政策を選んだとしても、それがクルアーンとうまく折り合いがつくようにできる。したがって、クルアーンは真の知識の源から、ただの権威の源へと格下げされてしまった。難しい経済的ジレンマに直面したら、マルクスやハイエクを精読すると、経済制度が前よりもよく理解でき、新しい角度から物事を眺め、解決策の候補をあれこれ考えることができる。そして、答えを導き出したら、今度はクルアーンに目を向け、念入りに読み、想像力を思い切り羽ばたかせて解釈すればマルクスやハイエクから得た解決策を正当化できるような章を探す。どんな解決策をマルクスやハイエクの作品で見つけたとしても、優れたクルアーン学者ならば、いつでもそれを正当化することができるだろう。

キリスト教にしても同じだ。キリスト教徒は資本主義者と社会主義者のどちらにも、同じぐらい簡単になれるし、イエス・キリストの言葉には、紛れもない共産主義に通じるものがいくつかあるとはいえ、冷戦の間、アメリカの良き資本主義者は、それを気にも留めずに、新約聖書の山上の垂訓を読み続けた。「キリスト教の経済学」や「イスラム教の経済学」や「ヒンドゥー教の経済学」などというものは、ありはしないのだ。

だからといって、聖書やクルアーンやヴェーダに経済的な考えがまったく記されていないわけではない。ただ、そうした考えは最新のものではないのだ。マハトマ・ガンディーがヴェーダを読んだせいで構想した独立国インドは、それぞれが糸を紡いで自らのカダール織りの衣服を作り、ほとんど輸出をせず、輸入はなおさら少ない、自給自足の農業コミュニティの集まりだった。最も有名な写真の中のガンディー[1]は手ずから綿を紡いでおり、彼はその粗末な糸車をインドの民族主義運動の象徴にした。ところが、この理想的田園生活のビジョンは、現代の経済の現実とまったく折り合いがつかなかった。そのため、このビジョンはほとんど夢と消え、かろうじて残ったのは、無数のルピー紙幣に印刷されたガンディーの輝かしい肖像ぐらいのものだ。

現代の経済理論は伝統的な宗教の教義よりもはるかに現状に即しているので、表向きは宗教上の争いさえも、経済の観点から解釈するのが当たり前になったが、その逆をやろうとする人は誰もいない。たとえば、カトリックとプロテスタントの間で起こった北アイルランド紛争は、主に階級闘争に煽られていたと主張する人がいる。さまざまな歴史の偶然のせいで、北アイルランドの上流階級は大半がプロテスタントで、下層階級はおおむねカトリックだった。したがって、一見するとキリストの性質についての神学的争いだったように見えるものが、じつは持てる者と持たざる者との間の典型的な闘争だったというわけだ。それに対して、一九七〇年代の南アメリカにおける共産主義ゲリラと資本主義者の地主との争いは、本当はキリスト教神学にまつわるはるかに深い意見の相違の隠れ蓑にすぎないなどと主張する人は、まずいない。

では、二一世紀の重要な疑問に直面したときに、宗教は何の役に立つのか？　何を学ぶか、どこで働くか、誰と結婚するかといった、人生にかかわる決定を下す権限をＡＩに与えるべきかどうかという疑問を例に取ろう。この疑問に関して、イスラム教はどんな立場にあるのか？　ユダヤ教の立場は？　この場合には、「イスラム教の」、あるいは「ユダヤ教の」立場というものはない。人類は、ＡＩにかなりの権限を与えることに賛成する人々と、反対する人々という、二つの主要な陣営に分かれるだろう。イスラム教徒もユダヤ教徒も、それら二つの陣営のどちらにも見つかり、彼らは想像力を思い切り羽ばたかせてクルアーンやタルムードを解釈し、自分が支持する立場を正当化する可能性が高い。

もちろん宗教団体は、特定の問題について自らの見方を固め、それを神聖で永遠の教義と称するものに変えることもありうる。一九七〇年代にラテンアメリカの神学者たちは、「解放の神学」というものを考え出した。それを眺めると、イエス・キリストがチェ・ゲバラのように見えてくる。同様に、イエス・キリストは地球温暖化の議論にも簡単に担ぎ出すことができる。すると、現在のさまざまな政治的立場は、永遠の宗教原理であるかのように見えてくる。

これはすでに起こりつつある。環境規制への反対は、一部のアメリカ福音派牧師による地獄の責め苦を強調する説教に組み込まれる一方、ローマ教皇フランシスコは(彼の第二の回勅「ラウダート・シ」を読めばわかるとおり)、キリストの名において地球温暖化を率先して非難している。[2]だから二〇七〇年には、環境にまつわる疑問では、あなたが福音派かカトリックかで大違いになっているかもしれない。言うまでもなく、福音派は炭素放出量の制限はいかなるものにも反対する一方、カトリックはイエス・キリストが環境を守らなくてはならないと説いたと信じていることだろう。

その違いは、彼らの自動車にも見られるはずだ。福音派が燃費の悪い大型のSUVに乗っているのに対して、敬虔なカトリックは、「地球を焼き払えば地獄で焼き焦がされる!」というバンパーステッカーを貼った洒落た電気自動車を乗り回しているだろう。ところが、彼らは自分の立場を守るために聖書のさまざまな言葉を引用するかもしれないとはいえ、彼らの相違の真の源泉は、現代的な科学理論と政治運動にあり、聖書にはない。この視点に立つと、宗教は現代の重要な政治議論にはろくに貢献できない。カール・マルクスが主張したように、宗教とは見せかけにすぎないのだ。

アイデンティティの問題――境界線

ただし、一つ断っておかなければならない。マルクスは、テクノロジーと経済の強大な力を覆い隠すただのうわべとして宗教を退けたが、ただのうわべというのは言い過ぎだった。たとえイスラム教やヒンドゥー教やキリスト教は現代経済の建物を覆う色鮮やかな装飾であるにしても、人はしばしばその装飾と一体感を覚えるし、人々のアイデンティティというものは、歴史にとってきわめて重要な力となる。人間の力は集団の協力を拠り所としており、集団の協力は集団のアイデンティティを作り出すことに依存しており、どんな集団のアイデンティティの基盤も虚構の物語であって、科学的事実ではなく、経済的な必要性でさえない。二一世紀には、ユダヤ教徒とイスラム教徒、あるいはロシア人とポーランド人という人間の区別は、依然として宗教的な神話に基づいている。人種や階級という人間のアイデンティティを科学的に定めようというナチスと共産主義者の試みは、危険な似非(えせ)科学であることが判明し、それ以来、科学者は人間の「自然な」アイデンティティを定めるのに荷担することを極端に嫌ってきた。

だから二一世紀には、宗教は雨をもたらさず、病気を治さず、爆弾を製造しないが、「私たち」とは誰かや「彼ら」とは誰か、誰を治療するべきか、誰を爆撃するべきかを決めることになる。すでに指摘したとおり、実際問題として、シーア派のイランとワッハーブ派のサウジアラビアとユダヤ教のイスラエルの間には、驚くほどわずかの違いしかない。そのどれもが官僚制の国民国家で、三国ともおおむね資本主義的な政策を推進し、子供たちにポリオの予防接種をし、化学者と物理学者に頼って爆弾を製造している。シーア派の官僚制とか、スンニ派の資本主義とか、ユダヤ教の物理学などというものはない。それなのにどうやって人々に、自分たちは唯一無二だと感じさせ、ある部族には忠誠心を、別の部族に対しては敵愾心(てきがいしん)を抱かせることができるのか？

刻々と変化する人類というものの上に確固たる境界線を引くために、宗教はさまざまな儀式を使う。シーア派とスンニ派と正統派ユダヤ教徒は、異なる服を着て、異なる祈りを唱え、異なる禁忌を守る。こうした異なる宗教伝統は、しばしば日常生活を美で満たし、人々がより優しく、より慈悲深く振る舞うことを奨励する。毎日五回、美しい節をつけたムアッジン〔訳註　イスラム教で礼拝の時刻を告げる係〕の声が、市場やオフィスや工場の喧噪をものともせずに朗々と響き渡り、俗事のせわしなさを離れて永遠の真理と一つになるように、イスラム教徒たちに呼びかける。彼らの近隣に暮らすヒンドゥー教徒たちは、日々の儀式を行ない、マントラを唱えることで、同じ目標に到達しようとする。毎週金曜日の晩、ユダヤ教徒は家族揃って、喜びと感謝と団欒(だんらん)の、特別な食事のテーブルに着く。二日後の日曜日の朝には、キリスト教の聖歌隊は、無数の人の人生に希望をもたらし、信頼と愛情から成るコミュニティの絆を結ぶのを助ける。

この世界を多くの醜いもので満たし、人々に卑劣で残酷な振る舞いをさせるような宗教伝統もある。たとえば、宗教が原因の女性嫌悪やカーストによる差別を支持する利点は、ほとんどない。だが、美しかろうが醜かろうが、そうした宗教伝統はみな、特定の人々を団結させる一方で、彼らを隣人たちから区別する。外から見ると、人々を分割する宗教伝統は取るに足りないものに思えることが多いし、フロイトはそうした伝統について人々が持っているこだわりを、「些細な違いのナルシシズム」と言って嘲った。[3]だが歴史においても政治においても、些細な違いがじつに大きな役割を果たしうる。たとえばあなたがたまたま同性愛者なら、イスラエル、イラン、サウジアラビアのどれに住んでいるかは、文字どおり生死にかかわる問題だ。イスラエルではＬＧＢＴ〔訳註　レズビアン＝女性同性愛者、ゲイ＝男性同性愛者、バイセクシュアル＝両性愛者、トランスジェンダー＝心と体の性が一致しない人の総称〕は法で守られており、同性婚を祝福するラビさえいる。イランでは、同性愛者は計画的に迫害され、ときには処刑されることすらある。サウジアラビアでは、二〇一八年までレズビアンは自動車を運転することさえできなかった。ただしそれは、女性は誰もが運転を許されていなかったからであり、レズビアンに限った話ではなかったが。

近代以降の世界で伝統宗教が相変わらず力を持っており、重要であることを示す最適の例は、日本かもしれない。一八五三年にアメリカの艦隊が近代世界に対して日本の門戸を開かせた。それに応じて、日本は急速な近代化に乗り出し、大成功を収めた。数十年のうちに、科学と資本主義と最新の軍事テクノロジーに依存する強力な官僚国家となり、中国とロシアを打ち負かし、台湾と朝鮮を領土とし、最終的には真珠湾でアメリカ艦隊を撃沈し、極東におけるヨーロッパ人による帝国主義的支配を覆した。とはいえ日本は、やみくもに西洋の青写真をなぞったわけではない。日本は独自のアイデンティティを守り、近代の日本人を科学や近代性、あるいは、何らかの漠然としたグローバルなコミュニティではなく祖国に対して確実に忠実たらしめることを固く決意していた。

その目的を達成するために、日本は固有の宗教である神道を日本のアイデンティティの土台とした。実際には、日本という国は神道を徹底的に作り直した。伝統的な神道は、さまざまな神や霊や魔物を信じるアニミズムの信仰の寄せ集めで、どの村も、どの寺も、お気に入りの霊や地元の風習を持っていた。一九世紀後期から二〇世紀初期にかけて、日本は神道の公式版を創り出し、地方の伝統を数多く廃止させた。この「国家神道」を、日本のエリート層がヨーロッパの帝国主義者から学んだ、国民や民族という非常に近代的な考え方と融合させた。そして、国家への忠誠を強固にするのに役立ちうるものなら、仏教や儒教、封建制度の武士の気風のどんな要素も、そこに加えた。仕上げに、国家神道は至上の原理として天皇崇拝を神聖化した。(4) 天皇は太陽の女神である天照大神（あまてらすおおみかみ）の直系の子孫で、自身も現人神（あらひとがみ）であると考えられた。

一見すると、新旧のこの奇妙な組み合わせは、近代化の速習コースを受けようとしている国にしては、はなはだ不適切な選択に思えた。現人神？　アニミズムの霊？　封建制度の気風？　これは近代の工業大国というよりもむしろ新石器時代の族長支配のように聞こえる。

ところが、これが魔法のように効果を発揮した。日本人は息を呑むような速さで近代化すると同時に、国家に対する熱狂的な忠誠心を育んだ。神道国家の成功の象徴として最も有名なのは、日本が他の大国に先駆けて、精密誘導ミサイルを開発した事実だ。アメリカがスマート爆弾を実戦配備するよりも何十年も前、そして、ナチスドイツがようやく初歩的な慣性誘導式のV2ロケットを配備し始めていた頃、日本は精密誘導ミサイルで連合国の艦船を何十隻も沈めた。このミサイルは、「カミカゼ」として知られている。今日の精密誘導兵器はコンピューターが誘導するのに対して、カミカゼは爆弾を積んだ通常の飛行機で、片道の任務に進んで出撃する人間の搭乗員が操縦していた。このような任務に就く意欲は、国家神道に培われた、命知らずの自己犠牲精神の産物だった。このようにカミカゼは、最新のテクノロジーと最新の宗教的教化の組み合わせを拠り所としていたのだった。(5)

知ってか知らずか、今日非常に多くの政府が日本の例に倣っている。現代の普遍的な手段や構造を採用する一方で、伝統的な宗教に頼って独自の国家としてのアイデンティティを維持している。日本における国家神道の役割は、程度こそ違うものの、ロシアでは東方正教会のキリスト教が、ポーランドではカトリック教が、イランではシーア派のイスラム教が、サウジアラビアではワッハーブ派のイスラム教が、イスラエルではユダヤ教が担っている。宗教はどれほど古めかしく見えたとしても、少しばかり想像力を働かせて解釈し直してやれば、いつでも最新テクノロジーを使った装置や最も高度な現代の機関と結びつけることができる。

国家がまったく新しい宗教を創って、独自のアイデンティティの支えとする場合もある。今日、その最も極端な例が、かつて日本の植民地だった北朝鮮だ。北朝鮮の政権は、「チュチェ思想」と呼ばれる狂信的な国教を国民に吹き込んでいる。チュチェ思想は、マルクス・レーニン主義と、いくつかの古い朝鮮の伝統と、朝鮮民族の無比の純粋性に対する人種差別的信仰と、金日成（キム・イルソン）の家系の神格化の混合物だ。金一家が太陽の女神の子孫だと主張する人は誰もいないものの、彼らは歴史上のほとんどどんな神よりも熱烈に崇拝されている。大日本帝国が最終的にどのように打ち負かされたかが念頭にあるからだろうか、北朝鮮のチュチェ思想という混合物は長い間、核兵器も自らに加えると言って聞かず、核兵器の開発を、最大の犠牲を払うだけの価値のある神聖な義務と位置づけてきた。(6)

ナショナリズムの手先

したがって、テクノロジーがどのように発達しようと、宗教的なアイデンティティと儀式についての議論が新しいテクノロジーの使用に影響を与え続け、世界を火の海にする力を保持することが見込まれる。最新式の核ミサイルやサイバー爆弾は、中世の文書についての教義上の議論の決着をつけるために使われることもありうる。人類の力が集団の協力を拠り所としているかぎり、そして、集団の協力が共有された虚構を信じることを拠り所としているかぎり、宗教や儀式は重要であり続ける。

あいにく、これらいっさいのせいで、伝統的な宗教は人類の問題の一部となってしまい、その解決策の一部にはなりえない。宗教は、政治的な力を依然としてたっぷり持っているので、国家としてのアイデンティティを強固なものにできるし、第三次世界大戦を引き起こすことさえ可能だ。だが、二一世紀のグローバルな問題を煽り立てるのではなく解決するとなると、宗教が提供するものはほとんどないように見える。多くの伝統的宗教は普遍的な価値観を支持し、普遍的な正当性を主張するものの、今のところ、主に現代のナショナリズムの手先として使われている。北朝鮮、ロシア、イラン、イスラエルのどこでもそうだ。したがって、国家間の違いを超越して、核戦争と生態系の崩壊と技術的破壊の脅威に対するグローバルな解決法を見つけるのが、宗教のせいでなおさら難しくなっている。

たとえば、地球温暖化や核の拡散に対処するとき、シーア派の聖職者はイラン人にこうした問題をイランの狭い視野で捉えるように促し、ユダヤ教のラビはイスラエル人に、イスラエルにとってためになることを主に気にかけるように奨励し、東方正教会の聖職者はロシア人に、何よりもまずロシアの利益を考えるように急き立てる。つまるところ、私たちは神に選ばれた国なのだから、私たちの国にとって良いことは神の心にも適う。ナショナリズムの行き過ぎを退け、はるかに普遍的なビジョンを採用する信心深い賢人もたしかにいる。あいにく、そのような賢人は近頃、あまり大きな政治権力を振るえない。

というわけで、私たちは進退窮まっているようだ。今や人類は単一の文明を形成しており、核戦争や生態系の崩壊や技術的破壊といった問題は、グローバルなレベルでしか解決できない。その一方で、ナショナリズムと宗教が依然として、人間の文明を異なる、そして敵対することの多い陣営に分割している。グローバルな問題と、局地的なアイデンティティとのこの衝突は、EUという多文化による世界最大の実験に今つきまとう危機の中に表れている。普遍的な自由主義の価値観を実現するという約束の上に築かれたEUは、統合と移民という難問のせいで、崩壊の瀬戸際にある。

9

移民

文化にも良し悪しがあるかもしれない

グローバル化のおかげで、世界中の文化の差が大幅に縮小したものの、同時に、外国人と出会って、彼らの風変わりなところに度を失うことも、ずっと多くなった。アングロサクソンのイングランドとインドのパーラ朝との違いは、現代のイギリスと現代のインドとの違いよりもはるかに大きかった。もっとも、アルフレッド大王の時代には、ブリティッシュ・エアウェイズがデリーとロンドンの間の直行便は提供していなかったが。

仕事や安全やより良い未来を求めてますます多くの人がますます多くの国境を越える

ようになったため、外国人と向き合ったり、彼らを同化させたり、追い払ったりする必要に迫られた政治制度や集団的アイデンティティには無理が来ている。それらは、これほど動きがなかった時代に形作られたからだ。この問題が最も差し迫っているのがヨーロッパだ。EUは、フランス人、ドイツ人、スペイン人、ギリシア人の間の文化的な違いを乗り越えるという名目の下で築かれた。ところが、ヨーロッパ人と、アフリカや中東からの移民との文化的な違いをうまく消化し切れないため、崩壊するかもしれない。そもそも、ヨーロッパは首尾良く多文化の制度を作り上げたからこそこれほど多くの移民を惹きつけることになったのだから、皮肉な話だ。シリア人はサウジアラビアやイラン、ロシア、日本よりもドイツに移民したがる。それは、他の候補地よりもドイツが近いからでもなければ、豊かだからでもなく、移民を歓迎し、受け容れることにかけて、他国をはるかに凌ぐ実績を持っているからだ。

しだいに大きな波となって押し寄せてくる難民や移民に対するヨーロッパ人の反応は複雑で、ヨーロッパのアイデンティティと将来について、激しい議論が巻き起こっている。一方には、ヨーロッパが門戸を閉ざすことを求める人がいる。彼らは、多文化主義と寛容というヨーロッパの理想に背いているのか？　それとも、大惨事を防ぐために分別ある対策を講じているだけなのか？　その一方で、門戸をさらに大きく開放することを求める人もいる。彼らはヨーロッパの基本的価値観に忠実なのか？　それとも、このヨーロッパの事業に、実現不可能な期待をかけるという過ちを犯しているのか？　移民をめぐるこの議論は、どちらも相手の言い分に耳を貸さない怒鳴り合いに堕してしまうことが多い。論点を明確にするには、移民を三つの基本的な条件を伴う取り決めと見なすといいかもしれない。

条件1 受け容れ国は移民を入国させる。

条件2 移民はその見返りとして、たとえ自分の伝統的な規範や価値観の一部を捨てることになっても、受け容れ国の少なくとも基本的規範と価値観だけは採用する。

条件3 移民は十分同化したら、やがて受け容れ国の、対等で歴とした成員となる。「彼ら」は「私たち」になる。

これら三つの条件は、それぞれの条件の厳密な意味に関する三つの別個の議論につながる。そして、これらの条件を満たすことについての、さらにもう一つ別個の議論も出てくる。人々は、移民の是非を論じるときに、この四つの議論を混同することが多く、本当は何を論じているのか誰も理解できていない状態に陥る。したがって、これらの議論は別々に検討するのが最善だ。

議論1 移民の取り決めの最初の条件は、受け容れ国が移民を入国させることを謳っているにすぎない。だが、これは義務として捉えるべきなのか、それとも恩恵と見るべきなのか？　受け容れ国は誰に対しても門戸を開く義務があるのか、それとも、選ぶ権利、さらには移民を完全に停止する権利さえ持っているのか？　移民賛成派は、受け容れ国には難民だけではなく、仕事やより良い未来を求めて、貧困に喘ぐ国からやって来る人も受け容れる道徳的義務があると考えているようだ。とくに、グローバル化した世界では、すべての人が他のすべての人に対して道徳的義務を負っており、そうした義務から逃げる人は利己主義者か、人種差別主義者でさえある、と。

それに加えて、完全に移民を止めることは不可能で、どれほど多くの壁や柵を設けようと、必死になっている人は必ず抜け道を見つける点を、多くの移民賛成派が強調する。だから移民を合法化して公然とこの問題に対処するほうが、人の密輸や不法就労者や正規の身分証明書を持たない子供の巨大な裏社会を生み出すよりいいというわけだ。

移民反対派は次のように応じる。もし十分な力を行使すれば移民を完全に止められるし、隣国の残忍な迫害から逃れてくる難民のケースぐらいは別として、門戸を開く義務はない。たとえばトルコは、必死に脱出を試みるシリアの難民が国境を越えてくるのを許す道徳的義務がある。だが、それらの難民が今度はスウェーデンへ移ろうとしたら、スウェーデン人はそれを受け容れる義務はない。仕事や福祉を求める移民に関しては、入国させるかどうかや、どのような条件を課すかは、完全に受け容れ国次第だ。

移民反対派は、どの人間の集団も持っている最も基本的な権利の一つは、軍隊によるものであれ移民によるものであれ、侵入から自らを守ることである点を強調する。スウェーデン人は懸命に努力し、計り知れないほどの犠牲を払って、繁栄する自由民主主義を築き上げたのだし、シリア人が同じことをやり遂げられなくても、それはスウェーデン人の落ち度ではない。もしスウェーデンの有権者が、どんな理由からであれ、これ以上シリアの難民を受け容れたくないのなら、彼らには入国を拒む権利がある。そして、仮に一部の移民を受け容れるにしても、それはスウェーデンが果たす義務ではなく、差し伸べる恩恵であることが、明白そのものであってしかるべきだ。つまり、スウェーデンへの入国を許された移民は、自分がこの国の主であるかのように要求のリストを手にやって来るのではなく、何であれ手に入るものには心底感謝するべきなのだ。

移民反対派はさらに続ける。そのうえ、どの国も何なりと好きな移民政策を採用し、犯罪歴や職能だけでなく、宗教のようなものにさえ基づいて移民を選別できる。イスラエルのような国がユダヤ教徒だけ入国を認めることを望み、ポーランドのような国がキリスト教徒であるという条件を満たす中東の難民だけを引き取ることに合意したら、それは不快に思えても、イスラエルやポーランドの有権者の裁量の範囲に完全に収まっている。

問題が厄介なのは、多くの場合、一挙両得を狙う人がいるからだ。じつに多くの国が、不法移民に目をつぶり、期限付きで外国人労働者を受け容れさえする。外国人の活力や才能、安価な労働力の恩恵に浴したいからだ。ところがそれらの国は、移民は望まないとして、こうした外国人の身分を法律で認めることを拒む。これは長期的には、カタールやペルシア湾岸のその他数国で今日起こっているように、無力の外国人から成る下層階級を正規の国民が搾取する階層社会を生み出しうる。

この議論が決着しないかぎり、移民に関する残りの疑問のいっさいに答えるのはきわめて難しい。人は望みさえすれば他国に移民する権利があり、受け容れ国には彼らを受け容れる義務があると移民賛成派は考えているので、移民する権利が侵され、移民を受け容れる義務を怠る国があると、道徳的な憤りをあらわにする。移民反対派は、そのような見方に愕然となる。彼らは、移民は特典であり、受け容れは恩恵だと考えているからだ。自国に移民の入国を認めないというだけで、なぜその国の人を人種差別主義者あるいはファシスト呼ばわりするのか?

もちろん、たとえ移民を許可するのが義務ではなく恩恵だとしても、いったん移民が定着すれば、受け容れ国は彼らやその子孫に対しておびただしい義務を徐々に背負い込む。だから今日アメリカで、「私たちは一九一〇年にあなたの曾祖母を入国させるという恩恵を施したのだから、今あなたを好きなように扱ってかまわない」と主張して反ユダヤ主義を正当化することはできない。

議論2 移民の取り決めの第二の条件は、移民は入国を認められたら、その国の文化に同化する義務があると謳っている。だが、どの程度まで同化するべきなのか? もし移民が家父長制の社会から自由主義の社会に移ったら、フェミニストにならなければいけないのか？　とても信心深い社会からやって来たのなら、非宗教的な世界観を採用する必要があるのか？　伝統的な服装規定や食べ物のタブーを捨てるべきなのか？　移民反対派は厳しい要求を突きつけ、賛成派ははるかに緩やかな基準を当てはめる傾向にある。

移民賛成派は次のように主張する。ヨーロッパそのものがきわめて多様で、地元民の意見や習慣や価値観もさまざまだ。だからこそヨーロッパは活気に満ちていて強力なのだ。実際にそれに即して生きるヨーロッパ人などほとんどいない、想像上のヨーロッパのアイデンティティを固守することを、なぜ移民は強制されなくてはいけないのか？　多くのイギリス国民がろくに教会に行かないのに、イギリスへのイスラム教徒の移民を強制的にキリスト教に改宗させる必要があるだろうか？　パンジャブからの移民に、カレーとマサラ〔訳註　インドの混合香辛料〕を捨てて、イギリスの代表的な大衆料理であるフィッシュ・アンド・チップスとヨークシャー・プディングを食べることを求めるべきなのか？　もしヨーロッパに本物の基本的価値観があるとすれば、それは寛容と自由という自由主義の価値観であり、それはヨーロッパ人が移民に対しても度量の広さを示し、他の人の自由や権利を侵害しないかぎり、彼らが自らの伝統にできるだけ自由に従えるようにすることを意味する。

移民反対派は、寛容と自由が最も重要なヨーロッパの価値観であることには合意するものの、多くの移民の集団、とりわけイスラム教国からの移民の集団は、不寛容で、女性嫌悪で、同性愛恐怖症で、反ユダヤ主義だと非難する。ヨーロッパは寛容性を大切にするからこそ、不寛容な人があまりに多く入ってくるのを許すわけにはいかない。寛容な社会は非自由主義の少数派の小集団にならうまく対処できるけれど、もしそのような極端な人々の数が一定の範囲を超えると、社会の性質そのものが変わってしまう。中東からあまりに多くの移民を受け容れたら、ヨーロッパは中東のようになってしまうだろう。

移民反対派のなかには、もっとずっと先まで行く人もいる。国民のコミュニティはたんに互いに許容し合う人々の集団ではなく、それをはるかに凌ぐものであることを、彼らは指摘する。だから、移民はヨーロッパの寛容の基準を固守するだけでは十分ではない。イギリスやドイツやスウェーデンの文化の独自の特徴も、それがどんなものであるにせよ、多く採用しなくてはいけない。各国の文化は、移民を許すことにより、大きな危険を冒し、多大な経費を負担している。自らをも破壊するべき理由などない。いずれ完全に平等な待遇を与えるのだから、完全な同化を要求する。イギリスやドイツやスウェーデンの文化にどこか受け容れ難い奇妙な点があるというのなら、他のどこへなりと行ってもらっても、いっこうにかまわない。

この議論には二つの主要な論点がある。移民の不寛容性についての意見の相違と、ヨーロッパのアイデンティティについての意見の相違だ。もし移民が本当に救い難いほど不寛容ならば、現在は移民に賛成している多くの自由主義のヨーロッパ人も、遅かれ早かれ意見を変え、激しく反対するようになるだろう。逆に、宗教やジェンダーや政治に対する大半の移民の態度が自由主義的で寛大であることが判明すれば、移民に反対する非常に有力な論拠の一部が無効になる。

それでも、ヨーロッパ各国の独自の国家的アイデンティティにまつわる疑問は残る。寛容性の価値は普遍的に認められている。フランスへ移民する人なら誰もが受け容れるべきフランス独自の規範や価値観はあるのだろうか？　デンマークへの移民が採用しなければならないようなデンマーク独自の規範や価値観はあるのだろうか？　この疑問についてヨーロッパ人の意見が激しく対立しているかぎり、移民に関する明確な政策は持ちようがない。逆に、ヨーロッパ人が自分は何者かをいったん知ってしまえば、五億のヨーロッパ人が数百万の難民を受け容れるのは、あるいは追い返すのは、わけもないはずだ。

議論3　移民の取り決めの第三の条件は、もし現に移民が同化しようと――とくに、寛容という価値観を採用しようと――真摯に努力するなら、受け容れ国は正規の国民として彼らを扱う義務があることを謳っている。だが、移民が社会の正規の成員となるまでには、どれだけの時間の経過が必要なのか？　アルジェリアからの移民の第一世代は、二〇年をフランスで過ごしても依然として正規のフランス人と見なされなかったら、感情を傷つけられてしかるべきなのか？　祖父母が一九七〇年代にフランスにやって来た、移民の三世はどうなのか？

　移民賛成派は、迅速な受け容れを求めがちであるのに対して、反対派はもっとずっと長い試験期間を置くことを望む。移民賛成派にしてみれば、移民の三世が対等な国民と見なされることも、対等な国民として扱われることもなければ、受け容れ国は義務を果たしておらず、それが緊張や敵意、さらには暴力にさえつながれば、受け容れ国は自らの偏狭を責めるしかない。移民反対派の見るところでは、このような過大な期待こそが、問題の大きな原因になっている。移民は辛抱するべきだ。たった四〇年前に祖父母がやって来たばかりなのに、生粋の国民として扱われていないと思って町で暴動を起こすような人がいたら、その人は試験に落第したのだ。

　この議論の根本には、個人の時間の物差しと共同体の時間の物差しとの隔たりという問題がある。人間の共同体の見地に立つと、四〇年は短い。数十年の間に社会が外国の集団を完全に受け容れることを期待するのは難しい。帝政ローマやイスラム教のカリフの統治区域、中国の歴代王朝、アメリカのように、これまで外国人を同化して対等な国民とした文明はみな、数十年ではなく数世紀かけてそれを成し遂げた。

　ところが、個人の見地に立つと、四〇年は永遠にも等しい。祖父母がフランスに移民してきてから二〇年後にそこで生まれたティーンエイジャーにとっては、アルジェからマルセイユへの旅は、とうの昔の出来事だ。その子はここフランスで生まれ、友人たちも全員ここで生まれ、彼女はアラビア語ではなくフランス語を話し、アルジェには行ったことさえない。フランスこそ、これまで彼女にとって唯一の母国だった。それなのに今、人々はフランスは彼女の母国ではない、彼女が住んだこともない場所へ「帰る」べきだ、と言う。

オーストラリアからユーカリの木の種を持ってきて、フランスで蒔いたようなものだ。生態学的視点に立つと、ユーカリの木は外来種で、植物学者にヨーロッパの自生種と再分類されるまでには何世代もかかる。とはいえ、個々の木の視点に立つと、それはフランスの木だ。フランスの水をやらないと、枯れてしまう。引き抜こうとすると、地元のオークや松の木とまったく同じで、フランスの土壌に深く根を下ろしているのがわかるだろう。

議論4　移民の取り決めの厳密な定義にかかわるこれらの意見の相違に加えて、この取り決めが実際にうまくいっているのかどうかという、究極の疑問がある。当事者の双方が、きちんと義務を果たしているのだろうか？

移民反対派は、次のように主張する傾向にある。移民たちは条件2を満たしていない。移民は同化しようと真摯に努力しておらず、不寛容で偏狭な世界観にこだわっている。したがって、受け容れ国は条件3を満たす（移民を正規の国民として扱う）理由はなく、条件1（移民の入国を許す）を考え直す正当な理由が十二分にある。特定の文化の出身者たちが移民の取り決めを守る気がないことを一貫して示し続けてきたなら、これ以上の移民を受け容れてさらに大きな問題を招く必要があるだろうか？

移民賛成派は、次のように応じる。取り決めを守っていないのは受け容れ国の側だ。大多数の移民が同化しようと誠実に努力しているにもかかわらず、受け容れ国は移民がそうするのを難しくしており、なお悪いのだが、首尾良く同化している移民を、二世や三世であっても、依然として二等国民として扱っている。もちろん、当事者の双方が義務を果たしていない可能性はあり、それが互いに相手に対する疑念や憤懣をさらに募らせるという悪循環に陥っているのかもしれない。

この第四の議論は、最初の三つの条件の厳密な定義を明らかにしないかぎり、解決できない。受け容れは義務なのか恩恵なのか？　移民にはどの程度の同化が求められるのか？　受け容れ国はどれだけ早く、移民を対等な国民として扱うべきなのか？　それがはっきりしないうちは、双方が義務を果たしているかどうか、判断しようがない。さらに、数字にまつわる問題もある。移民の取り決めを評価するときには、どちらの側も条件の遵守よりも違反にあまりに重きを置き過ぎる。もし一〇〇万人の移民がきちんと法律に従っている一方で、一〇〇人がテロ組織に加わって受け容れ国を攻撃したら、移民全体としては、取り決めの条件に従っているのか、それとも違反しているのか？　移民の三世が通りを一〇〇〇回歩いても一度も淫らなことをされたり言われたりしないものの、ときおり人種差別主義者に罵（のの）しられるとしたら、地元の人々は移民を受け容れていることになるのか、拒絶していることになるのか？

もっとも、こうした議論のいっさいの裏には、はるかに根本的な疑問が隠されている。それは、人間の文化を私たちがどう理解しているかにかかわる疑問だ。私たちは移民の議論に加わるとき、あらゆる文化は本質的に対等だという前提に立っているのか、それとも一部の文化は他の文化よりも優れているだろうと考えているのか？　ドイツ人が一〇〇万のシリア人難民の受け容れをめぐって議論するとき、ドイツの文化はある意味でシリアの文化に優ると考えることは、いったい正当化できるのか？

人種差別から文化差別へ

一世紀前、ヨーロッパ人は一部の人種、わけても白色人種は、他の人種よりも本質的に優れていると、当たり前のように思っていた。一九四五年以降、そのような見方はしだいに忌み嫌われるようになった。人種差別は道徳的に極端にけしからぬだけではなく、科学的に見ても破綻していると見なされた。生命科学者、とくに遺伝学者は、ヨーロッパ人、アフリカ人、中国人、アメリカの先住民の間の生物学的差異は取るに足りないことを示すじつに強力な科学的証拠を提示した。

ところがその一方で、人類学者や社会学者、歴史学者、行動経済学者、さらには脳科学者までもが、人間の文化間には重大な差異が存在するという豊富なデータを蓄積してきた。実際、もし人間のあらゆる文化が本質的に同じだったなら、人類学者や歴史学者など、そもそも必要ないのではないか？　なぜ取るに足りない違いの研究に資源を注ぎ込むのか？　どんなに控えめに言っても、私たちは南太平洋やカラハリ砂漠への費用のかさむ現地調査のいっさいに資金を出すのをやめ、オックスフォードやボストン〔訳註　後述のハーヴァード大学はボストンの近郊にある〕の人々を研究することで満足するべきだ。もし文化的な違いが微々たるものなら、ハーヴァード大学の学部生についての発見は、当然カラハリ砂漠の狩猟採集民にも当てはまるだろうから。

じっくり考えてみると、性風俗から政治的な習慣まで、人間の文化の間には少なくともいくつかは重大な差異があることを、ほとんどの人が認める。それならば、こうした差異はどう扱うべきなのか？　文化相対主義者は次のように主張する。差異があるからといって、階層制になっているわけではなく、文化はけっして選り好みするべきではない。人間の考え方や振る舞い方はさまざまだが、この多様性は称賛するべきで、あらゆる信念や慣行に同等の価値を与えるべきである、と。あいにく、そのような心の広い態度は、現実という試験には合格しない。人間の多様性は、料理や詩歌といった分野ではすばらしいかもしれない。だが、魔女の火あぶりや嬰児殺しや奴隷制度は、人を魅了する特異な行為だから、グローバルな資本主義とコカ・コロナイゼーション〔訳註　コカ・コーラやそれが象徴するアメリカ文化のグローバル化。「コカ・コーラ」と「コロナイゼーション（植民地化）」を重ね合わせた造語〕の侵略から守られるべきだなどと考える人はほとんどいない。

あるいは、さまざまな文化が外国人や移民や難民とどうかかわるかを考えてほしい。すべての文化が彼らを完全に同じ程度まで受け容れるわけではない。二一世紀初頭のドイツの文化はサウジアラビアの文化よりも、外国人に寛容で、移民を歓迎する。イスラム教徒がドイツに移民するほうが、キリスト教徒がサウジアラビアに移民するよりもずっと易しい。それどころか、シリアからのイスラム教徒の難民にとってさえ、サウジアラビアよりもドイツへ移民するほうが、おそらく簡単だろうし、二〇一一年以降、ドイツはサウジアラビアよりもはるかに多くのシリア難民を受け容れてきた。[1]同様に、証拠を見ると、二一世紀初頭のカリフォルニアの文化のほうが日本の文化よりも移民に優しいことがうかがわれる。したがって、外国人に寛容で移民を歓迎するのは良いことだと考えている人は、少なくともこの点に関しては、ドイツの文化のほうがサウジアラビアの文化より優れており、カリフォルニアの文化のほうが日本の文化に優るとも考えるべきではないか？

そのうえ、二つの文化の規範が、理論上は同等の価値を持つときにさえ、移民という実際的な状況では、受け容れ国の文化のほうが優れていると判断することは、依然として正当化できるかもしれない。ある国で適切な規範や価値観は、違う状況下ではどうしてもうまくいかない。具体的な例を詳しく見てみることにする。しっかりと根づいている偏見の影響を避けるために、コールディアとウォームランドという二つの架空の国を想像しよう。両国の文化には多くの違いがあり、それには人間関係と人間関係における衝突とに対する態度も含まれる。コールディア人は、学校や職場で、さらには家庭でも誰かと衝突したら、それを抑え込むのが最善だと幼い頃から教えられる。叫んだり、激しい怒りをあらわにしたり、相手と対決したりすることは避けるべきで、怒りを爆発させれば事態を悪化させるだけ、というわけだ。自分の感情を整理し、状況が落ち着くのを待つほうがいい。その間は、相手との接触を控え、どうしても接触を免れることができないときには、手短に、だが礼儀正しくし、微妙な問題は避けるようにする。

それに対してウォームランド人は、対立を表に出すように、幼い頃から教えられる。誰かと衝突したら、問題がくすぶるままにせず、何一つ抑え込まない。機会が巡ってき次第、公然と感情を発散させる。腹を立てたり、叫んだり、自分の思いをありのままに相手に伝えたりしてかまわない。そうするのが、率直に、直接的な形でいっしょに物事を解決する唯一の方法なのだ。そのままでは何年もわだかまるような対立も、一日怒鳴り合えば解決できるし、真正面から対決するのはけっして愉快ではないものの、その後は誰もがすっきりして気分が良くなる。

これら二つの方法にはそれぞれ長所と短所があり、一方がいつももう一方よりも優るとは言い難い。とはいえ、ウォームランド人がコールディアに移民して、コールディアの会社に就職したら、どんなことが起こりかねないだろうか?

ウォームランド人は同僚との争いが起こるたびに、テーブルを叩いて思い切り怒鳴り、こうすれば注意が問題に集中し、迅速に解決する助けになることを期待する。数年後、上級職に一つ空きができる。例のウォームランド人は、その職に就くのに必要な資格をすべて備えているのに、上司はコールディア人の従業員を昇進させる。理由を問われると、その上司はこう説明する。「ええ、あのウォームランド人は才能豊かですが、人間関係に深刻な問題を抱えてもいます。気が短くて、周囲に不要な緊張を生み出し、うちの社風を乱します」。コールディアへやって来た他のウォームランド人移民たちにも同じ運命が降りかかる。彼らのほとんどが下級職にとどまる。あるいは、まったく仕事が見つからない。経営者は、ウォームランド人は短気で、雇ったら問題を起こすだろうと決めてかかるからだ。ウォームランド人は上級職に昇進することがけっしてないため、コールディアの企業風土を変えるのは難しい。

ウォームランドに移民するコールディア人にも、それとよく似たことが起こる。ウォームランドで働き始めるコールディア人は、たちまち紳士気取りとか無感情な人とかいった悪評を得て、友人もほとんど、あるいはまったくできない。人からは、不誠実だ、あるいは人間関係における基本的な技能が欠けていると思われてしまう。上級職にはまったく昇進できず、したがって、企業風土を変える機会もけっして得られない。ウォームランドの経営者たちは、ほとんどのコールディア人はよそよそしい、あるいは内気だと結論し、顧客との接触や、他の従業員との緊密な協力が必要とされる仕事には雇わないことにする。

どちらのケースも人種差別のように見えかねない。だがじつは、両国民は人種差別主義者ではない。彼らは「文化差別主義者」なのだ。人々は戦場が移ってしまったことに気づかないまま、従来の人種差別に勇敢に立ち向かい続ける。従来の人種差別は下火になってきているが、世界は今や「文化差別主義者」で満ちあふれている。

従来の人種差別は、生物学の理論にしっかりと根差していた。一八九〇年代や一九三〇年代には、イギリスやオーストラリアやアメリカのような国では、アフリカ人や中国人は何らかの遺伝性の生物学的特性のせいで、知能や進取の気性や道徳の面でヨーロッパ人よりも生まれつき劣っていると広く信じられていた。問題は血統にあった。そのような見方は、政治的に尊ばれ、科学的にも広く支持されていた。今日ではそれとは対照的だ。そのような差別的な主張をする人が相変わらず多いとはいえ、人種差別は科学的な支持をすべて失い、政治的にも真っ当だとはほとんど思われなくなった――ただし、文化の観点から言い換えた場合には話は別だが。アフリカ系の人は標準以下の遺伝子を持っているから罪を犯しがちだ、などと言うのはもう時代後れで、彼らは機能不全のサブカルチャーの出身だから罪を犯しがちなのだ、と言うのがとてもはやっている。

たとえばアメリカでは、差別的な政策を公然と支持し、しばしばアフリカ系アメリカ人やラテンアメリカ系住民やイスラム教徒を侮辱するような発言をする政党や指導者が見られるが、彼らのDNAに何か問題があるとは、まず言わない。問題は彼らの文化にあるという。たとえば、トランプ大統領がハイチやエルサルバドルやアフリカ諸国の一部を「肥溜めのような国々」と呼んだとき、彼は明らかに、これらの国々の人の遺伝子構造ではなく文化についての意見を国民に提供していたのだ。[2] トランプは別の折に、メキシコからアメリカにやって来た移民について、「メキシコが同国の人を送り込むときには、ベストの人は送り込んでこない。たっぷり問題を抱えた人々を送り込むから、彼らはそうした問題を持ってくる。彼らは麻薬も持ってくれば、犯罪も持ってくる。彼らは性的暴行者だが、まあ、なかには善良な人もいるんだろう」。これはひどく侮辱的な主張だが、生物学的ではなく社会学的に侮辱的な主張だ。トランプは、メキシコ人の血統が善良さへの障害だとは言っていない。ただ、善良なメキシコ人はリオグランデ〔訳註　テキサス州とメキシコとの境を流れる川〕の南側にとどまる傾向にあると言っているのだ。[3]

人間の体（ラテンアメリカ系住民の体、アフリカ人の体、中国人の体）が依然として議論の中心にある。肌の色は重要だ。肌にメラニン色素がたくさんある人がニューヨークの通りを歩いていれば、どちらに向かっていようと、警察は特別に疑い深い目で眺めるかもしれない。だが、トランプ大統領とオバマ前大統領のどちらに類する人も、肌の色の重要性を文化や歴史の観点から説明するだろう。警察が濃い肌の色を疑わしい目で見るのは、生物学的な理由からではなく、歴史のせいなのだ。たぶんオバマの陣営は、警察の偏見は奴隷制度のような歴史的犯罪の不幸な遺産だと説明し、一方、トランプの陣営は、アフリカ系アメリカ人の犯罪は白人の自由主義者とアフリカ系アメリカ人のコミュニティが犯した歴史的な過ちの不幸な遺産だと説明するだろう。いずれにしても、仮にあなたが、じつはアメリカの歴史について何も知らないデリーからの観光客だったとしてさえ、その歴史の結果に対処せざるをえないだろう。

生物学から文化への移り変わりは、専門用語の無意味な変更にすぎないわけではない。それは、良いものも悪いものも含め、広く影響の及ぶ実際的な結果を伴う、根本的な変化だ。まず、文化は生物学よりも順応性がある。つまり、一方では今日の文化差別主義者は従来の人種差別主義者よりも寛容かもしれない。「他の人々」が私たちの文化を採用しさえすれば、対等の人間として受け容れる、というわけだ。その一方で、同化するようにという、はるかに強い圧力を「他の人々」にかける結果や、もし同化できなければ彼らに対して、はるかに厳しい批判を浴びせるという結果にもなりうる。

肌の色の濃い人を、肌を白くしないと言って責めることはとてもできないが、人はアフリカ人やイスラム教徒を、西洋文化の規範や価値観を採用できていないと言って非難することはできるし、実際にそうしている。だからといって、そのような非難が必ずしも正当化できるというわけではない。支配的な文化を採用する根拠はほとんどない場合も多いし、採用するのがほぼ不可能な場合も多い。主導権を握っているアメリカ文化に溶け込もうと誠実に努力している、極貧のスラム出身のアフリカ系アメリカ人は、制度化された差別にまず道を阻まれ、その挙句、努力が足りなかったと後から非難され、つらい目に遭うのは自分が悪いと言われてしまう。

生物学について語ることと文化について語ることの、二つ目の主要な相違は、従来の人種差別的な凝り固まった意見とは違い、文化差別主義の主張が、ウォームランドとコールディアの例のように、ときおり道理に適っていることがあるかもしれない点だ。ウォームランド人とコールディア人は、人間関係の異なる様式を特徴とする、本当に異なる文化を持っている。多くの仕事にとって人間関係はきわめて重要なので、自分たちの文化的遺産に従って行動したコールディア人をウォームランドの会社が罰するのは非倫理的なのか？

人類学者や社会学者や歴史学者は、この問題にしきりに気を揉んでいる。一方で、これはみな、危険なまでに人種差別に近いように聞こえる。その一方で、文化差別は、人種差別よりもはるかに強固な科学的基盤を持っており、とくに人文科学と社会科学の学者は、文化的差異の存在と重要性を否定できない。

もちろん私たちは、たとえ文化差別主義者の主張の一部の正当性を受け容れたとしても、主張のすべてを受け容れる必要はない。多くの文化差別主義者の主張は、三つのありふれた欠点を抱えている。第一に、文化差別主義者はしばしば、局地的な優越性を客観的な優越性と混同する。たとえば、ウォームランドの局地的な状況下では、ウォームランドの紛争解決法はコールディアの解決方法よりも優れていることは十分ありうる。その場合、ウォームランドで営業しているウォームランドの会社には、内向的な従業員を差別するもっともな理由がある（その理由に従えば、コールディアからの移民が不釣り合いなまでに不利になってしまうが)。だからといって、ウォームランドのやり方が客観的に優れていることにはならない。ウォームランド人はコールディア人から一つや二つ、学べることがあるかもしれないし、もしそのウォームランドの会社がグローバル化し、多くの異なる国に支店を開くなどして状況が変われば、多様性は突如として長所になる。

第二に、尺度や時間や場所を明確に定義したときには、文化差別主義の主張は経験的に正しいことが十分ありうる。だが、人は非常に一般的な文化差別主義の主張を採用することがあまりに多く、そのような主張はほとんど道理に合わない。たとえば、「コールディアの文化はウォームランドの文化よりも、公然と怒りを爆発させることに不寛容である」というのは理に適った主張だが、「イスラム文化は非常に不寛容である」と主張するのは、妥当性がはるかに低い。後者の主張は、あまりに漠然とし過ぎている。「不寛容」とは何を意味するのか? 誰に対して不寛容なのか? あるいは何に対して不寛容なのか? 宗教的少数派や変わった政治的見解には不寛容でありながら、同時に、肥満した人や高齢者には非常に寛容な文化もありうる。そして、「イスラム文化」とは何を指すのか? 七世紀のアラビア半島のことか? 一六世紀のオスマン帝国のことか? 二一世紀初頭のパキスタンのことか? 最後に、何を基準にするのか? もし宗教的少数派に対する寛容性を重視し、一六世紀のオスマン帝国を一六世紀の西ヨーロッパと比べるなら、イスラム文化は極端なまでに寛容だと結論することになるだろう。だが、もしタリバン支配下のアフガニスタンと現代のデンマークを比較するなら、まったく違う結論に至るはずだ。

とはいえ、文化差別主義の主張が抱える最悪の問題は、そうした主張は統計的な性質を持っているにもかかわらず、個人に早まった判断を下すのに使われることがあまりに多い点だ。生粋のウォームランド人とコールディアからの移民がウォームランドの会社の同じ働き口に応募したときには、経営者は「コールディア人は冷淡で非社交的」だからという理由で、ウォームランド人のほうを雇うことを選ぶかもしれない。たとえその理由は統計的には正しくても、応募したコールディア人はじつはそのウォームランド人よりもはるかに心が温かく、外向的かもしれないではないか？　文化は重要ではあるが、人は遺伝子や独自の経歴によっても形作られる。個人が統計的な固定観念に反することはよくある。会社が無表情な従業員よりも愛想の良い従業員を好むのは理に適っているが、コールディア人よりもウォームランド人を好むのは筋が通らない。

そうはいっても、これはみな、文化差別主義の特定の主張に当てはまることであって、文化差別全体が信用するに足りないことにはならない。人種差別は非科学的な偏見だ。だがそれとは違い、文化差別主義の主張は、非常に妥当であることがありうる。統計を見て、ウォームランドの会社がコールディア人を上級職にはほとんど就かせていないことがわかったら、これは人種差別ではなく真っ当な判断の結果かもしれない。コールディアの移民はこの状況に憤りを感じ、ウォームランドは移民の取り決めに違反していると主張するべきなのか？　私たちはウォームランドの短気なビジネス文化を落ち着かせることを願って、「積極的差別是正措置」法を通してウォームランドの会社にもっと多くのコールディア人を管理職に雇うことを強制するべきなのか？　あるいは、ひょっとすると非は、地元の文化に同化しそこなっているコールディアの移民にあり、したがって、コールディア人の子供たちにウォームランドの規範や価値観を教え込むよう、もっと一生懸命、強引なまでの努力をするべきなのか？

架空の世界から現実の世界に戻ってみると、移民をめぐるヨーロッパ人の議論は、善と悪の間の明確な戦いには程遠いことがわかる。移民に賛成する人が、反対者全員を不道徳な人種差別主義者扱いするのは誤っているし、その一方で、移民に反対する人が、賛成派全員を道理のわからない国賊扱いするのも間違っている。移民をめぐる議論は、二つの正当な見方の間の議論であり、通常の民主的な手順を踏んで決着をつけることが可能だし、そうするべきでもある。民主主義はそのためにあるのだから。

民主主義のメカニズムがどのような結論に至ろうと、心に留めておくべき大切な点が二つある。第一に、地元の人々が不賛成なら、どんな政府も大規模な移民の受け容れを強制するのは間違いになる。移民を受け容れるのは、長期に及ぶ困難な過程であり、移民を首尾良く統合するためには、地元の人々の支援と協力が欠かせない。ただし、この原則には一つだけ例外がある。どの国も、死を免れるために隣国から逃げてくる難民には国境を開く義務がある。たとえ地元の人々がそれを望んでいなくても。

第二に、国民は移民に反対する権利を持っているとはいえ、外国人に対する義務も依然として負っていることに気づくべきだ。私たちはグローバルな世界に生きており、好むと好まざるとにかかわらず、私たちの生活は地球の裏側の人々の生活と分かち難く結びついている。彼らは私たちのために食糧を生産し、衣服を製造し、私たちの石油の価格のために行なわれる戦争で命を落とすかもしれないし、私たちの手ぬるい環境法の犠牲になっているかもしれない。私たちは、彼らがはるか彼方に暮らしているというだけで、彼らに対する倫理的責任を無視するべきではない。

ヨーロッパが、外国人に門戸を開いたままにし、しかもヨーロッパの価値観を共有しない人々によって不安定にならずに済むような中道を見つけ出せるかどうかは、今のところまったく定かではない。もしヨーロッパがそのような道をうまく見つけられれば、その処方箋は、グローバルなレベルでも真似できるかもしれない。逆に、このヨーロッパの試みが失敗に終われば、自由と寛容という自由主義の価値観を信奉するだけでは世界の文化的対立を解決できず、核戦争と生態系の崩壊と技術的破壊を前にして人類を統一できないということになる。もしギリシア人とドイツ人が運命共同体となることに同意できず、五億の裕福なヨーロッパ人が数百万の貧しい難民を受け容れられないのなら、私たちのグローバルな文明につきまとうはるかに根深い対立の数々を人間が克服する可能性が、どれだけあるだろう?

ヨーロッパと世界全体をもっとうまく統合し、国境も心も開いておくためにーつできるのは、テロに対してヒステリックにならないことだろう。ヨーロッパが行なっている自由と寛容性の実験が、テロリストに対する過度の恐れのせいで駄目になれば、それはなんとも不幸な話だ。そのときにはテロリスト自身の目標が達成されるばかりでなく、その一握りの狂信者たちに人類の将来についてあまりに大きな発言権を与えることにもなる。テロは人類のうちの些末で弱い一部の人間の武器にすぎない。それがどのようにして、グローバルな政治を支配するに至ったのだろう?

III 絶望と希望

直面している難題は前例のないものだし、
意見の相違ははなはだしいが、
人類は恐れに己を見失わず、
また、もう少し謙虚な見方ができれば、
うまく対処できるだろう。

10

テロ

パニックを起こすな

テロリストはマインドコントロールの達人だ。ほんのわずかな数の人しか殺さないが、それでも何十億もの人に恐れを抱かせ、EUやアメリカのような巨大な政治構造を揺るがしてのける。二〇〇一年九月一一日の同時多発テロ以来、毎年テロリストが殺害する人は、EUで約五〇人、アメリカで約一〇人、中国で約七人、全世界(主にイラク、アフガニスタン、パキスタン、ナイジェリア、シリア)で最大二万五〇〇〇人を数える。[1]
それに対して、毎年交通事故で亡くなる人は、ヨーロッパで約八万人、アメリカで約四万人、中国で二七万人、全世界で一二五万人にのぼる。[2] 糖尿病と高血糖値のせいで毎年最大三五〇万人が亡くなり、大気汚染でおよそ七〇〇万人が死亡する。[3] それならばなぜ私たちは、砂糖よりもテロを恐れ、政府は慢性的な大気汚染ではなく散発的なテロ攻撃のせいで選挙に負けるのか？

テロは「恐怖」というこの言葉の文字どおりの意味が表しているように、物的損害を引き起こすのではなく恐れを広めることで政治情勢が変わるのを期待する軍事戦略だ。この戦略はほとんどの場合、敵にたいした物的損害を与えられない非常に弱い集団が採用する。もちろん、どんな軍事行動も恐れを広める。だが、通常の戦争では、恐れは物的損害の副産物にすぎず、害を及ぼす勢力の大きさにたいてい比例している。ところがテロでは、恐れが主役で、テロリストの実際の力と、彼らがまんまと引き起こす恐れとは、驚くほど不釣り合いだ。

暴力によって政治情勢を変えるのは、いつも簡単とはかぎらない。ソンムの戦いの初日の一九一六年七月一日には、イギリス人兵士一万九〇〇〇人が死亡し、四万人が負傷した。一一月に戦いが終わったときには、両軍合わせて一〇〇万人以上の死傷者が出ていた（そのうち、三〇万人が戦死）。[4] それにもかかわらず、この身の毛もよだつ大虐殺によってヨーロッパの政治的な力の均衡は、ほとんど変化しなかった。ようやく状況が変わったのは、さらに二年の年月が流れ、新たに何百万もの死傷者が出てからのことだった。

ソンムの戦いに比べれば、テロなど霞んでしまう。二〇一五年一一月のパリでのテロ攻撃では一三〇人が亡くなり、二〇一六年三月のブリュッセルでの爆発事件では三二人が犠牲になり、二〇一七年五月のマンチェスター・アリーナでの爆発事件では二二人が命を落とした。二〇〇二年、イスラエルに対するパレスティナ人のテロ活動の最盛期には、毎日のようにバスやレストランが爆弾攻撃を受け、イスラエル人の死者は一年間に四五二人を数えた。[5] 同じ年に、五四二人のイスラエル人が交通事故で亡くなっている。[6] 一九八八年のロッカビー上空でのパンアメリカン航空一〇三便爆破事件のように、数百人の犠牲者が出たテロ攻撃もいくつかある。[7] 九・一一同時多発テロは、三〇〇〇人近くの命を奪い、記録を塗り替えた。[8] とはいえ、これさえ通常の戦争の代価の前には影が薄くなる。一九四五年以降、ヨーロッパでテロ攻撃によって死傷した人をすべて合わせても（ナショナリズム、宗教、左翼、右翼の団体の犠牲者全員を含む）、その合計は、第三次エーヌ会戦（死傷者二五万人）や第一〇次イゾンツォ会戦（同二二万五〇〇〇人）[9] のような、第一次世界大戦のあまり知られていない無数の戦いの死傷者の数に、依然として遠く及ばない。

それならばどうしてテロリストは、多くを達成することを望みうるのか？　テロ行為が行なわれた後も、敵国の兵士や戦車や艦船の数に変わりはない。敵国の通信網も道路も鉄道も、おおむね無傷だ。工場や港や基地もほとんど何の影響も受けていない。ところがテロリストは、敵国の物的な力はほとんど損なえないにもかかわらず、恐れと混乱のせいで敵国が自分の無傷の力を濫用し、過剰に反応することを期待する。テロリストたちは、激怒した敵国が彼らに対して巨大な力を行使すれば、彼ら自身ではとても生み出せないような、もっとずっと激しい軍事的・政治的騒乱を引き起こしてもらえると踏んでいる。どの騒乱の間にも、不測の事態がいくつも起こる。手違いが生じ、失態が演じられ、世論が揺れ動き、中立国が立場を変え、力の均衡が移ろう。

テロリストは食器店を破壊しようとしているハエのようなものだ。ハエはあまりに微力なので、ティーカップ一つさえ動かせない。それではハエはどうやって食器店を破壊するのか？　牛を見つけて耳の中に飛び込み、ブンブン羽音を立て始める。牛は恐れと怒りで半狂乱になり、食器店を台無しにする。これこそ九・一一同時多発テロの後に起こったことだ。イスラム原理主義者たちはアメリカという牛を激怒させ、中東の食器店を破壊してもらった。今や彼らはその残骸の中で隆盛を極めている。そして、世界には短気な牛がいくらでもいる。

カードをシャッフルし直す

テロは軍事戦略としてはひどく魅力に乏しい。なぜなら、重要な決定をすべて敵の手に委ねることになるからだ。テロ攻撃の前に敵が持っていた選択肢はすべて、攻撃後にも敵の手中にあるので、敵は完全に自由に選ぶことができる。軍隊は通常、どんな代償を払ってもそのような状況は避けようとする。軍隊は攻撃するとき、敵を怒らせて反撃に駆り立てるような、ぞっとする光景を現出させようとは思わない。むしろ、敵に重大な物的損害を与え、報復能力を減じようとする。具体的には、敵の最も危険な兵器と選択肢を排除しようとする。

たとえば、一九四一年一二月に日本がしたことが、まさにそれだ。日本はアメリカに奇襲をかけ、真珠湾のアメリカ太平洋艦隊の艦船を撃沈した。これはテロではない。日本はアメリカがこの攻撃にどう報復するか、確信がなかった。ただし、アメリカが何をすることに決めようと、一九四二年にはフィリピンにも香港にも艦隊を派遣できないことだけは、わかっていた。

敵の兵器や選択肢をまったく排除せずに、敵を行動に駆り立てるのは自暴自棄の行為で、人は他に選択肢がないときにだけそれに及ぶ。深刻な物的損害を与えるのが可能なときにはいつも、その選択肢を捨ててまでただのテロ行為に走る者はいない。一九四一年一二月に日本が真珠湾の太平洋艦隊には手を出さず、アメリカを怒らせるために民間の客船を魚雷攻撃したとすれば、それは狂気の沙汰でしかなかっただろう。

だが、テロリストにはほとんど選択肢がない。彼らはあまりに弱いので戦争を起こせない。だからそうする代わりに、劇的な光景を現出させ、敵を刺激して過剰に反応させることを願う。テロリストは私たちの想像力を捉え、それを私たちに不利に働かせるような、恐ろしい暴力の光景を現出させる。テロリストはわずかな数の人を殺害することで、無数の人に命の危険を感じさせる。そのような恐れを静めるために、政府はテロの惨劇に安全の誇示で応じ、特定地域の全住民を迫害したり、外国に侵入したりして、大きな効果を狙って力を大々的に見せつける。ほとんどの場合、テロに対するこの過剰な反応の結果は、私たちの安全にとって、テロリスト自身よりもはるかに大きな脅威となる。

このように、テロリストは軍の将軍とは考え方が違う。彼らはむしろ、演劇のプロデューサーのように考える。誰もがこれを直感的に理解していることは、九・一一同時多発テロを世間がどう記憶しているかを思えば、裏づけられる。あの九月一一日に何があったかと尋ねれば、おそらく人々はアルカイダが世界貿易センターのツインタワーを倒壊させたと答えるだろう。とはいえ、あのテロ攻撃には、この二つのタワー以外にも二つの標的があり、その一つだった国防総省本庁舎（ペンタゴン）への攻撃は成功している。それを覚えている人がほとんどいないのは、いったいどうしたことか？

もし九・一一同時多発テロが通常の軍事作戦だったなら、ペンタゴンへの攻撃が最も注目されていたはずだ。この攻撃で、アルカイダは敵の中央司令部の一部を破壊し、複数の上級指揮官と上級分析官を死傷させてのけた。それなのに、なぜ世間の人々の記憶には、二棟の民間の建物の破壊と、株式仲買人や会計士や事務員の殺害のほうが、はるかに根強く残っているのか？

それは、ペンタゴンがどちらかというと平たく、地味な建物なのに対して、世界貿易センターのツインタワーは高くそびえるトーテムのようで、その崩壊は、視覚的にも聴覚的にも途方もない効果をあげたからだ。崩壊の画像を目にした人は、けっしてそれを忘れることができない。私たちはテロが一種の見世物であることを直感的に理解しているので、テロをその物的衝撃ではなく情動的衝撃の度合いで判断する。

テロリストと同じで、テロと戦っている人々も、軍隊の将軍よりもむしろ演劇のプロデューサーのように考えるべきだ。とりわけ、テロと効果的に戦いたいのなら、テロリストが何をしようと私たちを打ち負かせないことに気づかなければならない。私たちを打ち負かせるのは私たちだけであり、それはテロリストの挑発に間違った形で過剰に反応した場合に限られる。

テロリストは達成不可能な任務を請け負っている。すなわち、軍隊を持たないにもかかわらず、暴力を使って政治的な力の均衡を変えるという任務だ。その目的を達するために、テロリストは相手国にも達成不可能な課題を突きつける。すなわち、いつでもどこでも、政治的な暴力から国民全員を守れることを立証するという課題だ。テロリストは、相手国がこの不可能な任務を果たそうとしたとき、政治というトランプのカードをシャッフルし直し、思いがけずエースを配ってくれることを期待している。

たしかに国家がテロリストの挑戦を受けて立てば、たいてい彼らを叩き潰すことに成功する。過去数十年間に、さまざまな国によって何百というテロ組織が壊滅の憂き目に遭った。イスラエルは二〇〇二年から二〇〇四年にかけて、この上なく激しいテロ活動さえ力ずくで鎮圧できることを証明した。(10) テロリストは、そんなふうに対決したら勝ち目がないことは百も承知している。だが彼らはとても弱く、他に軍事的な選択肢がないので、失うものはほとんどなく、成功すれば得るものが大きい。ときおり、対テロ活動が引き起こした政治的動揺がテロリストに利することがある。だから、この賭けは理に適っているのだ。テロリストとは、ひどい手札を配られたギャンブラーのようなもので、そのようなギャンブラーは勝負の相手を説得してカードをシャッフルし直させようとする。自分はこれ以上悪い手札を配られようがなく、うまくすれば大勝ちできるかもしれないからだ。

空(から)の大きな壺の中の小さな硬貨

国家はなぜカードをシャッフルし直すことに同意したりするのか？ テロによって生じた物的損害は微々たるものなので、それについて何もしないことも、カメラやマイクから遠く離れた所で強硬ではあるが目立たない手段を取ることも、理論上は可能だ。実際、まさにそうすることが多い。だが、ときおり癇癪(かんしゃく)を起こして、あまりに荒々しく公然と反応し、テロリストの思う壺にはまる。国家はテロリストの挑発に対して、なぜそこまで敏感なのか？

国家がこうした挑発に乗らないでいるのが難しいのは、現代国家の正当性が、公共の領域には政治的暴力を寄せつけないという約束に基づいているからだ。政権は恐ろしい大惨事が起こっても持ちこたえられるし、それを無視することさえできる。ただし、政権の正当性がそうした大惨事を防ぐことにかかっていなければ、だが。一方、政権は些細な問題のせいで崩壊することもありうる――その問題で政権の正当性が損なわれたと見なされた場合には。一四世紀にはいわゆる黒死病でヨーロッパ各国は人口の四分の一から半分を失ったにもかかわらず、その結果、王座を追われた王は一人もいないし、この疫病を克服しようと少しでも努力する王も一人としていなかった。なぜなら当時は、疫病を防ぐことが王の職務に含まれると考えている人は誰もいなかったからだ。一方、自分の領土で宗教的な異端説が広まるのを許す支配者は、王冠ばかりか首さえ失う危険があった。

今日、政府は家庭内暴力や性的暴力に対してはテロに対してほど厳しくないアプローチを取るかもしれない。「#MeToo 運動」のような運動が大きな影響を与えているとはいえ、性的暴行は政府の正当性を損なわないからだ。たとえばフランスでは、毎年当局に一万件以上の性的暴行事件が報告されており、報告されていない事件がおそらくさらに何万件もあるだろう。[11] ところが、性的暴行者や虐待をする夫は、フランスという国家の存続にかかわる脅威とは見なされていない。歴史的に見て、フランスは性的暴力を根絶するという約束の上に自らを築き上げはしなかったからだ。それに対して、テロはずっと稀なのに、フランス共和国にとって致命的な脅威と見なされている。なぜなら西洋の近代国家は、過去数世紀をかけて、国内の政治的暴力はいっさい許さないという明確な約束の上に自らの正当性を徐々に確立したからだ。

中世には公共の領域は政治的暴力に満ちていた。実際、暴力を使う能力が、政治というゲームへの入場券で、この能力を欠く人は誰であれ、政治的発言権を持たなかった。無数の貴族が軍隊を抱えており、それは町やギルド、教会、修道院にしても同じだった。大修道院長が亡くなり、跡目争いが起こると、修道士や地元の有力者や近隣の関係者から成る敵対派閥が、しばしば武力を用いて決着をつけた。

そのような世界にはテロが割り込む余地はなかった。重大な物的損害を引き起こせるほどの力を持っていない人は、物の数に入らなかった。一一五〇年にイスラム教の狂信者数人がエルサレムでわずかな数の民間人を殺害し、十字軍に聖地を去るよう要求したら、恐怖を引き起こすことはなく、嘲られるだけだっただろう。真剣に受け止めてもらいたかったら、せめて要塞化された城を一つ二つ手中に収める必要があった。中世の人々はテロなど気にかけなかった。もっとずっと大きな問題をいくつも抱えていたからだ。

近代に入ると、中央集権国家が領内の政治的暴力を徐々に減らし、過去数十年間には、西洋諸国はそうした暴力をほぼ根絶できた。フランスやイギリスやアメリカの国民は、武力をまったく必要とせずに、町や企業、組織、さらには政府そのものの支配権を求めて争うことができる。何兆ドルというお金や何百万もの兵士、何千もの艦船や航空機や核ミサイルが、一発の銃弾も発射されることなく、一つの政治家の集団から別の政治家の集団へと引き継がれる。人々はあっと言う間にそれに慣れ、それが自分の自然権だと考えている。その結果、数十人の人が亡くなる散発的な政治的暴力行為までもが、国家の正当性にとっての脅威であり、さらには国家の存続にとっての脅威でさえあると見なされる。空の壺の中の小さな硬貨は、やかましい音を立てるものだ。

だからこそ、テロという見世物がこれほど成功する。国家は政治的暴力が不在の巨大な空間を生み出した。今やそれが共鳴板の働きをし、どれほど小さいものであれ、どんな武力攻撃の衝撃も増幅する。政治的暴力が少ない国ほど、一般大衆はテロ行為に大きな衝撃を受ける。ベルギーで数人を殺害するほうが、ナイジェリアやイラクで何百人も殺害するよりも、はるかに大きな注意を惹く。だとすれば、皮肉にも現代国家は、政治的暴力を防ぐのに成功したがゆえに、テロに対して特別脆弱になっているのだ。

国家は領内で政治的暴力は許容しないことを何度となく強調してきた。国民の側も、政治的暴力がない状態に、すっかり慣れた。したがって、テロという見世物は無政府状態に対する本能的な恐れを掻き立て、人々は社会秩序が崩壊しかけているかのように感じる。私たちは何世紀にもわたって流血の闘争を繰り広げた後、暴力のブラックホールから這い出したが、そのブラックホールが依然として存在しており、私たちを再び呑み込もうと、辛抱強く待っていることに気づいている。だから、身の毛もよだつ残虐行為がいくつかなされただけで、またブラックホールに転がり落ちていくように想像してしまうのだ。

そのような恐れを和らげるために、国家はテロという見世物に、安全という自らの見世物で応じるように駆り立てられる。テロへの最も効率的な対応は、しっかり情報活動を行ない、テロリストに資金を提供する金融ネットワークに対して秘密裏に行動を取ることだ。だがそれでは、国民がテレビで観ることができない。国民は世界貿易センターが崩れ落ちるテロのドラマを目にした。だから国家は、それに劣らぬほど見ごたえがあって、なおさら多くの炎と煙が上がる反撃のドラマを上演せざるをえないと感じる。そこで、ひっそりと効率的に行動する代わりに猛攻撃をかけ、それがしばしば、テロリストの最も大切な夢をかなえることになる。

それでは国家はテロにはどう対処するべきなのか？　成功を収めるためには、テロとの戦いは三つの方面で行なわなくてはならない。第一に、政府はテロのネットワークに対する秘密活動に重点を置くべきだ。第二に、マスメディアは釣り合いの取れた見方をし、ヒステリーを避けるべきだ。テロという見世物は、世間に知れ渡らなければ成功しえない。あいにくマスメディアは、無料でテロの宣伝を行なうことがあまりに多過ぎる。物に憑かれたようにテロ攻撃を報じ続け、その危険をやたらに膨らませてしまう。なぜなら、テロについて記事を書けば、糖尿病や大気汚染についての記事を載せるよりも、新聞が売れるからだ。

第三の方面は、私たち一人ひとりの想像力だ。テロリストは私たちの想像力を捉え、私たちに不利になるように利用する。私たちは心の中の舞台で何度となくテロ攻撃を上演し、九・一一同時多発テロや最近の自爆テロを思い出す。テロリストは一〇〇人を殺害しただけで、どの木陰にも殺人者が潜んでいるかのように一億人に想像させる。一人ひとりの国民には、自分の想像力をテロリストから解放し、テロの脅威が本当はどれほどのものかを自らに言い聞かせる責任がある。マスメディアがテロにこだわったり、政府が過剰に反応したりするのを促しているのは、私たち自身の内にある恐怖心なのだ。

このように、テロの成否は私たちにかかっている。もし私たちが自分の想像力をテロリストが捉えるのを許し、それから自分自身の恐怖心に過剰に反応すれば、テロは成功する。もし自分の想像力をテロリストから解放し、釣り合いの取れた、冷静な形で反応すれば、テロは失敗に終わる。

テロが核武装する

これまでの分析は、過去二世紀にわたって私たちにお馴染みだったテロや、ニューヨーク、ロンドン、パリ、テルアヴィヴの通りで現在見られるテロには当てはまる。ところが、テロリストが大量破壊兵器を手に入れたら、テロの性質だけではなく国家やグローバルな政治の性質も劇的に変化するだろう。もし、一握りの狂信者を代表する、ごく小さな組織が、都市をまるごと破壊し、何百万もの人を殺すことができたら、政治的暴力を免れる公共の領域はもはやなくなる。

したがって、今日のテロがおおむね見世物であるのに対して、将来の核テロやサイバーテロやバイオテロは、はるかに深刻な脅威を与え、政府はずっと思い切った対応を迫られるだろう。まさにそうであるがゆえに、私たちはそのような仮定的な将来の筋書きと、これまで目にしてきた実際のテロ攻撃とを、細心の注意を払って区別するべきだ。いつの日かテロリストが核爆弾を手に入れてニューヨークかロンドンを壊滅させるかもしれないという恐れがあっても、自動小銃や暴走トラックで一〇人余りの通行人を殺すテロリストにヒステリカルに過剰反応することは正当化できない。国家は、いつか核兵器を入手しようとするかもしれないとか、私たちの自動運転車をハッキングして殺人ロボット部隊に仕立てかねないとかいった理由で、反体制派のあらゆる集団を迫害し始めたりしないように、なおさら用心するべきだ。

同様に、政府は過激派集団を監視して、彼らが大量破壊兵器の支配権を得るのを防ぐ措置を講じなくてはいけないことは間違いないにせよ、核テロの恐れと、脅威を感じるような他の筋書きとの釣り合いを取る必要がある。過去二〇年間にアメリカは対テロ戦争に何兆ドルもの資金と多大な政治的資本を浪費した。ジョージ・W・ブッシュやトニー・ブレアやバラク・オバマとその政権は、テロリストたちを追い詰めることで、彼らが核爆弾を手に入れることよりも生き延びることで頭がいっぱいになるようにしたと主張することができ、それにも一理ある。彼らはそれによって、核兵器を使った大規模なテロ攻撃から世界を救ったかもしれない。これは、もし対テロ戦争を始めていなかったら、アルカイダは核兵器を手に入れていただろうという、実際には起こらなかったことを仮定しているので、真実かどうかの判断は難しい。

とはいえ、対テロ戦争の遂行によって、アメリカとその同盟国は、世界中に途方もない破壊の爪痕を残しただけではなく、経済学者が「機会費用」と呼ぶものも払う羽目になった。テロとの戦いに費やされたお金と時間と政治的資本は、地球温暖化やエイズや貧困との戦いにも、サハラ砂漠以南のアフリカに平和と繁栄をもたらすことにも、ロシアや中国とより良好な絆を結ぶためにも投じられなかった。もしニューヨークやロンドンが、上昇する大西洋の海面下に沈んだら、あるいは、もしロシアとの緊張が戦闘状態に発展したら、見当違いの方面に的を絞ったとして、人々はブッシュやブレアやオバマを非難することだろう。

物事が進んでいくなかで優先順位を決めるのは難しく、後から振り返ってどういう優先順位にしておくべきだったか言うのは易しい。私たちは起こってしまった大惨事を防げなかったと、指導者を批判する一方で、起こらなかった災難については何も知らずにのほほんとしている。たとえば人々は一九九〇年代のクリントン政権を振り返り、アルカイダの脅威を見過ごしていたと非難する。だが、一九九〇年代にイスラム教徒のテロリストが旅客機をニューヨークの高層ビルに突っ込ませてグローバルな争いを引き起こすことを想像していた人などほとんどいない。それに対して多くの人は、ロシアが完全に崩壊し、広大な領土だけではなく何千もの核爆弾や生物兵器まで管理できなくなることを恐れていた。他にも懸念はあった。たとえば、旧ユーゴスラヴィアの血なまぐさい戦争が東ヨーロッパの他の地域にも拡がり、ハンガリーとルーマニアや、ブルガリアとトルコ、あるいはポーランドとウクライナの間の争いを招きかねないという懸念だ。

多くの人は、ドイツ再統一についてなおさら大きな不安を感じていた。第三帝国の崩壊からわずか四五年しかたっていないので、ドイツの力に依然として本能的な恐れを抱いている人は大勢いた。せっかくソ連の脅威から解放されたのに、ドイツが超大国となってヨーロッパ大陸を支配するのではないか？　そして、中国は？　ソヴィエトブロックの崩壊に恐れをなし、中国は改革路線を捨て、強硬な毛沢東主義の政策に戻り、北朝鮮の拡大バージョンになってしまいかねない。

今日、私たちはこうした恐ろしい筋書きを嘲笑うことができる。その筋書きどおりにはならなかったことを知っているからだ。ロシアの状況は落ち着き、東ヨーロッパの大半は平和的にEUに吸収され、再統一が成ったドイツは今では自由世界のリーダーと呼ばれており、中国は全世界の経済の原動力となった。これらすべてが達成されたのは、少なくとも部分的には、アメリカとEUの建設的な政策のおかげだ。一九九〇年代にアメリカとEUは旧ソヴィエトブロックや中国の状況よりもイスラム過激派に注目していたほうが賢明だったのだろうか?

私たちはあらゆる不測の事態に備えることはけっしてできない。したがって、たしかに核テロは防がなくてはならないものの、それは人類の課題リストの最優先事項ではありえない。そして私たちは、核テロという理論上の脅威を、ありふれたテロに対する過剰な反応を正当化するためには、断じて使うべきではない。その種のテロは、異なる解決策を必要とする、異なる問題なのだ。

もし私たちの努力も空しく、テロ集団がやがて大量破壊兵器を手に入れたら、政治闘争がどのように行なわれるかは予想し難いが、二一世紀初頭のテロ活動や反テロ作戦とはまったく違うものになるだろう。もし二〇五〇年に世界が核テロリストやバイオテロリストで満ちあふれていたら、その犠牲者たちは、信じられない思いを抱きながら、二〇一八年の世界を恋しそうに振り返るだろう。あれほど安全な暮らしをしていた人が、いったいどうしてあれほど脅威を感じていたのか、と。

もちろん、現在の私たちの危機感を募らせているのはテロだけではない。多くの専門家も素人も、第三次世界大戦が目前まで迫っているのではないかと恐れている——現在と同じような状況をまるで一世紀前に、すでに目にしていたかのように。一九一四年と同じで、二〇一八年にも大国間で高まる緊張に厄介でグローバルな問題が重なり、私たちをグローバルな戦争へと引きずっていくように見える。この不安は、テロに対して私たちが抱いている過剰な恐れよりも理に適っているのだろうか？

11

戦争

人間の愚かさをけっして過小評価してはならない

過去数十年間は、人間の歴史上最も平和な時代だった。暴力行為は、初期の農耕社会では人間の死因の最大一五パーセント、二〇世紀には五パーセントを占めていたのに対して、今日では一パーセントにすぎない。[1]とはいえ、二〇〇八年のグローバルな金融危機以降、国際情勢は急速に悪化しており、戦争挑発が再び流行し、軍事支出が急増している。[2]一九一四年にオーストリア皇太子の暗殺がきっかけで第一次世界大戦が勃発したのとちょうど同じように、二〇一八年にはシリアの砂漠で何か事件が起こったり、朝鮮半島で誰かが無分別な行動を取ったりしてグローバルな争いが引き起こされはしないかと、素人も専門家も恐れている。

世界の緊張の高まりと、ワシントンや平壌(ピョンヤン)、その他数か所の指導者の性格を考えると、心配の種は間違いなくある。とはいえ、二〇一八年と一九一四年の間には、重要な違いがいくつかある。具体的には、一九一四年には世界中のエリート層は戦争に大きな魅力を感じていた。なぜなら、戦争で勝利を収めれば経済が繁栄し、政治権力を伸ばせることを示す具体例に事欠かなかったからだ。それに対して二〇一八年には、戦争による成功は絶滅危惧種のように珍しいものに見える。

アッシリアや秦の時代から、大帝国はたいてい力ずくの征服によって築かれた。一九一四年にも、主要国はみな、戦争での勝利によってその地位を得ていた。たとえば大日本帝国は中国とロシアに対する勝利でアジアの大国になり、ドイツはオーストリア＝ハンガリーとフランスに勝ってヨーロッパの最強国の座に就き、イギリスは各地で次々に小さな戦争を見事に勝ち抜いて世界で最も大きく裕福な帝国を築いた。たとえば一八八二年、イギリスはエジプトに侵攻し、わずか五七人の兵を失っただけでテル・エル＝ケビールの決戦に勝利し、エジプトを占領した(3)。今ではイスラム教国を占領するというのは西洋人にとっては悪夢の材料だが、テル・エル＝ケビールの戦いの後、イギリスはほとんど武力での抵抗に遭わず、七〇年以上にわたってナイル川流域とスエズ運河という要衝を支配し続けた。他のヨーロッパの大国もイギリスを手本とし、パリやローマやブリュッセルの政府がヴェトナムやリビアやコンゴへの出兵をもくろむときにはいつも、恐れていたのはよその国に出し抜かれることだけだった。

アメリカでさえ、ビジネスばかりではなく軍事行動のおかげもあって、大国としての地位を確立した。同国は一八四六年にメキシコを侵略し、カリフォルニア、ネヴァダ、ユタ、アリゾナ、ニューメキシコに加えて、コロラドとカンザスとワイオミングとオクラホマの一部も占領した。その後に結んだ平和条約で、すでに行なっていたテキサスの併合も承認された。この戦争でアメリカ兵約一万三〇〇〇人が亡くなったが、国土は二三〇万平方キロメートル増えた（これは、フランス、イギリス、ドイツ、スペイン、イタリアを合わせたよりも広い）[4]。二〇〇〇年紀（西暦一〇〇一〜二〇〇〇年）でこれ以上ないほど有利な取引だった。

したがって一九一四年、ワシントンやロンドンやベルリンのエリートたちは、戦争に勝利を収めるとはどういうことか、そしてそこからどれほど多くを手に入れられるかを知り尽くしていた。それに対して二〇一八年には、世界のエリートは、これほど旨みのある戦争はもうなくなったのではないかと考えている。もっともなことだ。第三世界の独裁者や非国家主体の一部は、依然として戦争でうまく栄えているものの、主要国にはそれはもう無理のようだ。

現在生きている人々の記憶にあるうちで最大の勝利である、ソ連に対するアメリカの勝利は、大きな軍事衝突が一度もないまま達成された。それからアメリカは第一次湾岸戦争で束の間、昔ながらの軍事的勝利の栄誉に浴したが、それに味を占めてイラクとアフガニスタンでの軍事作戦に何兆ドルも浪費した挙句、屈辱的な大失敗を経験する羽目になった。二一世紀初頭の新興大国である中国は、一九七九年にヴェトナム侵攻が不首尾に終わって以来、武力紛争はひたすら避けてきた。したがってその台頭は、もっぱら経済的要因のおかげだ。この点では中国は一九一四年以前の日本やドイツやイタリアの帝国ではなく、一九四五年以後の日本とドイツとイタリアの経済の奇跡を見習ったわけだ。こうしたケースのどれでも、経済の繁栄と地政学的な影響力は、一発の銃弾も発射することなく獲得された。

世界の格闘場とも言える中東においてさえ、地域大国はみな、戦争を起こして勝つ方法を知らない。イランは長く血なまぐさいイラン・イラク戦争からまったく得るものがなかった。だから、その後直接の軍事衝突はすべて避けてきた。イランはイラクからイエメンまで、各地の地元の運動に資金や武器を提供し、革命防衛隊を送り込んでシリアとレバノンの味方を助けてきたが、これまでのところ慎重な態度を保って、どの国も侵略していない。イランは最近、地域の覇権国になったが、それは戦場での見事な勝利によってではなく、戦わないことによってだった。二つの主要な敵国であるアメリカとイラクが戦争を始めた挙句、両国とも中東の泥沼に足を踏み入れるのはもう懲り懲り(こご)りという気になったため、イランは旨い汁を吸うことができたのだ。

ほとんど同じことがイスラエルにも言える。イスラエルが最後に戦争で勝利したのは一九六七年だった。それ以降、多くの戦争をしたが、そのおかげではなく、そうした戦争があったにもかかわらず繁栄した。占領した地域の大半は、イスラエルに多大な経済的重荷と政治的責任を負わせた。イランとよく似て、イスラエルは最近、戦争を起こして勝利することではなく、軍事的な冒険を避けることで、地政学的な地位を改善してきた。仇敵であるイラクやシリアやリビアが戦争によって荒廃するなか、イスラエルは距離を保ち続けた。（二〇一八年三月現在まで）シリアの内戦に巻き込まれなかったのは、ネタニヤフ首相の最大の政治的業績だろう。イスラエル国防軍は、やろうと思えば一週間以内にシリアの首都ダマスカスを陥落させられただろうが、そこからイスラエルが得るものなど何があっただろうか？　イスラエル国防軍がガザを征服してハマス政権を倒すことはなお易しいだろうが、イスラエルは繰り返しそれを思いとどまってきた。イスラエルは、あれほどの軍事力を持ち、政治家は好戦的な発言をしているが、戦争から得るものなどほとんどないことを承知している。イスラエルも、アメリカや中国、ドイツ、日本、イランと同じで、二一世紀には、中立の立場を守り、他の人々に代わりに戦ってもらうのが最善の策であることを理解しているようだ。

クレムリンからの眺め

二一世紀に主要国が行なった侵略で、これまで唯一成功したのは、ロシアによるクリミア征服だ。二〇一四年二月、ロシア軍は国境を接するウクライナに侵入してクリミア半島を占領し、その後、同半島を併合した。ロシアはほとんど戦火を交えることなく、戦略的に重要な領土を獲得し、近隣諸国を震え上がらせ、世界の大国としての地位に返り咲いた。とはいえ、この征服が成功したのは、並外れた巡り合わせに恵まれたからだ。ウクライナの軍隊も地元民もたいした抵抗を見せなかったし、他の大国もこの危機に直接介入することを控えた。こうした状況を世界の他の場所で再現するのは難しいだろう。もし、侵略者に抵抗する気のある敵がいないというのが、戦争で勝つための前提条件だとしたら、それが満たされる機会ははなはだ限られる。

実際、ロシアがクリミアでの成功をウクライナの他の地方で再現しようとしたときには、はるかに頑強な抵抗に遭い、ウクライナ東部での戦争は不毛な行き詰まり状態に陥った。そればかりか、この戦争でウクライナの反ロシア感情に火がつき、ウクライナは盟友から不倶戴天の敵に変わってしまったから、(ロシア政府の視点からは) なお悪かった。第一次湾岸戦争での成功で図に乗ったアメリカがイラクで無謀な戦いを始めたのとちょうど同じで、クリミアでの成功で図に乗ったロシアも、ウクライナで無謀な戦いに手を染めてしまったのだ。

二一世紀初頭のカフカスとウクライナにおけるロシアの戦争を総合して考えれば、けっして大成功とは言えない。それらの戦争で大国としてのロシアの威信はたしかに高まったものの、同国に対する不信と敵意を募らせてしまったし、経済的にも損失を招いている。ウクライナでクリミアの観光地やルガンスクとドネツクにある旧ソ連時代の老朽化した工場を手に入れたところで、戦争にかかる費用はとうてい補塡できないし、資本の逃避や国際制裁の代価はまったく埋め合わせることができない。平和な中国が過去二〇年間に見せた途方もない経済発展と、同じ期間に「戦勝国」ロシアが陥った景気停滞とを比較しさえすれば、ロシアの政策の限界に否応なく気づかされる[5]。

政府は空威張りしているが、ロシアのエリート層自体は、おそらく自国の軍事的冒険の費用と便益を十分認識しているだろう。だからこそ、そうした冒険をエスカレートさせないよう、これまで細心の注意を払ってきたのだ。ロシアは学校のいじめっ子の原理を守ってきた。すなわち、「いちばん弱い子供をいじめろ。だが、やり過ぎるな。先生が割って入ってこないように」というわけだ。もしプーチンがスターリンやピョートル大帝やチンギス・ハーンのような意気込みで戦争を行なっていたら、ロシアの戦車はとうの昔に、ワルシャワやベルリンとまでは言わないまでも、トビリシやキエフには突進していただろう。だが、プーチンはチンギス・ハーンでもスターリンでもない。彼は二一世紀には軍事力があまり役に立たないことや、戦争を仕掛けて勝つには、限定戦争を行なうにとどめておかなくてはならないことを、誰よりもよく知っているように見える。ロシアが情け容赦ない空爆を行なってきたシリアにおいてさえ、プーチンは用心を怠らず、ロシアが最小限の足跡しか残さないようにし、本格的な戦闘はすべて他の国の人々に任せ、戦争が隣国にまで拡がるのを防いでいる。

実際、ロシアの視点に立つと、近年ロシアが取ってきた攻撃的な行動とされるものはみな、新しいグローバルな戦争の端緒を開くものではなく、手薄になった防備を補強する試みだった。ロシアは一九八〇年代末から九〇年代初期にかけて、平和的に軍を引き揚げた後、打ち負かされた敵のように扱われた事実を指摘することができる。それはもっともな話だ。アメリカと北大西洋条約機構（ＮＡＴＯ）はロシアの弱みにつけ込み、約束に反して、ＮＡＴＯを東ヨーロッパへ、さらには旧ソ連の共和国の一部にまで拡張した。そのうえ西側諸国は、中東におけるロシアの権益を無視し、怪しげな口実でセルビアとイラクに侵攻し、総じて、ロシアは西側諸国の侵略から自国の勢力圏を守るには、自らの軍事力に頼るしかないことを、はっきりと思い知らされた。この視点からは、最近のロシアの軍事的な動きは、ウラジーミル・プーチンだけでなく、ビル・クリントンやジョージ・Ｗ・ブッシュのせいでもあると言える。

もちろん、ジョージアやウクライナやシリアでのロシアの軍事行動は、はるかに大胆な帝国主義的大攻勢の第一弾となる可能性はある。たとえプーチンがこれまで世界征服を真剣に考えてはいなかったとしても、成功に味をしめて野心をたぎらせるかもしれない。とはいえ、プーチンのロシアはスターリンのソ連よりもはるかに弱く、中国のような他の国が加わらなければ、新しい冷戦には持ちこたえられないし、まして、本格的な世界大戦など、戦えるはずがないことは、忘れないほうがいい。ロシアの人口は一億五〇〇〇万人で、GDPは四兆ドルだ。人口とGDPの両方で、アメリカ（三億二五〇〇万人、一九兆ドル）やEU（五億人、二一兆ドル）に遠く及ばない[6]。アメリカとEUを合わせると、人口は五倍以上、GDPは一〇倍となる。

最近のテクノロジーの発展により、この隔たりは見かけよりもさらに拡がっている。ソ連が全盛を迎えたのは二〇世紀中期で、それは重工業がグローバル経済の推進力だった頃であり、ソ連の中央集権システムは、トラクターやトラック、戦車、大陸間ミサイルの大量生産で秀でていた。今日、情報テクノロジー（IT）とバイオテクノロジーのほうが重工業よりも重要だが、そのどちらの分野でもロシアは秀でてはいない。サイバー戦争に関しては優れた戦闘能力を持っているものの、民間のIT部門はなく、経済は天然資源、とくに石油と天然ガスに極度に依存している。これは少数の寡頭制支配者を富ませ、プーチンを権力の座にとどまらせておくには十分かもしれないが、これだけではデジタル軍拡競争やバイオテクノロジー軍拡競争には勝てない。

こちらのほうがさらに重要なのだが、プーチンのロシアは普遍的なイデオロギーを欠いている。ソ連は冷戦の間、全世界に及ぶ赤軍の力に劣らぬほど、全世界に及ぶ共産主義の魅力を頼みにしていた。それに対してプーチニズムには、キューバ人にもヴェトナム人にもフランスの知識人にも提供できるものがほとんどない。権威主義的ナショナリズムが本当に世界中に広まりつつあるかもしれないが、まさにその本質のゆえに、権威主義的ナショナリズムはまとまりのある国際的なブロックの確立にはつながらない。ポーランドの共産主義とロシアの共産主義は、少なくとも理論上は国際的な労働者階級の普遍的な権益を確保することに尽力していたのに対して、ポーランドのナショナリズムとロシアのナショナリズムが守ろうと尽力する権益は、当然ながら対立する。プーチンの躍進はポーランドのナショナリズムの高まりを引き起こすので、ポーランドは前にもまして反ロシアになるだけだろう。

したがってロシアは、NATOとEUの解体を目指した偽情報と政府転覆のグローバルな作戦に乗り出したとはいえ、物理的な征服のグローバルな作戦にも乗り出そうとしているなどということはありそうにない。クリミアの併合と、ジョージアやウクライナ東部への侵入は、新しい戦争の時代の前触れではなく、例外的な出来事であり続けることを願っても、そこそこ妥当だろう。

戦争に勝つという失われた技巧

二一世紀に主要国が戦争を起こして勝利を収めるのがこれほど難しいのはなぜなの

か？　一つには、経済の性質の変化がある。過去には、経済的資産は主に物だった。だから、征服によって裕福になるのは比較的簡単だった。戦場で敵を打ち負かせば、敵の町を略奪し、敵国民を奴隷市場で売り、価値ある麦畑や金鉱を占領すれば、利益をあげられた。ローマ人は捕らえたギリシア人やガリア人を売って繁栄し、一九世紀のアメリカ人は、カリフォルニアの金鉱や、テキサスの牧場を占有することで金持ちになった。

ところが二一世紀には、そのようなやり方ではわずかな利益しかあげられない。今日、主な経済的資産は、小麦畑や金鉱ではなく、油田でさえもなく、技術的な知識や組織の知識から成る。そして、知識は戦争ではどうしても征服できない。イスラミックステートのような組織は、中東で都市や油田を略奪して、相変わらず栄えることができるかもしれない（イスラミックステートはイラクの複数の銀行から五億ドル以上を強奪し、二〇一五年には石油の販売でさらに五億ドル稼いだ(7)）が、中国やアメリカのような主要国にとって、そのような額は微々たるものでしかない。年間のＧＤＰが二〇兆ドルを超える中国は、わずか一〇億ドルのために戦争を始めたりしそうにない。また、アメリカとの戦争に何兆ドルも費やしたら、中国はそのような出費や、戦争による損害、失われた交易の機会をどう埋め合わせることができるというのか？　勝利を収めた人民解放軍はシリコンヴァレーの富を略奪するのか？　たしかに、アップルやフェイスブックやグーグルといった企業は何千億ドルもの価値があるが、そのような富は力ずくで奪うことはできない。シリコンヴァレーにはシリコン鉱山などないのだ。

戦争で勝利を収めれば、イギリスがナポレオンに勝った後やアメリカがヒトラーに勝った後にしたように、自分に有利になるようにグローバルな交易制度を改変して、莫大な利益をあげることが、依然として可能だろう。とはいえ、軍事テクノロジーが変化しているので、そのような離れ業を二一世紀に再現するのは難しい。原子爆弾は、世界大戦での勝利を集団自殺に変えてしまった。広島への原爆投下以後、超大国が直接戦火を交えたことがなく、(彼らにとっては)得るものも失うものも少ない争い――敗北を避けるために核兵器を使う誘惑が小さいもの――にしか乗り出していないのは、けっして偶然ではない。実際、北朝鮮のような二流の核保有国への攻撃さえも、きわめて魅力に乏しい。金(キム)一族が軍事的敗北に直面したら何をやりかねないかを考えると、ぞっとする。

帝国主義者を目指す人にとって、サイバー戦争のせいで事態はなおさら悪くなる。ヴィクトリア女王とマキシム式速射機関銃の古き良き時代には、イギリス軍はマンチェスターやバーミンガムの平和を危険にさらすことなく、はるか彼方のどこかの砂漠で先住民を大虐殺することができた。ジョージ・W・ブッシュの時代になってさえ、アメリカはバグダードやファルージャに大損害を与えても、イラクはサンフランシスコやシカゴに報復攻撃を加える術がなかった。だが、もし今アメリカが、たとえ月並みなサイバー戦争の戦闘能力しか持たない国を攻撃しても、ほんの数分で戦争はカリフォルニア州やイリノイ州を巻き込むことになりうる。マルウェア〔訳註 悪意あるソフトウェア〕やロジックボムのせいでダラスで航空交通が停止したり、フィラデルフィアで列車が衝突したり、ミシガンで送電網が使用不能になったりしかねない。

征服者たちの黄金時代には、戦争は損害が少なくて利益が大きい事業だった。一〇六六年のヘイスティングズの戦いでは、ウィリアム征服王が数千人の戦死という代価でたった一日でイングランド全土を手に入れた。一方、核兵器とサイバー戦争は、損害が大きくて利益が小さいテクノロジーだ。そうしたテクノロジーを使えば国をまるごと破壊できるが、利益のあがる帝国は築けない。

したがって、武力による威嚇と棘々しい雰囲気が満ちている世界では、戦争で成功した最近の例に主要国は馴染みがないというのが、平和の最善の保証になっているのかもしれない。チンギス・ハーンやユリウス・カエサルはどんなに些細なものでもきっかけさえあればすぐに外国を侵略したが、エルドアンやモディやネタニヤフのような今日のナショナリズムの旗手たちは、大言壮語はするものの、実際に戦争を始めることにはじつに慎重だ。もちろん、二一世紀の状況下で戦争を起こして成功を収める公式を現に見つける人がいたら、たちまち地獄の門が開くだろう。だからこそ、クリミアでのロシアの成功は、とりわけ恐ろしい前兆なのだ。それが例外であり続けることを願おう。

愚者の行進

悲しいかな、二一世紀には戦争が損な企てであり続けたとしても、平和の絶対的な保証にはならない。人間の愚かさは、けっして過小評価するべきではない。人間は個人のレベルでも集団のレベルでも、自滅的なことをやりがちだから。

一九三九年、枢軸国にとって戦争はおそらく、望ましい結果をもたらす手段ではなかっただろうが、それでも世界はその戦争を免れられなかった。第二次世界大戦に関して驚嘆するべき点の一つは、戦後、敗戦国がかつてないほど繁栄したことだ。ドイツとイタリアと日本は、軍隊が完全に壊滅し、帝国もすっかり崩壊してから二〇年後、前例のないレベルの豊かさを享受していた。それならなぜ、彼らはそもそも戦争を起こしたのか？　なぜ厖大な数の人々に不要な死と破壊をもたらしたのか？　すべては馬鹿げた計算違いにすぎなかった。一九三〇年代に日本の将軍や提督、経済学者、ジャーナリストたちは、朝鮮半島と満洲と中国沿岸部の支配権を失えば、日本は経済が停滞する運命にあるということで意見が一致した。[8]だが、彼ら全員が間違っていた。じつは、名高い日本経済の奇跡は、大陸に持っていた領土をすべて失った後に、ようやく始まったのだ。

人間の愚かさは、歴史を動かすきわめて重要な要因なのだが、過小評価されがちだ。政治家や将軍や学者たちは世界を、入念で合理的な計算に基づいてそれぞれの手が指される巨大なチェスの勝負のように扱う。これはある程度まで正しい。駒をでたらめに動かすような、狭い意味で頭のおかしい指導者は、歴史上稀だ。東条英機やサダム・フセインや金正日（キム・ジョンイル）は、合理的な理由に基づいてそれぞれの手を指した。問題は、世界がチェス盤よりもはるかに複雑で、人間の合理性では本当に理解できない点にある。したがって、合理的な指導者でさえ、はなはだ愚かなことを頻繁にしでかしてしまうのだ。

では、世界大戦をどれほど恐れるべきなのか？　両極端の考え方は避けるのが最善だ。一方で、戦争は断じて不可避ではない。冷戦が平和な形で終わったことからわかるように、人間が正しい決定を下したときには、超大国の争いさえ、平和に解決できる。そのうえ、新たな世界大戦が避けられないと決めてかかるのは、とりわけ危険だ。それは自己成就予言となってしまう。各国は、戦争は避けられないと思い込めば、軍を増強し、果てしない軍拡競争に乗り出し、どんな争いにおいても譲歩を拒み、善意の意思表示は罠にすぎないのではないかと疑う。そうなれば、戦争の勃発は確実になる。

その一方で、戦争は不可能だと決めつけるのは考えが甘い。たとえ戦争はどの国にとっても壊滅的な結果をもたらすとしても、人間の愚かさから私たちを守ってくれる神もいなければ、自然の法則もない。

人間の愚かさの治療薬となりうるものの一つが謙虚さだろう。国家や宗教や文化の間の緊張は、誇大な感情によって悪化する。すなわち、私の国、私の宗教、私の文化は世界で最も重要だ、だから私の権益は他の誰の権益よりも、人類全体の権益よりも優先されるべきである、という思いだ。世界に占める真の位置について、国家や宗教や文化にもう少し現実的で控えめになってもらうには、どうしたらいいだろう?

12

謙虚さ

あなたは世界の中心ではない

ほとんどの人は、自分が世界の中心で、自分の文化が人類史の要だと信じがちだ。多くのギリシア人は、歴史はホメロスとソフォクレスとプラトンから始まり、重要な考えや発明はすべてアテネ、スパルタ、アレクサンドリア、あるいはコンスタンティノープルで生まれたと信じている。中国のナショナリストは、黄帝と、夏と商（殷）の両王朝とともに歴史は本格的に始まり、西洋人やイスラム教徒やインド人が成し遂げたことは何であれ、もともと中国による飛躍的発展の二番煎じにすぎない、とやり返す。

排外主義のヒンドゥー教徒は、そのような中国の自慢を退け、飛行機や核爆弾でさえ、アインシュタインやライト兄弟は言うまでもなく、孔子やプラトンよりもはるか以前に、インド亜大陸の古代の賢人たちによって発明されたと主張する。たとえば、ロケットと飛行機を発明したのは導師（マハリシ）バラドワジャで、ヴィシュワミトラはミサイルを発明したばかりでなく使い、阿闍梨（あじゃり）カナダは原子論の父で、大叙事詩『マハーバーラタ』[1]は核兵器を正確に記述していたという。そんなことを、あなたは知っていただろうか？

敬虔なイスラム教徒は、預言者ムハンマド以前の歴史はすべて、おおむね無意味だと見なし、クルアーンの啓示以後の歴史はすべてイスラム教の共同体（ウンマ）を中心に回っていると考えている。主な例外はトルコとイランとエジプトのナショナリストたちで、彼らはムハンマド以前でさえ、自分たちの国こそが人類にまつわるすべての善きことの源泉だったし、クルアーンの啓示以後でさえ、イスラムの純粋さを保ち、その栄光を広めたのは主に自分たちの民族だと主張する。

イギリス、フランス、ドイツ、アメリカ、ロシア、日本をはじめ、他の無数の集団も同じように、彼らの国の目覚ましい業績がなければ、人類は野蛮で不道徳な無知のうちに暮らしていただろうと確信していることは言うまでもない。自分たちの政治制度や宗教慣行が物理の諸法則そのものにとって不可欠だとさえ考えている民族も、過去にはあった。たとえばアステカ族の人々は、毎年行なっている生贄（いけにえ）の儀式がなければ、太陽は昇らず、全宇宙が崩壊すると、固く信じていた。

こうした主張はすべて間違っている。それらはあえて歴史に目をつぶり、人種差別の気持ちを少なからず抱いている結果だ。人間が全世界に住みついたときにも、動植物を家畜化・栽培化したときにも、最初の都市を建設したときにも、書字や貨幣を発明したときにも、今日の宗教や国家のどれ一つとして存在していなかった。道徳性や芸術、霊性、創造性は、私たちのDNAに刻みつけられた普遍的な人間の能力だ。その起源は石器時代のアフリカにある。したがって、黄帝の時代の中国だろうと、プラトンの時代のギリシアだろうと、ムハンマドの時代のアラビアだろうと、そうした能力をもっと新しい場所や時間のものと見なすのは、うぬぼれもはなはだしい。

かく言う私もその手のはなはだしいうぬぼれは、嫌と言うほどよく知っている。なぜなら、私自身が所属する民族であるユダヤ人も、自分たちこそ世界でいちばん重要だと考えているからだ。人間の偉業や発明のどれを選んだとしても、たちまち自分たちの手柄にしてしまう。そして、私は彼らと慣れ親しんでいるので、彼らがそのような主張を心から信じていることも承知している。私はあるとき、イスラエルでヨガ教室に行った。ヨガ指導していた先生は入門クラスの受講生に、真剣そのもので次のように説明した。ヨガを発明したのはユダヤ人の始祖アブラハムであり、ヨガの基本ポーズはすべて、ヘブライ文字の形に由来する、と（たとえば、トリコナーサナのポーズはヘブライ文字の「アーレフ」、バランシングスティックのポーズは「ダレット」をそれぞれ真似ているといった具合だ）！　アブラハムはこれらのポーズを、側女（そばめ）の一人に産ませた息子に教え、その息子がインドに行って、ヨガをインド人に教えた。証拠はありますか、と私が訊くと、その先生は、聖書の一節を引用した。「アブラハムは……側女の子らには贈り物を与え、まだ自分が生きている間に東の方にあるケデムの地に移住させ、息子イサクから遠ざけた」(「創世記」第二五章五・六節より)〔訳註　本書では、聖書の引用の訳は日本聖書協会『聖書　聖書協会共同訳』より。それ以外の引用は、とくに断りがないかぎり訳者による訳。同『聖書』の注は、「ケデムの地」の別訳として「東の国」を挙げている〕。あなたはその贈り物とは何だったと思うだろうか？　というわけで、ヨガですら、じつはユダヤ人が発明したというわけだ。

アブラハムがヨガの創案者というのは、主流から外れた考え方だ。とはいえユダヤ教の主流派は、全宇宙はユダヤ教のラビが聖典を学べるようにする、まさにそのために存在し、もしユダヤ教徒が聖典を学ぶのをやめたら、宇宙は終わりを迎えると真顔で主張する。エルサレムやブルックリンのラビがタルムードを論じるのをやめたら、中国、インド、オーストラリア、さらには彼方の銀河の数々までもが消し去られてしまうという。これは正統派ユダヤ教徒の中心的な信仰信条で、万一それを疑おうとするような人がいたら、その人は無知な愚か者と見なされる。非宗教的なユダヤ人はこの大げさな主張には多少懐疑的かもしれないが、彼らもユダヤ民族は歴史の主人公であり、人間の道徳性と霊性と学識の究極の源だと信じている。

私の民族は、数と真の影響力の不足を、厚かましさで補って余りある。外国人を批判するよりも自分自身の民族を批判するほうが礼儀に適っているため、ユダヤ教の例を使って、そのように自己を過大評価する物語がどれほど滑稽かを、これから説明するので、世界中の読者の方々は、自分の部族や民族が膨らませたバブルを自らの手で弾けさせてほしい。

フロイトの母親

拙著『サピエンス全史――文明の構造と人類の幸福』は、もともとイスラエルの一般大衆のためにヘブライ語で書いた。二〇一一年にヘブライ語版が刊行された後、イスラエルの読者から非常に多く受けた質問は、以下のようなものだった。人類の歴史を綴ったこの本で、なぜ私はほとんどユダヤ教に触れなかったのか？　なぜ私はキリスト教とイスラム教と仏教について詳しく書いているのに、ユダヤ教とユダヤ民族にはほんの数語しか費やさなかったのか？　人類史に対するユダヤ教とユダヤ民族の計り知れない貢献を、私はわざと無視しているのか？　何か悪意のある政治目的が動機なのか？

そうした質問は、イスラエルのユダヤ人の頭には自然に浮かぶものだった。彼らは幼稚園の頃から、ユダヤ教は人類史のスーパースターだと考えるように教育されているからだ。イスラエルの子供たちはたいてい、グローバルな歴史的プロセスを明確に教えられることなく、一二年の初等・中等教育を終える。中国やインドやアフリカについてはほとんど何も教わらないし、ローマ帝国やフランス革命や第二次世界大戦については学ぶものの、こうしたばらばらのジグソーパズルのピースがつながって包括的な物語を形作ることはない。その代わりにイスラエルの教育制度が提供する唯一の首尾一貫した歴史は、ヘブライ語で書かれた『聖書』〔訳註　ユダヤ教とキリスト教の聖典。キリスト教徒は『新約聖書』と対にして『旧約聖書』と呼ぶ。本書では便宜上、ここ以外は旧約聖書という名称を使う〕から始まり、第二神殿時代へと続き、離散時代の、イスラエル以外のユダヤ人居住地域のさまざまなコミュニティを転々とし、シオニズム〔訳註　パレスティナにユダヤ人の民族国家を建設しようという運動〕の勃興とホロコーストとイスラエル国の創建で頂点に達する。ほとんどの生徒は、これが全人類の物語の主要な筋書きに違いないと確信して高校を卒業する。なぜなら、生徒が授業でローマ帝国やフランス革命について聞いたときにさえ、クラスでの議論はローマ帝国がどんなふうにユダヤ教徒を扱ったかや、フランス共和国でユダヤ人がどのような法的地位や政治的地位にあったかに重点を置くからだ。このような歴史教育を受けた人は、ユダヤ教が世界全体には比較的小さな影響しか与えなかったという考え方を、なかなか受け容れられない。

とはいえ実際には、ユダヤ教は人類の歴史の中でささやかな役割しか果たさなかった。キリスト教やイスラム教や仏教のような世界宗教とは違い、ユダヤ教はこれまでずっと一部族の宗教であり続けてきた。一つの小さな国家と一つの狭い土地の運命に的を絞り、他のあらゆる人々や国々の運命にはほとんど関心がない。たとえば、日本の出来事や、インド亜大陸の人々のことなど、ろくに気にかけない。したがって、その歴史的役割が限られていたのも不思議ではない。

たしかにユダヤ教はキリスト教を生んだし、イスラム教の誕生にも影響を与えた。キリスト教とイスラム教が歴史上有数の宗教であることは間違いないが、両者が全世界で成し遂げた数々の偉業は、両者が犯した多くの罪とともに、ユダヤ教徒ではなくキリスト教徒とイスラム教徒自身に帰せられる。十字軍による大虐殺をユダヤ教のせいにしたら不当なのとちょうど同じで（一〇〇パーセント、キリスト教の責任だ）、すべての人間は神の前に平等であるという重要なキリスト教の考え方はユダヤ教の発案だとする根拠はまったくない（その考え方は、ユダヤ教正統派の信念と真っ向から対立する。その信念は今日でも、ユダヤ人は他のすべての人間よりも本質的に優れているとしている）。

人類の物語の中でのユダヤ教の役割は、近代西洋史におけるフロイトの母親の役割のようなものだ。良くも悪くも、ジークムント・フロイトは近代西洋の科学や文化、芸術、民衆の知恵に計り知れない影響を与えた。そして、フロイトの母親がいなければ、フロイトも存在しなかったし、フロイトの性格や志や見解がおそらく母親との関係によってかなりの程度まで形作られただろうことも確かだ（それはフロイト本人が真っ先に認めることだろう）。だが、近代西洋史を書くときに、まるごと一章をフロイトの母親に費やそうなどとは誰も思わない。同様に、ユダヤ教がなければキリスト教もなかっただろうが、それでも、世界史を書くときにユダヤ教はあまり重要視する価値はない。肝心なのは、ユダヤ教という「母親」の遺産でキリスト教が何をしたか、だ。

言うまでもないが、ユダヤ民族は独自の民族であり、驚くべき歴史を持っている（ただし、それはたいていの民族に当てはまる）。そしてまた、ユダヤ教の伝統が、深い見識や高潔な価値観に満ちていることも言をまたない（ただし、疑わしい考えや、人種差別的な態度、女性や同性愛を嫌悪する態度にも満ちている）。さらに、ユダヤ民族はその相対的な数とは不釣り合いなまでに大きな影響を過去二〇〇〇年間の歴史に与えてきたことも確かだ。だが、人類としての歴史の全体像を眺めてみると、一〇万年以上前にホモ・サピエンスが出現して以来、歴史に対するユダヤ人の貢献がきわめて限られたものであることは明らかだ。人間が地球全体に住みつき、農業を取り入れ、最初の都市を建設し、書字と貨幣を発明してから何千年もたってようやく、ユダヤ教は現れたのだから。

過去二〇〇〇年間でさえ、中国人あるいはアメリカ先住民の視点から歴史を眺めれば、キリスト教徒やイスラム教徒の仲立ちによるものを除けば、ユダヤ人による大きな貢献を見つけるのは難しい。たとえば旧約聖書が最終的にグローバルな人間の文化の土台になったのは、キリスト教に熱心に取り入れられ、聖書に組み込まれたからだ。それに対して、ユダヤ教文化にとっての重要性で旧約聖書をはるかに凌ぐタルムードは、キリスト教に退けられ、その結果、日本人やマヤ族はもとより、アラブ人やポーランド人、オランダ人にもほぼ知られていない、秘伝的な文書であり続けた（これはじつに残念だ。タルムードは旧約聖書よりもはるかに情け深く、思いやりがあるのだから）。

あなたは旧約聖書にインスピレーションを得たすばらしい芸術作品を挙げられるだろうか？ それは簡単だ。ミケランジェロのダビデ像、ヴェルディのオペラ『ナブッコ』、セシル・B・デミルの映画『十戒』……。新約聖書にインスピレーションを得た有名な作品を知っているだろうか？ これも、たやすい。レオナルド・ダ・ヴィンチの「最後の晩餐」、ヨハン・セバスティアン・バッハの「マタイ受難曲」、モンティ・パイソンの映画『ライフ・オブ・ブライアン』……。さあ、今度は難問中の難問だ。あなたはタルムードにインスピレーションを得た傑作をいくつか言えるだろうか？

タルムードを学ぶユダヤ教徒のコミュニティは世界の多くの場所に拡がったが、中国人による帝国の建設や、ヨーロッパ人による発見の大航海、民主制度の確立、産業革命では、重要な役割は果たさなかった。硬貨、大学、議会、銀行、羅針盤、印刷機、蒸気機関は、すべて非ユダヤ人が発明した。

聖書以前の倫理

イスラエル人はしばしば「三大宗教」という言葉を使うが、そのとき頭にあるのはキリスト教（信者の数は二三億人）とイスラム教（同一八億人）とユダヤ教（同一〇〇〇万人）だ。神道（同五〇〇〇万人）やシーク教（同二五〇〇万人）は言うまでもなく、一一億人の信者がいるヒンドゥー教や五億人の信徒のいる仏教も、そのなかには含まれない。(2) イスラエル人は「三大宗教」についてこのように事実を歪めた概念を持っているため、主要な宗教の伝統や倫理の伝統はすべて、普遍的な倫理規則を説いた最初の宗教であるユダヤ教の胎内から生まれ出てきたと考えていることが多い。これではまるで、アブラハムやモーセ以前の人間は道徳など眼中になく、ホッブズの言う「自然状態」、すなわち万人の万人に対する闘争状態にあったかのようで、また、現代の道徳性はすべて、十戒に由来するかのようだ。これは根拠のない傲慢な考え方であり、世界のじつに重要な倫理の伝統の多くを無視している。

石器時代の狩猟採集民の部族はどれも、アブラハムよりも何万年も前から道徳律を持っていた。一八世紀後期に最初のヨーロッパ人植民者がオーストラリアに着いたときに出会った先住民の諸部族は、モーセもイエス・キリストもムハンマドもまったく知らなかったにもかかわらず、よく発達した倫理的世界観を持っていた。力ずくで先住民から土地や財産を奪い取ったキリスト教徒の入植者たちのほうが優れた道徳規準を示したと主張するのは難しいだろう。

今日の科学者は、じつは道徳性には人類の登場に何百万年も先行する、深い進化上の起源があることを指摘している。オオカミやイルカやサルといった社会的な哺乳動物はみな、集団の協力を促進するように進化が適応させた倫理規定を持っている。[3] たとえばオオカミの子供たちがじゃれ合うときには、「フェアなゲーム」のルールを守る。もしオオカミの子供の一匹が強く噛み過ぎたり、相手が仰向けに転がって降参したのに噛み続けたりしたら、他の子供たちは、もうそのオオカミとは遊ばなくなる。[4]

チンパンジーの生活集団では、上位の成員は自分より弱い成員の財産権を尊重するのが当然と思われている。もし地位の低いメスがバナナを見つけたら、最上位のオスでさえ、たいていそれを横取りすることは控える。もしこの規則を破れば、おそらくボスの地位を追われる。[5] 類人猿は集団内の弱者をいいようにあしらうことを避けるだけでなく、積極的に弱者を助けることさえある。ミルウォーキー郡立動物園に暮らすキドゴというボノボは、心臓の具合がとても悪く、体が弱って頭も混乱していた。最初その動物園に移されたときには、新しい環境に馴染めず、飼育係の指示も理解できなかった。すると、彼の苦境を見て取った他のボノボたちが救いの手を差し伸べた。彼らはしばしばキドゴの手を取り、行く必要のある場所へと導いた。キドゴはどうしていいかわからなくなると、困っていることを伝えるために大声を上げる。すると、いずれかのボノボが助けに駆けつけるのだった。

彼を主に助けていたボノボの一頭は、最上位のオスのロディで、彼はキドゴを導いてやるだけでなく、守ってやりもした。ほぼすべてのボノボはキドゴに優しく接するのに、マーフというオスの子供はしばしば、情け容赦なくキドゴをなぶった。ロディはそんな行動に気づくと、頻繁にそのいじめっ子を追い払ったり、キドゴの体に腕を回して守ってやったりした。[6]

コートジヴォワールの密林では、なおさら感動的な出来事があった。オスカーという名前で呼ばれている幼いチンパンジーが母親を亡くし、単独で生き延びるのに苦労していた。他のメスたちは、母親代わりになって面倒を見てやろうとしなかった。みな自分の子供を育てるので手一杯だったからだ。オスカーは徐々に体重が減って弱り、元気がなくなった。だが、万事休すかと思えたとき、フレディという群れの最上位のオスが「養子」にしてくれた。フレディはオスカーが十分に食べ物を得られるようにし、移動するときには背負ってやりさえした。遺伝子を調べると、フレディはオスカーと血縁ではないことがわかった。[7]何が荒々しいオスのリーダーを駆り立てて幼い孤児の面倒を見させたのかは推測するしかないが、聖書が古代のイスラエル人に「いかなる寡婦も孤児も苦しめ」るべきではない（「出エジプト記」第二二章二一節）と指示したり、預言者アモスが「弱い者を圧迫し、貧しい者を虐げ」る（「アモス書」第四章一節）社会的エリート層について不平を言ったりするよりも何百万年も前から、どうやら類人猿のリーダーたちには、弱い者や困っている者、親を失った者を助ける傾向があったようだ。

古代の中東に暮らしていたホモ・サピエンスの間でさえ、聖書の預言者は前代未聞ではなかった。「殺してはならない」と「盗んではならない」という規則は、シュメールの都市国家やファラオが君臨するエジプトやバビロニアの帝国の法典や倫理規定でよく知られていた。定期的な休日は、ユダヤ教の安息日よりもはるか以前にさかのぼる。預言者アモスが、暴虐な振る舞いをしているとしてイスラエルのエリート層を叱責する一〇〇〇年前、バビロニアの王ハンムラビは、「王国内で身をもって正義を示し、悪と不正を撲滅し、強者が弱者を搾取するのをやめさせること」を偉大な神々に命じられたと説明している(8)。

一方エジプトでは、モーセが誕生するよりも何世紀も前に、「雄弁な農民の話」を書記たちが書きとめている。それは、強欲な地主に財産を巻き上げられた貧しい農民の話だ。その農民はファラオの腐敗した役人たちに事情を伝えたものの、助けてもらえなかったので、彼らが公正な措置を取らなければならない理由、とくに、貧しい人を裕福な人から守らなければならない理由を説明し始めた。そして、貧しい人々のわずかな所有物は彼らにとってはまさに呼吸のようなもので、役人が腐敗していると、彼らの鼻をふさいで窒息させることになると、わかりやすいたとえを使って説いた(9)。

聖書の多くの戒律は、ユダヤやイスラエルの王国が打ち立てられる何百年も前、いや、何千年も前にすら、メソポタミアやエジプトやカナンで受け容れられていた規則を手本としている。旧約聖書の時代のユダヤ教がこれらの戒律に独自の視点を加えたとすれば、それは、全人類に当てはまる普遍的な裁定を、主にユダヤ民族に向けられた部族の規定に変えたことだろう。ユダヤ教の道徳性は、もともと閉鎖的な部族の要件として形作られ、今日まである程度そのままの姿を保ってきた。旧約聖書やタルムードや（全部ではないが）多くのラビは、ユダヤ人の命は異教徒の命よりも価値があると主張した。だから、たとえばユダヤ人は同じユダヤ人の命を救うためであれば安息日を破ることが許されるが、たんに異教徒を救うためだけであれば、それは禁じられている（『バビロニア・タルムード』「ヨーマ篇」八四の二）[10]。

これまでユダヤ人の賢者のなかには、「隣人を自分のように愛しなさい」というあの有名な戒律でさえ、ユダヤ人だけについて言っており、異教徒を愛するようにという戒律は断じて存在しないと主張する人たちもいた。実際、もともとの「レビ記」の記述には、こうある。「復讐してはならない。民の子らに恨みを抱いてはならない。隣人を自分のように愛しなさい」（「レビ記」第一九章一八節）。これを読むと、「隣人」とは「民の子」（同胞）だけを指すのではないかという疑いが湧いてくる。この疑いは、聖書がユダヤ人にアマレク人やカナン人のような、特定の民族を皆殺しにするよう命じているという事実によって、おおいに強まる。旧約聖書はこう命じている。「息のあるものを決して生かしておいてはならない。ヘト人、アモリ人、カナン人、ペリジ人、ヒビ人、エブス人は、あなたの神、主が命じられたように、必ず滅ぼし尽くさなければならない」（「申命記」第二〇章一六・一七節）。これは、大量虐殺が拘束力のある宗教的義務という形で提示されたのが記録として残っている例としては、人類史上でも最初期のもののうちに入る。

ユダヤ教の道徳律を厳選し、普遍的な戒律に変え、世界中に広めたのは、ユダヤ教徒ではなくキリスト教徒だった。実際、キリスト教はまさにそのせいでユダヤ教と袂を分かった。多くのユダヤ教徒は今日に至るまで、いわゆる「選民」は他の諸国民よりも神に近いと信じているのに対して、キリスト教の創始者とも言える使徒の聖パウロは、有名な「ガラテヤの信徒への手紙」の中で、「ユダヤ人もギリシア人もありません。奴隷も自由人もありません。男も女もありません。あなたがたは皆、キリスト・イエスにあって一つだからです」（「ガラテヤの信徒への手紙」第三章二八節）と明記している。

そして、ここでまた強調しておかなければならないが、キリスト教は途方もない影響を与えたとはいえ、人間が普遍的な倫理を説いたのは、断じてこれが最初ではない。聖書は人間の道徳性の唯一の源泉には程遠い（聖書には、人種差別的な傾向や女性と同性愛者への嫌悪の傾向がたっぷり含まれていることを思うと、それは幸運でもある）。孔子、老子、ブッダ、マハーヴィーラ〔訳註　インドのジャイナ教の創始者〕は、カナンの地やイスラエルの預言者たちのことなどまったく知らずに、パウロやイエス・キリストのはるか前に、普遍的な倫理規定を打ち立てた。孔子は誰もが他者を自分自身と同じように愛さなければならないと説いたが、それはラビのヒレルが、それこそトーラー〔訳註　ユダヤ教の律法〕の本質であると言うよりも、およそ五〇〇年も前のことだった。そして、ユダヤ教が依然として動物を生贄にしたり、人間の集団をいくつも計画的に根絶やしにしたりすることを命じていた頃、ブッダとマハーヴィーラはすでに、あらゆる人間ばかりか、昆虫さえも含めて感覚ある生物のどれ一つとして害するのを避けるよう、信者に指示していた。したがって、ユダヤ教と、そこから派生したキリスト教とイスラム教が人間の道徳性を生み出したとするのは、まったく理に適わない。

偏狭さの誕生

それでは、一神教はどうだろう? 少なくともユダヤ教は、世界の他の場所では前代未聞の、単一神への信仰の先駆者として、特別な地位を与えられるのがふさわしいのではないか(たとえこの一神教という信念が、その後ユダヤ教徒によって以上に、キリスト教徒とイスラム教徒によって世界中に広められたのだとしても)? それについてさえ、議論の余地がある。なぜなら、一神教の最初の明白な証拠は、紀元前一三五〇年頃のファラオ、アクナトンの宗教革命に由来するからであり、またモアブのメシャ王が建てたメシャ碑文のような文書からは、旧約聖書時代のイスラエルの宗教が、モアブのような近隣王国の宗教と大差がなかったことがわかるからだ。メシャは、旧約聖書がヤハウェを記述するのとほぼ同じ形で、自分の偉大な神ケモシュのことを書き記している。だが、ユダヤ教がこの世界に一神教をもたらしたという考え方の本当の問題は、それがおよそ誇れることではない点にある。倫理的視点に立てば、一神教ほど良くない考えはおそらく人類史上あまり例がない。

一神教は人間の道徳水準をほとんど向上させなかった。イスラム教徒は単一の神を信じており、ヒンドゥー教徒は多くの神を信じているからというだけで、倫理の面でイスラム教徒のほうがヒンドゥー教徒よりも本質的に優れているなどと、あなたは本当に思うだろうか？　キリスト教徒の征服者（コンキスタドール）は、多神教のアメリカ先住民の部族よりも倫理的だったのか？　一神教が間違いなくやったのは、多くの人を以前より不寛容にすることで、それによって一神教は宗教的迫害と聖戦を広めるのに貢献した。多神教の信者は、異なる人々が異なる神々を崇拝し、多種多様な儀式を行なうのはまったく問題ないと考えていた。他の人々が違う宗教を信じているからといって、彼らと争ったり、彼らを迫害したり殺したりすることは、仮にあったとしても稀だった。それに対して一神教の信者は、自分の神こそが唯一の神であり、その神が万人に服従を求めていると信じていた。その結果、キリスト教とイスラム教が世界中に広まると、聖戦や宗教裁判や宗教的差別もそれに追随した。(11)

たとえば、紀元前三世紀のインドのアショーカ王の姿勢を、後期ローマ帝国のキリスト教徒の皇帝たちの姿勢と比較してほしい。アショーカ王は、無数の宗教や宗派や導師に満ちあふれた帝国を支配していた。彼は「神々に寵愛されし者」と「万人を慈愛の目で眺める者」という公式の称号を自らに与えていた。紀元前二五〇年頃、彼は次のように宣言する寛容の法勅を発した。

神々に寵愛され、万人を慈愛の目で眺める王は、あらゆる宗教の出家者と在家者を尊び……あらゆる宗教の本質的要素の増進があるべきことを評価する。本質的要素の増進はさまざまな形で行なわれうるが、そのすべてが、言葉を慎むこと、すなわち、自らの宗教を褒め称えたり他者の宗教をいわれもなく非難したりしないことに根差している……帰依が過ぎて自らの宗教を褒め称え、「我が宗教を賛美しよう」と考えて他の宗教を非難する者は誰であれ、本人の宗教を害するばかりである。したがって、宗教間の接触は良いことだ。人は他者が信仰する教義に耳を傾け、それを尊重するべきである。神々に寵愛され、万人を慈愛の目で眺める王は、誰もが他の宗教の善き教義に通暁することを願う。(12)

その五〇〇年後、後期ローマ帝国は、アショーカ王のインドと同じぐらい多様だったが、キリスト教が優位に立つと、皇帝たちは宗教に対してまったく異なるアプローチを採用した。コンスタンティヌス大帝と息子のコンスタンティウス二世をはじめとして、歴代皇帝はキリスト教以外の神殿をすべて閉ざし、違反者は死刑と定めて、いわゆる「異教」の儀式を禁じた。この迫害が頂点に達したのが皇帝テオドシウスの統治下で、「神に与えられた」という意味の名前を持つこの皇帝は、三九一年に次々に命令を発してキリスト教とユダヤ教を除くすべての宗教を実質的に違法とした(ユダヤ教もさまざまな形で迫害されたが、信仰するのは合法のままだった)。(13) 新しい法によれば、ローマ神話の主神ユピテルやペルシア神話の神ミトラを自宅でこっそり崇拝しただけでも、処刑されうるとのことだった。[14]キリスト教徒の皇帝たちは、帝国内から異教徒の遺産を一掃する活動の一環として、オリンピックもやめさせた。一〇〇〇年以上にわたって行なわれてきた古代オリンピックの最後の競技会が開かれたのは、四世紀末か五世紀初頭のことだった。[15]

もちろん、一神教を信じる支配者全員がテオドシウスほど不寛容だったわけではないし、無数の支配者が一神教を退けたものの、アショーカ王の心の広い政策を採用することもなかった。それでもやはり、一神教の考え方は、「我々の神以外には神は存在しない」と断言することによって、偏狭さを助長しがちだった。ユダヤ教徒はこの危険な偏狭さを広めるのに自らが果たした役割を控えめに語り、キリスト教徒とイスラム教徒に責任を負わせるのが賢明だろう。

ユダヤ教の物理学、キリスト教の生物学

一九世紀と二〇世紀になってようやく私たちは、ユダヤ人が近代科学で並外れた役割を果たし、人類全体のためにすばらしい貢献をするところを目にした。ユダヤ人は世界の人口に占める割合はわずか〇・二パーセントにすぎないにもかかわらず、アインシュ

タインやフロイトといった著名な人物を輩出したのに加えて、科学の分野でノーベル賞を受賞した人の二割余りを占めている。(16)だが、これは宗教や文化としてのユダヤ教の貢献ではなく、個々のユダヤ人の貢献であることは強調しておくべきだろう。過去二〇〇年間の重要なユダヤ人科学者の大半は、ユダヤ教の宗教的な領域の外で行動していた。事実、ユダヤ人がようやく科学に目覚ましい貢献を始めたのは、彼らがイェシバを捨てて研究所を選んでからのことだった。

一八〇〇年以前、科学へのユダヤ人の影響は限られていた。当然ながら、ユダヤ人は中国やインドでは、あるいはマヤ文明では、科学の進歩に何ら有意義な役割を果たさなかった。ヨーロッパと中東では、マイモニデスのようなユダヤ教の思想家は、異教徒の同輩たちに多大な影響を与えたものの、ユダヤ人全体の影響は、人口の比率にほぼ釣り合っていた。一六、一七、一八世紀には、ユダヤ教は科学革命にはおよそ役に立っていない。スピノザ(厄介者としてユダヤ人コミュニティから追放されていた)を除けば、近代的な物理学や化学、生物学、社会科学の誕生に不可欠だったユダヤ人は一人でも名を挙げるのが難しい。ガリレオやニュートンの時代にアインシュタインの先祖が何をしていたのかは知らないが、おそらく彼らは光よりもタルムードの研究に、はるかに強い関心を持っていたことだろう。

ようやく大きな変化が起こったのは一九世紀と二〇世紀になってからで、それは、世俗化とユダヤ啓蒙主義のおかげで多くのユダヤ人が異教徒の隣人たちの世界観と生活様式を採用したときのことだった。それからユダヤ人はドイツやフランスやアメリカといった国々の大学や研究センターに所属し始めた。ユダヤ人の学者は、ユダヤ人街やユダヤ人の小さな町や村から重要な文化的遺産を持ち込んだ。ユダヤ文化では教育が非常に大切にされていることが、ユダヤ人科学者の並外れた成功の大きな理由だ。他の要因には、少数派として迫害されていたので、自らの価値を証明したいという願望を抱いていたことや、軍隊や国家の行政機関といった、もっと反ユダヤ的な機関では、才能あるユダヤ人の昇進が妨げられていたことなどがある。

とはいえユダヤ人科学者たちは、イェシバから厳格な規律と知識の価値への深い信頼は持ち込んだが、実際に役に立つような具体的な考えや見識は持ってこなかった。アインシュタインはユダヤ人だったが、相対性理論は「ユダヤ教の物理学」ではなかった。トーラーの神聖さへの信頼は、エネルギーは質量と光速の二乗の積に等しいという見識と、何の関係があるというのか？　比較のために言うと、ダーウィンはキリスト教徒で、イングランド国教会の聖職者になるつもりでケンブリッジ大学で学び始めさえした。それでは、進化論はキリスト教の理論だということなのか？　相対性理論を、人類に対するユダヤ教の貢献として挙げるのは馬鹿げている。進化論をキリスト教の功績とするのが馬鹿げているのと同じことだ。

同様に、フリッツ・ハーバーによるアンモニア合成法の発明（一九一八年、ノーベル化学賞）や、セルマン・ワクスマンによる抗生物質ストレプトマイシンの発見（一九五二年、ノーベル生理学・医学賞）、ダニエル・シェヒトマンによる準結晶の発見（二〇一一年、ノーベル化学賞）についても、ユダヤ人ならではの点は見当たらない。フロイトのような、人文科学と社会科学の分野の学者の場合には、おそらくユダヤの伝統が彼らの見識にもっと重大な影響を及ぼしていただろう。とはいえ、そのような場合にさえ、伝統との間に残っていた結びつきよりも隔たりのほうが明白だった。人間の心に関するフロイトの見解は、ラビのヨセフ・カロやヨハナン・ベン・ザッカイの見解とは大違いだし、フロイトはシュルハン・アルーフ（ユダヤ教の律法典）を念入りに読んでいてエディプス・コンプレックスを発見したわけではない。

ようするに、ユダヤ人が学習を重視していたことが、ユダヤ人科学者の目覚ましい成功に重要な貢献をしたものの、アインシュタインやハーバーやフロイトの業績の土台を築いたのは、異教徒の思想家たちだったのだ。科学革命はユダヤ人の事業ではなかったし、ユダヤ人がその中でようやく活躍の場を見つけたのは、イェシバから大学へと彼らが移ってからのことだった。実際、古代の文書を読んであらゆる問題の答えを探す習慣は、観察と実験から答えが得られる近代科学の世界にユダヤ人が融合する上で、重大な障害になっていた。科学の飛躍的発展に必ず結びつくものがユダヤ教自体に備わっていたなら、一九〇五年から一九三三年にかけて、ドイツの非宗教的なユダヤ人一〇人がノーベル化学賞と生理学・医学賞と物理学賞を受賞したのに、超正統派のユダヤ教徒やブルガリアやイエメンのユダヤ教徒は誰一人ノーベル賞を受賞していないのは、どうしたわけか？
「自己嫌悪に陥ったユダヤ人」あるいは「反ユダヤ主義者」だと思われるといけないので強調しておきたいのだが、私はユダヤ教が特別邪悪な宗教だとか、暗愚な宗教だとか言っているわけではない。ただ、ユダヤ教は人類史にとって、特別重要ではなかったと言っているだけだ。ユダヤ教は何世紀にもわたって、遠方の国々を征服したり、異端者を火あぶりにしたりすることよりも、書物を読んでじっくり考えることを好む、迫害された少数派の質素な宗教だった。

反ユダヤ主義者はたいてい、ユダヤ人はとても重要だと考えている。反ユダヤ主義者は、ユダヤ人が世界あるいは銀行業界を、あるいは少なくともマスメディアを支配しているとか、地球温暖化から九・一一同時多発テロまで、あらゆることはユダヤ人のせいだとか思っている。そのような反ユダヤ主義の妄想は、ユダヤ人の誇大妄想に劣らず滑稽だ。ユダヤ人はとても興味深い民族かもしれないが、全体像を眺めてみれば、世界にはごく限られた影響しか与えてこなかったことに気づくに違いない。

人間は歴史を通して、何百もの異なる宗教と宗派を生み出してきた。そのうちの一握り（キリスト教、イスラム教、ヒンドゥー教、儒教、仏教）が何十億もの人に影響を与えた（いつも最善の方向への影響とはかぎらなかったが）。チベットのボン教や、アフリカのヨルバ族の宗教、ユダヤ教といった大多数の宗教の影響は、はるかに小さかった。私としては、残忍な世界征服者ではなく、めったに他の民族に余計な口出しをしたりしなかった、取るに足りない民族の子孫でよかったと思う。多くの宗教が謙虚さの価値を褒め称えておきながら、けっきょく、自らがこの宇宙で最も重要だと考える。個人には従順さを求めつつも、集団としては目に余るほど傲慢だ。どんな宗教を持つ人でもみな、謙虚さをもっと真剣に受け止めるといいだろう。

そして、あらゆる形の謙虚さのうちでも最も重要なのは、神の前で謙虚であることかもしれない。人間は神について語るときにはいつも、卑屈なまでに控えめな態度を装っておきながら、その後、神の名を使って同胞に対しては大きな顔をするものだ。

13

神

神の名をみだりに唱えてはならない

神は存在するのか？　それはどの神を念頭に置いているか次第だ。宇宙の神秘か、それとも世俗的な立法者か？　人は神について語るとき、壮大で、畏敬の念を抱かせる、得体の知れぬもの、それに関してはまったく知らないものについて語っていることがある。森羅万象の最も深遠な謎を説明するために、この不可思議な神を持ち出す。なぜこの世には何もないのではなく、何かが存在するのか？　何が物理の基本法則を定めたのか？　意識とは何か？　そして、どこから現れるのか？　私たちはこうした疑問の答えを知らない。そして、自分の無知に、「神」というたいそうな名前をつける。この不可思議な神の最も根本的な特徴は、私たちにはそれについて具体的なことは何一つ言えない点だろう。これは哲学をする人の神であり、夜遅く、キャンプファイアを囲んで座り、人生とはいったい何かに思いを巡らせるときに、私たちが語る神だ。

他の折には、嫌と言うほどよく知っている、厳格で世俗的な立法者というふうに神を見る。私たちは、神がファッションや食べ物、セックス、政治についてどう考えているかをすっかり把握しており、この天空の怒れる男を持ち出して、無数の規制や命令や争いを正当化する。女性が半袖のシャツを着たり、男性どうしでセックスをしたり、ティーンエイジャーがマスターベーションをしたりすると、神は腹を立てる。神は私たちが一度でもアルコールを口にするのを好まないと言う人もいれば、毎週金曜日の夜か日曜日の朝にワインを飲むことを断固として要求すると言う人もいる。神がいったい何を望み、何を嫌うかを事細かに説明するために、厖大な量の文書が書かれてきた。この世俗的な立法者の最も根本的な特徴は、この神について、きわめて具体的なことを言える点だろう。これは十字軍戦士やイスラム聖戦士の神であり、宗教裁判官や女性嫌悪者や同性愛嫌悪者の神だ。燃え上がる薪の山の周りに立ち、焼き焦がされる異端者たちに石を投げつけ、罵詈雑言(ばりぞうごん)を浴びせるときに、私たちが語る神だ。

忠実な信者たちは、神が本当に存在するかどうか訊かれると、得体の知れない宇宙の神秘や人間の理解の限界について話し始めることが多い。「科学にはビッグバンは説明できません」と彼らは声高に言う。「ですから、神のなさったことに違いありません」と。とはいえ、気づかれないうちにトランプのカードをすり替えて観客の目を欺く手品師さながら、信者はたちまち、宇宙の神秘を世俗的な立法者にすり替える。宇宙の未知の秘密に「神」という名を与えてから、このすり替えを使って、どういうわけかビキニや離婚を非難する。「私たちはビッグバンが理解できません。したがって、人前では髪を覆い、同性婚には反対票を投じなければいけません」と言う。両者には何の論理的つながりもないだけではなく、じつは両者は矛盾してさえいる。宇宙の神秘が深いほど、何であれその原因となる存在が、女性の服装規定や人間の性行動など気にする可能性は低くなる。

宇宙の神秘と世俗的な立法者の間のミッシングリンクは、たいてい何らかの聖典を通して提供される。聖典は、はなはだ些末な規制だらけだが、それでも宇宙の神秘にその源をたどれるとされている。時間と空間の創造者が聖典を書いたというのだが、その創造者は、主にややこしい神殿の儀式や食べ物のタブーについて、わざわざ私たちを啓蒙してくれたのだそうだ。実際には、聖書やクルアーン、モルモン書、ヴェーダ、その他どんな聖典も、万能の存在――エネルギーは質量と光速の二乗の積に等しいことや、陽子は電子の一八三七倍の質量があることを定めた万能の存在――によって書かれたという証拠は皆無だ。科学によってわかっているかぎりでは、こうした神聖な文書はすべて、想像力に富んだホモ・サピエンスによって書かれた。それらは、社会規範や政治構造を正当化するために、私たちの祖先によって創作された物語にすぎない。

個人的には、存在の神秘については驚嘆の念が尽きることはない。だが、それがユダヤ教やキリスト教やヒンドゥー教の些末な戒律とどう関係があるのか、理解できたためしがない。たしかにそれらの戒律は、社会秩序を打ち立てて何千年間も維持するのに非常に役に立った。だが、その点で、世俗主義的な国家や機関の法や規則とは根本的な違いはない。

聖書の十戒の三番目は、神の名前をけっして濫用しないように人間に命じている。多くの人が、これを子供じみた形で解釈し、(「もしエホバと言ったなら……」という、モンティ・パイソンの映画『ライフ・オブ・ブライアン』の有名な場面のように)はっきりと神の名を口にすることの禁止だと思っている。だがこの戒律には、自分の政治的な利益や、経済的な野心や、個人的な憎しみを正当化するために神の名前をけっして使ってはいけないという、もっと深い意味があるのかもしれない。人は誰かを憎んでいると、「神は彼を憎んでいる」と言うし、ある土地をむやみに欲しがっていると、「神はその土地を望んでいる」と言う。もし私たちが、この三番目の戒律をもっと忠実に守っていたら、世界はより良い場所になるだろう。もし、隣国に戦争を仕掛けて領土を奪いたいのなら、神は持ち出さずに、何か他の口実を見つけることだ。

つまるところ、これは言葉の問題だ。私は「神」という言葉を使うときには、イスラミックステートや十字軍、異端審問、「God hates fags(神はホモを嫌悪する)」といった横断幕の類の神を念頭に置いている。存在の神秘について考えるときには、混乱を避けるために他の言葉を使うようにしている。そして、イスラミックステートや十字軍の神――名前、それも何より自分の最も神聖な名前に非常に気を遣う神――とは違い、存在の神秘は、私たちのようなサルがどんな名前をつけようと、微塵も気にかけはしない。

神不在の倫理

もちろん、宇宙の神秘は私たちが社会秩序を維持する上ではまったく役に立たない。とても具体的な戒律を人間に与えてくれた神を信じなければいけない、そうしないと道徳が消えてなくなり、社会が崩壊して原始時代の混乱状態に逆戻りしてしまう、としばしば言われる。

さまざまな社会秩序にとって神への信仰が不可欠であり、好ましい結果につながる場合もあることは間違いない。実際、一部の人々に憎悪と偏狭な考えを抱かせるのとまさに同じ宗教が、別の人々には愛と思いやりを抱かせる。たとえば、一九六〇年代初期にメソジスト派のテッド・マキルヴェンナ牧師は、自分のコミュニティのＬＧＢＴが苦境に立たされていることに気づいた。そして社会一般におけるゲイとレズビアンの状況を調べ始め、一九六四年五月末から三日にわたって、カリフォルニア州のホワイト・メモリアル・リトリート・センターで聖職者とゲイやレズビアンの活動家との先駆的な対話集会を開催した。参加者はその後、「宗教と同性愛評議会（CRH）」を設立した。それには、活動家たちに加えて、メソジスト派や監督教会派、ルター派、キリスト合同教会の聖職者が名を連ねた。これはアメリカでは、「同性愛」という言葉を思い切って公式な名称に使った最初の組織だった。

その後の年月にCRHは、仮装パーティを企画することから、不当な差別や迫害に対して訴訟を起こすことまで、さまざまな活動を行なってきた。CRHはカリフォルニア州に暮らす同性愛者の人権運動の発端となった。マキルヴェンナ牧師と、彼に賛同した他の聖職者たちは、聖書が同性愛を禁じていることは百も承知していた。だが、聖書の文言を厳密に守るよりも、キリストの思いやりの精神に忠実であることのほうが重要だと考えたのだ。[1]

とはいえ、神は私たちに思いやりのある行動を取る気を起こさせうるものの、宗教的信仰心がなければ道徳的行動が取れないわけではない。私たちは道徳的に行動することを強いるような超自然的存在を必要とするという考え方は、道徳にはどこか不自然なところがあるという前提に立っている。だが、それはなぜか？　ある種の道徳は自然だ。チンパンジーからラットまで、社会的な哺乳動物はみな、盗みを働いたり同類を殺したりするような行為を制限する倫理規定を持っている。人間の場合には、全部の社会が同じ神を信じているわけでもなければ、神の存在そのものを信じているわけでもないのに、道徳はあらゆる社会に存在する。キリスト教徒はヒンドゥー教の神々を信じていなくても、思いやりのある行動を取るし、イスラム教徒はキリストの神性を退けるにもかかわらず、正直を尊ぶし、デンマークやチェコ共和国のような世俗主義の国々も、イランやパキスタンのような信心深い国より暴力的なわけではない。

道徳とは、「神の命令に従うこと」ではない。「苦しみを減らすこと」だ。したがって、道徳的に行動するためには、どんな神話も物語も信じる必要はない。苦しみに対する理解を深めさえすればいい。ある行動が自分あるいは他者に無用の苦しみを引き起こすことが理解できれば、その行動を自然と慎むようになる。それでも人は殺し、性的暴行や盗みを働く。それが引き起こす悲惨さのうわべしか理解できていないからだ。自分の目下の性欲や貪欲を満たすことで頭がいっぱいで、他者への影響や、自らへの長期的な影響にさえも思いが至らない。犠牲者にできるだけ多くの苦痛を意図的に与える宗教裁判官でさえも、自分のしていることから距離を置くために、たいていさまざまなテクニックを使い、自らの感覚を鈍らせたり、自分を非人間化したりする。(2)

人間はみな、惨めな思いをするのを自然に避けようとするが、何かしらの神に求められないかぎり、どうして他者の悲惨さなど気にかけるだろう、と反論する向きもあるかもしれない。それには明白な答えがある。一つには、人間は社会的な動物であり、そのため、人間の幸福は他者との関係に大きく依存しているからだ。愛や友情やコミュニティがなければ、幸せになれる人などいるだろうか？　自分本位の孤独な生活を送っていたら、惨めになることはほぼ確実だ。だから幸せになるためには、少なくとも家族や友人やコミュニティの仲間を気遣う必要がある。

それでは、赤の他人はどうなのか？　見ず知らずの人を殺して所有物を奪い、自分と自分の部族を富ませればいいではないか？　多くの思想家が手の込んだ社会理論を構築し、長い目で見ればそのような行動は逆効果になることを説明してきた。あなたは、見ず知らずの人が日常的に金品を強奪されたり殺害されたりするような社会には暮らしたくないだろう。自分も絶えず危険にさらされるばかりか、見知らぬ人どうしの信頼の上に成り立つ交易などの恩恵にも浴せない。商人はたいてい、盗賊の巣窟は訪ねない。古代中国から近代ヨーロッパまで、各地の非宗教的な理論家たちはそう言って、「己の欲せざる所は人に施すこと勿れ」という黄金律を正当化してきた。

とはいえ、普遍的な思いやりの自然な基盤を見つけるのに、そのような複雑で長期的な理論は、本当は必要ない。交易のことはしばらく脇に置いておこう。他者を害したら、いつもはるかに直接的で短期的な形で自分も害することになる。この世のあらゆる暴力行為は、誰かの心の中の暴力的な欲望から始まり、その欲望は他者の平静と幸福を損なう前に、本人の平静と幸福を損なう。だから人はまず、心の中で強欲と嫉妬が大きく膨らまないかぎり、めったに盗みを働いたりしない。人はまず、怒りと憎しみを生み出さないかぎり、たいてい殺人は犯さない。強欲や嫉妬、怒り、憎しみといった情動は、とても不快だ。怒りや嫉妬で腸が煮えくり返っているときには、喜びや落ち着きは経験できない。というわけで、人は誰かを殺害するよりもずっと前に、怒りによって自分の心の平穏をすでに台無しにしてしまっているのだ。

じつは、人は憎しみの対象を現に殺害することがないまま、何年も怒りで腸が煮えくり返る思いをし続けることがありうる。その場合には、他者は誰一人害さないが、それでも、自分自身を害してしまう。したがって、人はどこかの神に命令されたからではなく、自分自身のために、怒りをどうにかする気になるのが自然なのだ。もし怒りからすっかり解放されれば、不快千万な敵を殺害するよりも、はるかに気分が良くなるだろう。

一部の人にとっては、一方の頬を打たれたらもう一方の頬も相手に向けるように命じる、慈悲深い神への強い信仰が、怒りを抑える助けになる。そのため宗教的信仰はこれまで、世界の平和と調和へおおいに貢献してきた。ところがあいにく、宗教的信仰はじつのところ一部の人の怒りを掻き立てたり正当化したりする。誰かが彼らの神をあえて侮辱したり、神の願いを無視したりしたときにはなおさらだ。だから、立法者としての神の価値は、最終的には敬虔な信者たちの行動次第ということになる。もし信者が善い行動を取るのなら、何でも好きなものを信じればいい。同様に、宗教の儀式や聖地の価値は、それがどんな感情や行動を引き起こすかにかかっている。神殿を訪れると平静や落ち着きを経験できるのなら、すばらしいことだ。だが、特定の神殿が暴力と争いの原因となるのなら、そんなものがなぜ必要だろう？　その神殿が機能不全に陥っているのは明らかだ。病気にかかって実がならず、棘が生えるだけの木をめぐって争うのが無意味なのと同じで、調和ではなく対立を生じさせる、欠陥を抱えた神殿をめぐって争っても意味はない。

どこの神殿も訪れず、どんな神も信じないというのも有力な選択肢だ。過去数世紀を振り返ればわかるように、道徳的な生活を送るためには、神の名を持ち出す必要はない。必要な価値観はすべて、世俗主義に提供してもらうことができるのだから。

14 世俗主義

自らの陰の面を認めよ

世俗主義的であるとはどういうことか？　世俗主義はときおり、宗教の否定と定義され、したがって、世俗主義的な人々は、何を信じておらず、何をしないかによって特徴づけられることがある。この定義によれば、世俗主義的な人々はどんな神も天使も信じておらず、教会や神殿の類には行かず、儀式を行なわないという。そのように特徴づければ、世俗主義的な世界は空疎で、虚無的で、道徳とは無関係で、何かで満たされるのを待っている空箱のように見える。

そのような否定的なアイデンティティを採用したがる人は、まずいない。世俗主義者をもって任じる人は、世俗主義をまったく異なるふうに見ている。彼らにとって世俗主義は、とても肯定的で積極的な世界観であり、何かしらの宗教への反対ではなく、首尾一貫した価値基準によって定義される。じつは、世俗主義的な価値観の多くは、さまざまな宗教伝統も共有している。あらゆる叡智と善を独占していると言い張る一部の宗派とは違い、世俗主義的な人々は、そのような独占を主張しないのが大きな特徴の一つだ。彼らは、道徳と叡智がある特定の場所に特定のときに天から降りてきたとは考えない。彼らにしてみれば、道徳と叡智は、全人類が自然に受け継いできたものなのだ。したがって、少なくともいくつかの価値観は世界中の人間社会に現れ、イスラム教徒やキリスト教徒、ヒンドゥー教徒、無神論者の全員が共有していることが、当然見込まれる。

宗教指導者は信徒に厳然とした二者択一の選択肢を提示することが多い。たとえば、あなたはイスラム教徒であるか、イスラム教徒ではないかのどちらかであり、もしイスラム教徒なら、他の教義はすべて退けるべきだ、ということになる。それに対して世俗主義の人は、複数の混成のアイデンティティを平気で受け容れる。世俗主義の観点に立てば、あなたは自分をイスラム教徒と呼び、アッラーに祈り、戒律に従った食事を取り、メッカに巡礼に行くことを続けてもなお、世俗主義的な社会の善良な成員でありうる。ただし、世俗主義的な倫理規定に忠実であるかぎり、だが。この倫理規定は、真実や思いやり、平等、自由、勇気、責任といった価値観を尊重しているものの、じつは無神論者だけではなく無数のイスラム教徒やキリスト教徒やヒンドゥー教徒にも受け容れられている。それは、現代の科学機関や民主的機関の基盤となっている。あらゆる倫理規定の例に漏れず、世俗主義的な規定も目指すべき理想であって、社会的現実ではない。キリスト教の社会もキリスト教の機関もしばしばキリスト教の理想から逸脱するのと同じで、世俗主義的な社会や機関も、世俗主義的な理想に遠く及ばないことがよくある。中世のフランスはキリスト教の王国を自称していたが、およそキリスト教的とは言えない、ありとあらゆる活動に手を染めていた（農民階級に聞いてみるといい）。現代のフランスは世俗国家を自称しているが、ロベスピエールの時代以降、自由の定義そのものを自由気ままに解釈してきた（女性に聞いてみるといい）。だからといって、フランスであれ、他のどこであれ、世俗主義的な人々が道徳の羅針盤や倫理的責任感を欠いているというわけではない。ただ、理想に従って行動するのは難しいというだけのことだ。

世俗主義的な理想

それでは、世俗主義的な理想とは何か？　最も重要な世俗主義的責務は、**真実**に対するもので、真実とは、たんなる信心ではなく、観察と証拠に基づいている。世俗主義者は、真実を信念と混同しないように努力する。もしあなたが何かの物語を心から信じていたら、あなたの心理や子供時代、脳の構造について面白いことがたっぷりわかるかもしれないが、その物語が真実であることにはならない（強い信念は、その物語が真実でないときにこそ必要とされることが多い）。

そのうえ世俗主義者は、いかなる集団も、人も、書物も、唯一それだけが真実を占有しているかのように神聖視することはない。その代わりに世俗主義者は、真実を神聖視する。古い骨の化石の中だろうと、はるか彼方の銀河が写った画像の中だろうと、統計データの表の中だろうと、人間のさまざまな伝統が生み出した文書の中だろうと、どこに現れた真実であっても。真実を心底重視するこの姿勢の上に現代科学は成り立っており、人間はその現代科学のおかげで原子を分裂させ、ゲノムを解読し、生命の進化の過程をたどり、人類そのものの歴史を理解することができた。

世俗主義者のもう一つの主要な責務は、**思いやり**に対するものだ。世俗主義の倫理の基盤は、何かしらの神の命令に従うことではなく、苦しみを深く理解することだ。たとえば、世俗主義者が殺人を控えるのは、何かしらの古い文書がそれを禁じているからではなく、命を奪えば感覚ある生き物に途方もない苦しみを与えるからだ。「神がそう言っている」からというだけで人を殺すのを避けている人々には、何か本当に不穏で危険なところがある。そのような人々は、思いやりではなく服従することが動機なので、神が異端者や魔女、姦通者、外国人を殺すように命じていると信じるようになったら、何をしでかすだろう?

世俗主義の倫理は絶対的な神の戒律を伴わないので、当然ながら、難しいジレンマにしばしば直面する。同じ行動がある人を傷つけるものの別の人を助けるときにはどうなるのか? 貧しい人を助けるために、豊かな人に高い税金を課すのは倫理的なのか? 数に制限なく難民を残忍な独裁者を追放するために血なまぐさい戦争を起こすのは? 世俗主義者は、「神は何を自国に受け容れるのは? そのようなジレンマに出合うと、世俗主義者は、「神は何を命じるか?」とは問わない。その代わり、当事者全員の感情を慎重に比較し、多様な所見や可能性を検討し、引き起こす害ができるだけ小さい中道を探し求める。

たとえば、性行動に対する態度を考えてほしい。世俗主義者は性的暴行や同性愛、獣姦、近親姦を是認するか、それに反対するかをどう決めるのか? 感情を詳しく調べて決める。性的暴行は明らかに倫理にもとるが、それはその行為が神の戒律を破るからではなく、人を傷つけるからだ。それに対して、二人の男性の愛情に満ちた関係は誰も傷つけないので、禁じる理由はない。

それでは獣姦はどうなのか? 私はこれまで、同性婚についての内々の議論にも公開の議論にも、数え切れないほど参加してきたが、たいてい誰かが物知り顔で、「もし男どうしが結婚してもかまわないなら、人間とヤギの結婚も許してやればいいではないか」といった類のことを言う。世俗主義の視点からは、答えは明らかだ。健全な関係には、情動の面や知性の面での深さ、さらには霊的な面での深ささえ必要とされる。そうした深さを欠いている結婚生活を送っている人は、苛立ちや孤独感を覚え、心理的に成長を妨げられる。二人の男性は、互いに相手の情動的欲求や知的欲求や霊的欲求をたしかに満たすことができるのに対して、ヤギとの関係にはそれはできない。したがって、人間の幸福を促進することを目指す制度として結婚を眺めれば（世俗主義者はそのように眺めている）、先程のような奇妙な質問をすることさえ夢にも思いつかないだろう。思いつくのは、結婚は何らかの超自然的儀式であると見なしている人ぐらいのものだ。

では、父親と娘との関係はどうか？　二人とも人間だから、どこが悪いと言うのか？　そのような関係が途方もない、たいていは取り返しのつかない害を子供の側に及ぼすことを、これまで数多くの心理学研究が証明してきた。そのうえ、そのような関係は、親の側の破壊的な傾向を反映しており、その傾向をさらに強める。サピエンスの心は進化によって、恋愛の絆と親子の絆を一つにできないように形作られている。したがって、近親姦に反対するのには神も聖書も必要ない。関連の心理学研究を読めば事足りる。(1)

これこそが、世俗主義者が科学的真実を大切にする深遠な理由だ。それは好奇心を満たすためではなく、この世の苦しみを減らす最善の方法を知るためなのだ。科学研究に導いてもらえなければ、私たちの思いやりはどこに向かうか知れたものではない。

真実と思いやりに対する双子の責務は、**平等**への責務にもつながる。経済的平等と政治的平等についての疑問に関してはさまざまな意見があるとはいえ、世俗主義者は根本的に、先にありきの階層制はすべて疑いの目で見る。苦しみは、誰が経験しようと苦しみであり、知識は、誰が発見しようと知識だ。特定の国民や階級やジェンダーの経験や発見を特別扱いすると、人は冷淡で無知になりやすい。世俗主義者もたしかに、自分の属する国民や国家や文化の独自性を誇りに思っているが、「独自性」と「優越性」を混同することはない。したがって、世俗主義者は自国民や自国に対して特別の義務があることを認めはするものの、その義務が唯一のものだとは考えず、人類全体に対しても義務を負っていることを同時に認める。

考えたり、研究したり、実験したりする**自由**がなければ、真実や、苦しみから脱する方法を探し求めることはできない。したがって、世俗主義者は自由を大切にし、どんな文書や機関や指導者にも、至高の権限を与えず、それらを何が真実で何が正しいかの究極の判定者とすることを控える。人間は、疑い、調べ直し、セカンドオピニオンを聞き、異なる道を試してみる自由を、つねに保有しているべきだ。世俗主義者は、地球が本当に宇宙の中心にじっと動かずにとどまっているのかどうかを敢然と問うたガリレオ・ガリレイを賛美する。一七八九年にバスティーユ監獄を襲撃し、ルイ一六世の独裁政権を転覆させた多数の一般大衆を賛美する。勇敢にも人種差別的な法律を無視してバスで席を立たなかったローザ・パークスを賛美する。

偏見や暴虐な政権と戦うには**勇気**がたっぷり必要だが、無知を認めて未知の世界へ踏み込んでいくには、なおさら大きな勇気がいる。世俗主義の教育では、知らないことがあれば、無知を認めて新しい証拠を探すのを恐れるべきではない、と教える。たとえ、あることを知っていると思っていても、自分の意見を疑い、それを確かめ直すことを恐れるべきではない、と。多くの人は未知の事物を怖がり、どんな疑問にも明快な答えを欲しがる。未知の事物に対する恐れは、どんな暴君にもまして私たちの身をすくませる。人は歴史を通して、何か一連の絶対的な答えに全幅の信頼を寄せないかぎり、人間社会は崩壊してしまうと懸念してきた。ところが実際には、近代史が実証してくれたとおり、無知を認め、難しい疑問を提起するのを厭わない勇敢な人々から成る社会のほうが、誰もが単一の答えをまったく疑わずに受け容れなくてはならない社会よりも、たいてい繁栄するばかりか、平和でもある。自分が真実とするものを失うのを恐れる人々は、世の中をいくつも異なる見地から眺めるのに慣れている人々よりも暴力的になりがちだ。自分には答えられない疑問は、疑問を差し挟めない答えよりも、たいていはるかに優れている。

最後に、世俗主義者は**責任**を大切にする。彼らは、崇高なる力が存在してこの世界を管理し、邪悪な人を罰し、正義の人に報い、飢饉や疫病や戦争から私たちを守ってくれているとは信じていない。したがって、生身の人間である私たちが、何であれ自分のすることと、しないことのいっさいに責任を負わなければならない。もしこの世界が悲惨さに満ちているのなら、解決策を見つけるのが私たちの義務だ。世俗主義者は、感染症を治したり、飢えた人に食べ物を与えたり、世界の多くの地域に平和をもたらしたりといった、近代以降の社会のすばらしい業績の数々を誇りに思っている。これらの業績を、天の保護者のおかげと考える必要はない。人間が自らの知識と思いやりを育み、伸ばした結果なのだから。とはいえ、まさにそれと同じ理由で、大量虐殺から生態系の衰退まで、近代以降の社会が犯してきた罪と失敗の責任も、そっくり引き受ける必要がある。奇跡を祈る代わりに、自分たちに何ができるかを問う必要がある。

以上が世俗主義の世界の主な価値観だ。すでに指摘したように、これらの価値観は一つとして世俗主義だけのものではない。ユダヤ教徒も真実を重んじるし、キリスト教徒も思いやりを重視するし、イスラム教徒も平等性を尊ぶし、ヒンドゥー教徒も責任を大切にする、といった具合だ。世俗主義の社会や機関は喜んでこうした結びつきを認め、信心深いユダヤ教徒やキリスト教徒、イスラム教徒、ヒンドゥー教徒を受け容れる。ただし、世俗主義の規定が宗教の教義と衝突した場合には、後者が道を譲る。たとえば、世俗主義の社会に受け容れてもらうためには、正統派ユダヤ教徒は非ユダヤ教徒を対等な人間として扱うことが求められるし、キリスト教徒は異端者を火あぶりにするのを避けるべきだし、イスラム教徒は表現の自由を尊重しなければならないし、ヒンドゥー教徒はカーストに基づく差別をやめる必要がある。

それに対して、信心深い人が神を否定したり、伝統的な儀式を捨てたりするように求められたりすることはない。世俗主義の世界は、人を各自が好む衣服や儀式ではなく行動に基づいて評価する。宗派のこの上なく異様な服装規定を守り、奇怪千万な宗教儀式を行なう人でさえ、世俗主義の核心的な価値観を心底重視して振る舞うこともありうる。

ユダヤ教徒の科学者やキリスト教徒の環境保護主義者、イスラム教徒のフェミニスト、ヒンドゥー教徒の人権活動家は大勢いる。もし科学的な真実や思いやり、平等、自由に忠実ならば、彼らはみな、世俗主義世界の正規の成員であり、ヤムルカや十字架、ヒジャブ、ティラカ〔訳註　これら四つは前述の四宗教の信者がそれぞれ身につけたり顔に塗ったりするもの〕に別れを告げるよう求められる理由はいっさいない。

同様の理由から、世俗主義の教育とは、子供たちに神を信じたり宗教儀式に参加したりしないように教える、教化と逆の行為を意味しない。世俗主義の教育は子供たちに、真実と信念を区別したり、苦しんでいるいっさいの生き物に対する思いやりを育んだり、地球に暮らすあらゆる人の叡智と経験の真価を理解したり、未知を恐れずに自由に考えたり、自分の行動と世界全体に対する責任を引き受けたりすることを教える。

スターリンは世俗主義者だったか？

したがって、世俗主義は倫理的な義務や社会的責任を欠いていると非難する根拠はまったくない。それどころか、世俗主義の主な問題は、その対極にある。世俗主義はおそらく、倫理的なハードルをあまりに高く設定し過ぎている。ほとんどの人は、これほど厳しい規定を守って暮らすことはとうていできないし、大きな社会は真実と思いやりの無制限な探求に基づいて運営することはできない。戦争や経済危機のような緊急時にはとくに、社会は迅速に断固として行動を起こさなければならない。たとえ、何が真実か、どうするのが最も思いやりがあるのか確信が持てなくても、だ。そんなときには、明快な指針や、たちまち心を捉えるスローガンや、人を奮い立たせる鬨の声を必要とする。曖昧な推測を名目に、兵士を戦場に送り込んだり、抜本的な経済改革を強いたりするのは難しいので、世俗主義の運動はしばしば、一種の教条主義的な宗教に変異する。

たとえば、カール・マルクスは当初、あらゆる宗教は暴虐な詐欺だと主張し、自分の信奉者たちにグローバルな秩序の真の性質を自ら詳しく調べるように促した。その後の数十年間に、マルクス主義は革命と戦争の圧力を受けて非情になり、スターリンの頃には、ソヴィエト共産党の公式見解は以下のように変わっていた。すなわち、グローバルな秩序はあまりに複雑なので一般人には理解できない、したがって、共産党が何千万もの無辜の国民の投獄と処刑を画策したときにさえ、党の叡智をつねに信頼し、何でも言われたとおりにするのが最善だというのだ。なんともおぞましい話に思えるかもしれないが、党の理論的指導者たちが飽くことなく説明したように、革命はピクニックではなく、オムレツを食べたければ、卵をいくつか割る必要がある。

したがって、スターリンを世俗主義の指導者と見るべきかどうかは、世俗主義をどう定義するかにかかっている。もし、「世俗主義者は神を信じない」という、否定形の必要最小限の定義を使うなら、スターリンは間違いなく世俗主義者だった。もし、「世俗主義者は非科学的な信条はすべて退け、真実と思いやりと自由を心底重視する」という、肯定形の定義を使うなら、マルクスは世俗主義の権威だったが、スターリンは断じて違った。彼はスターリン主義という、神の存在は認めないもののきわめて教条主義的な宗教の預言者だった。

スターリン主義は、類例のないものではない。政治のスペクトルの反対側では、資本主義も偏見のないとても柔軟な科学理論として始まったが、徐々に固まって一つのドグマになった。多くの資本主義者が現場の実情に関係なく、自由市場と経済成長という言葉を呪文のように繰り返している。現代化や工業化や民営化から、ときおりどれほどひどい結果が生じようと、資本主義の狂信者はただの「産みの苦しみ」として片づけ、あともう少し経済が成長すれば、万事うまくいくと約束する。

これまでのところ、中道の自由民主主義者は、真実と思いやりの世俗主義的な追求にもっと忠実だが、彼らでさえもその追求を捨てて心地良いドグマを選ぶことがある。たとえば、残忍な独裁政権や機能不全の国家が引き起こした混乱状態に直面すると、自由主義者は総選挙という荘厳な儀式に無条件の信頼を置くことが多い。イラクやアフガニスタンやコンゴのような場所で彼らは戦争を行ない、何十億ドルも費やす。総選挙を実施すれば、これらの場所を日当たりを良くしたデンマークのような場所に魔法のように変えられると固く信じてのことだ。しかも、その儀式は繰り返し失敗しており、総選挙の伝統が確立した場所でさえ、ときおりこの儀式が、権威主義的な大衆迎合主義者(ポピュリスト)たちを権力の座に就かせ、多数派による独裁を招くという結果になってしまうのにもかかわらず、だ。もし総選挙が持つとされている叡智に疑問を差し挟もうとしたら、強制労働収容所送りにはならないだろうが、教条主義的な罵詈雑言の厳しい冷水を浴びせかけられる可能性が高い。

もちろん、すべてのドグマが等しく有害であるわけではない。人類のためになってきた宗教的信仰もあるのと同じで、世俗主義のドグマのなかにも、人類に恩恵をもたらしてきたものもある。人権という教義については、とりわけそう言える。権利というものは、人間が創作して語り合う物語の中にだけ存在する。そうした物語は、宗教的な偏狭さや独裁政権との戦いの間、自明のドグマとして神聖視され、大切にされた。人間には生命や自由に対する自然権があるという物語は真実ではないものの、人々がこの物語を信じていたおかげで、独裁的な政権の力が抑えられ、少数派が危害から守られ、何十億もの人が貧困と暴力が招く最悪の結果を免れた。こうしてこの信念は、おそらく歴史上の他のどんな教義よりも人類の幸福と福祉に貢献した。

とはいえ、それは依然としてドグマだ。たとえば、国連の世界人権宣言の第一九条には、「すべての人は、意見と表現の自由に対する権利を有する」とある。もしこれを政治的な要求（「すべての人は、意見の自由に対する権利を持つ**べきである**」）として理解するなら、それはしごく分別あるものと言える。だが、サピエンスは一人残らず「意見の自由に対する権利」を生まれながらにして与えられており、したがって、検閲は何らかの自然の法則に違反すると信じるなら、私たちは人類についての真実が理解できていない。あなたが自分を「不可侵の自然権を持っている個人」と定義しているかぎり、自分が本当は何者なのかはわからないし、あなたの社会やあなた自身の心（「自然権」が存在するというあなたの信念も含む）を形作った歴史的な力を理解できないだろう。

そのような無知は、二〇世紀にはほとんど問題にならなかったのかもしれない。人々はヒトラーやスターリンと戦うので忙しかったから。だが、二一世紀には致命的になりかねない。なぜなら、バイオテクノロジーとＡＩが今や人間であることの意味そのものを変えようとしているからだ。もし私たちが生命に対する権利を重視するなら、バイオテクノロジーを使って死を克服するべきであるということになるのか？　もし自由に対する権利を重視するなら、私たちの隠れた欲望を読み取って満たすアルゴリズムに権限を与えるべきなのか？　もしすべての人間が平等な人権を享受するのなら、超人は超人権を享受するのか？　世俗主義者は「人権」に対する教条主義的な信念に傾倒しているかぎり、そのような疑問に向き合おうとしても難しいだろう。

人権というドグマは、過去数百年間に、異端審問や旧制度（アンシャン・レジーム）、ナチス、ＫＫＫなどに対抗する武器として形作られた。だから、超人やサイボーグや超知能を持つコンピューターに対処する用意はないに等しい。人権運動は、宗教的偏見や暴君に対しては、見事なまでに豊富な反対論や防御策を練り上げてきたが、それらは過剰な大量消費やテクノロジー・ユートピアからはとても私たちを守れない。

陰の面を認める

世俗主義は、スターリンの教条主義や、西洋の帝国主義と止めどもなく進む工業化の苦い果実と同一視するべきではない。とはいえ、それらの責任をすべて免れることもできない。世俗主義の運動と科学の機関は、人類を完全なものにし、地球の恵みを私たちの種の利益のために役立てることを約束して何十億もの人を魅了してきた。そのような約束は、疫病と飢饉の克服だけではなく、強制労働収容所の創設や氷冠の融解にもつながった。これはすべて、人々が世俗主義の核心を成す理想と科学にまつわる真の事実を誤解したり歪めたりしたせいだとする向きもあるだろう。それはまったく正しい。だがそれは、影響力を持った運動のすべてに共通する問題だ。

たとえばキリスト教には、異端審問や十字軍の派遣、世界中の先住民文化の迫害、女性の力の剝奪といった大きな罪の責任がある。そう言われると、キリスト教徒は腹を立て、こうした罪はみな、キリスト教を完全に誤解したためになされたと反論するかもしれない。イエス・キリストは愛しか説いておらず、異端審問はこの教えの恐ろしい歪曲に基づいていた、と。この主張には共感しうるが、そう簡単にキリスト教を無罪放免にしたら誤りになる。異端審問や十字軍の派遣にぞっとしたキリスト教徒は、これらの残虐行為とあっさり縁を切るわけにはいかない。そうする代わりに、とても難しい疑問を自らに投げかけるべきだ。いったいぜんたい、どうして「愛の宗教」は自らがそんなふうに歪曲されるのを許したのか？　それも、一度だけではなく、何度も。すべてをカトリックの狂信的行為のせいにしようとするプロテスタントは、アイルランドや北アメリカでプロテスタントの入植者がどんな振る舞いをしたかが書かれた本を読むといい。同様に、マルクス主義者は、マルクスの教えのどんなところが、強制労働収容所への道を拓いたのか自問するべきだし、科学者は科学的事業がグローバルな生態系を不安定にさせる行為に、どうしてこれほど簡単に荷担してしまったかを考えるべきだし、とくに遺伝学者は、ナチスに進化論の諸説を乗っ取られてしまったことを戒めとするべきだ。

どの宗教やイデオロギーや信条にも陰の面があり、どの信条に従おうと、自分の陰の面を認め、道を誤るようなことは「私たちには起こるはずがない」などという甘い考えを抱いて安心するのは避けるべきだ。世俗主義の科学には、大半の伝統的宗教よりもずっと有利な点が少なくとも一つある。すなわち、自分の陰の面に恐れをなしておらず、進んで自分の誤りや盲点を認める建前になっていることだ。もしあなたが、超越的な力によって明かされる絶対的な真実を信じていたら、どんな誤りを認めることも自分に許せない。認めたら、自分が信じている物語全体が無効になってしまうからだ。だが、誤りを犯しがちな人間による真実の探求の価値を信じているなら、失敗を認めることも自ずとその探求の一端となる。

非教条主義的な世俗主義の運動が、比較的慎ましい約束しかしない傾向にある理由もそこにある。そうした運動は、自らの不完全性を心得ているので、最低賃金を数ドル上げたり、小児死亡率を数パーセント下げたりといった、小さな変化を少しずつもたらすことを期待している。教条主義的なイデオロギーは、自信過剰であるために、不可能な目標の達成を常習的に誓うのが特徴だ。そうしたイデオロギーの指導者は、「永遠」「純粋」「救済」といったことについて好き勝手に語る。まるで、何か法を定めたり、神殿を築いたり、どこかの領土を征服したりすれば、全世界を一気に救えるかのように。

私たちがこれから生命の歴史の中で最も重要な決定を下すにあたって、私としては、無謬性（むびゅうせい）を主張する人よりも無知を認める人を信頼したい。もしあなたが、自分の宗教かイデオロギーか世界観に世界を導いてほしいのなら、私は真っ先に問いたい。「あなたの宗教かイデオロギーか世界観が犯した最大の過ちは何か？　その宗教かイデオロギーか世界観は、何を誤解していたか？」と。もしあなたが、何か重大なことを思いつけないのなら、少なくとも私は、あなたを信用しないだろう。

IV 真実

もしあなたが、全世界が直面している
苦境に圧倒されて戸惑っているのなら、
あなたは正しい方向に向かっている。
グローバルなプロセスはみな、
あまりに複雑になり過ぎたので、
誰であれ、一人の人間には理解できない。
それならば、どうしたら世界についての真実を知り、
プロパガンダや偽情報の餌食になることを
避けられるだろうか?

15

無知

あなたは自分で思っているほど多くを知らない

これまでの各章では、誇大に騒ぎ立てられているテロの脅威から、過小評価されている技術的破壊の脅威まで、現代のきわめて重大な問題や展開をいくつか概観してきた。もうたくさんだ、とても手に負えないという執拗な思いが頭に残ったとしたら、あなたはまったく正しい。すべて処理できる人など、いるはずもないのだから。

過去数世紀の間に、自由主義の思想は、合理的な個人というものに絶大な信頼を置くようになった。この思想は、独立した合理的な行動主体として人間を描き出し、この神話上の生き物を現代社会の基盤に仕立て上げた。民主主義は有権者がいちばんよく知っているという考え方の上に成り立っており、自由市場資本主義は顧客はつねに正しいと信じており、自由主義の教育は自分で考えるように生徒に教える。

とはいうものの、合理的な個人というものをそこまで信頼するのは誤りだ。植民地独立後の思想家やフェミニズムの思想家が指摘してきたように、この「合理的な個人」とはどうやら熱狂的性差別主義の西洋の幻想であり、上流階級の白人男性の自立性と権力を賛美している。すでに述べたとおり、人間の決定のほとんどが、合理的な分析ではなく情動的な反応と経験則による近道に基づいており、私たちの情動や経験則は石器時代の暮らしに対処するのには向いていたかもしれないものの、シリコン時代には痛ましいほど不適切であることは、行動経済学者や進化心理学者によって証明済みだ。

合理性だけではなく個人性というのも神話だ。人間はめったに単独では考えない。私たちは集団で考える。子供を育てるには一つの部族全体が必要なのと同じで、道具を発明したり、争いを解決したり、病気を治したりするにも一つの部族全体が必要とされる。大聖堂の建て方であれ、原子爆弾や飛行機の製造法であれ、何から何まで知っている人はいない。ホモ・サピエンスが他のあらゆる動物を凌ぎ、地球の主人になれたのは、個人の合理性ではなく、大きな集団でいっしょに考えるという、比類のない能力のおかげだった。(1)

個々の人間は、この世界について情けないほどわずかしか知らないし、歴史が進むにつれて、個人の知識はますます乏しくなっていった。石器時代の狩猟採集民は、衣服の作り方も、火の起こし方も、ウサギの狩り方も、ライオンからの逃げ方も知っていた。私たちは今日、自分たちのほうがはるかに多くを知っていると思っているが、じつは個人としては、知っていることははるかに少ない。必要とするもののほぼすべてを他者の専門技術や知識に頼っている。こんな屈辱的な実験があった。参加者は、ありきたりのファスナーの仕組みを自分がどれだけよく理解しているかを評価するように言われた。ほとんどの人は、とてもよく知っていると自信たっぷりに答えた。なにしろ、ファスナーは四六時中使っているのだから。その後、ファスナーがどのように開閉するかを、順を追ってできるだけ詳しく説明するように求められた。すると、大半の参加者が、見当もつかなかった。[2]これは、スティーブン・スローマンとフィリップ・ファーンバックが「知識の錯覚」と名づけた現象だ。私たちは、個人として知っていることはごくわずかであるにもかかわらず、多くを知っているつもりでいる。なぜなら私たちは、他者の頭の中にある知識を、まるで自分のもののように扱うからだ。

これは必ずしも悪いことではない。私たちは集団思考に頼っているからこそ、世界の主人になれたのであり、知識の錯覚のおかげで、すべてを自ら理解しようなどという達成不可能な努力にかまけて人生を送らずに済む。進化の視点に立つと、他者の知識を信頼するという方法は、ホモ・サピエンスにとってきわめて有効だった。

とはいえ、昔は道理に適っていたものの、現代では厄介のもととなる、人間の他の多くの特性と同じで、知識の錯覚にも欠点がある。世の中はますます複雑になっているのに、人々は今起こっていることにいかに無知であるか、気づけていない。その結果、気象学や生物学についてろくな知識も持たない人が、平気で気候変動や遺伝子組み換え作物についての政策を提案したり、イラクやウクライナを地図で見つけられない人が、そうした国で何をするべきかに関して、恐ろしく強硬な意見を唱えたりする。人々が自分の無知を正しく認識することはめったにない。なぜなら人々は、同じ意見の友人や、自分の意見を裏づけるオンライン配信のニュースから成る殻に閉じこもっており、そこでは自分の信念が絶えず増幅され、正当性を問われることは稀だからだ。(3)

人々にもっと正確な情報をもっと多く提供しても、状況は改善しそうにない。科学者は、より良い科学教育によって間違った見方を追い払うことを願い、有識者は正確な事実や専門家の報告書を一般大衆に示すことで、オバマ大統領による医療保険改革や地球温暖化のような問題について、世論を動かすことを願う。そうした願いは、人間が実際にどのように考えるかについての誤解に基づいている。私たちの考え方の大半は、個人の合理性よりもむしろコミュニティの集団思考で形作られ、私たちは集団への忠誠のせいで、そうした考え方にしがみつく。人々に事実を浴びせかけ、一人ひとりの無知を暴けば、おそらく裏目に出る。たいていの人は、事実ばかり並べ立てられるとうんざりするし、自分は愚か者だなどとは絶対に思いたくない。保守派ポピュリストのティーパーティー運動の支持者に、統計データの束を見せれば、地球温暖化は本当に起こっていると説得できるなどと思わないほうがいい。[4]

集団思考の力はじつに広く浸透しているので、それに基づく考え方がひどく独断的に見えるときにさえ、なかなかその束縛を振りほどけない。たとえばアメリカでは、右翼の保守派は左翼の進歩主義者と比べると、環境汚染や絶滅危惧種のことをほとんど気にかけない傾向にある。だから、右翼が優位のルイジアナ州は左翼が優位のマサチューセッツ州よりも環境規制がはるかに緩やかだ。私たちはこの状況に慣れているので、それが当たり前だと思っているが、じつはこれは本当に驚くべきことだ。保守派なら、昔からの生態系の秩序の保全や、先祖伝来の土地や森林や河川の保護を、もっとずっと強く気遣うだろうと思いたくなる。それに対して進歩主義者は、田園地方の徹底的な改造にもっとずっと積極的だろうと見込んでよさそうに思える。その改造の目的が、進歩を速め、人間の生活水準の向上を目指すものであるときにはなおさらだ。ところが、さまざまな歴史の気まぐれのせいで、こうした問題に関して政党の路線がいったん決まってしまうと、河川の汚染や鳥類の減少についての懸念を退けるのが保守派の習い性になる一方で、左翼の進歩主義者は昔ながらの生態系の秩序にどんな支障が出ることも恐れる傾向を見せるようになった。[5]

科学者たちでさえ、集団思考の力の影響を免れない。たとえば、事実によって世論を変えうると信じている科学者自身も、科学的な集団思考の犠牲者かもしれない。科学界は事実の有効性を確信しているので、このコミュニティに忠実な人々は、逆の経験的証拠が山ほどあるというのに、適切な事実を振りかざせば一般大衆の賛同を勝ち取れると信じ続ける。

同様に、個人の合理性という自由主義の信念自体も、自由主義者の集団思考の産物かもしれない。モンティ・パイソンの映画『ライフ・オブ・ブライアン』の山場の一つで、何かに憑かれたように、大勢の信者がブライアンを救世主と取り違える。ブライアンは彼らに言い聞かせる。「私につき従う必要はない。誰にもつき従う必要はないんだ！ 自分の頭で考えなくてはいけない！ あなたたちはみな、個人なのだから！ あなたたちはみな、一人ひとり違うんだ！」。熱狂した人々は声を合わせて唱えるように言う。「そうだ！ 私たちはみな個人だ！ そうだ、私たちはみな、一人ひとり違うんだ！」。モンティ・パイソンは一九六〇年代のカウンターカルチャーの原理主義を茶化していたのだが、この点は合理的な個人主義一般にも当てはまるかもしれない。現代の民主国家は、「そうだ、有権者がいちばんよく知っている！ そうだ、顧客はつねに正しい！」と声を揃えて叫ぶ群衆で満ちあふれている。

権力のブラックホール

集団思考と個人の無知の問題につきまとわれているのは、一般の有権者と消費者だけではなく、大統領やCEOも、だ。彼らは大勢の顧問や巨大な情報機関を自由に使えるが、必ずしもそれで状況が改善されるわけではない。世の中を支配しているときには、真実を発見するのは極端なまでに難しい。あまりに忙し過ぎるからだ。たいていの政治指導者や実業界の大物は、絶えず飛び回っている。ところが、どんなテーマであれ、深く掘り下げたければ、たっぷり時間が必要だし、とくに、時間を浪費する特権が必要だ。成果につながらない道も試し、行き止まりも探り、疑いや退屈が入り込む余地も作り、小さな見識の種がゆっくりと生長して花開くのを許す必要がある。もし時間を浪費する余裕がなければ、真実はけっして見つからないだろう。

巨大な権力は必ず真実を歪めてしまうから、なお悪い。権力とは、現実をありのままに見ることではなく、それを変えることだ。もしあなたが手に金槌を持っていれば、あらゆるものが釘のように見える。そして、巨大な権力を手中にしていれば、何もかもが干渉してくれと言っているように見える。たとえその衝動をどうにか克服できたとしても、周りの人々は、あなたが手に握っている特大の金槌のことをけっして忘れない。あなたに話しかけてくる人は誰もが、意識的なもくろみ、あるいは無意識のもくろみを持っているだろうから、彼らの言うことにはけっして全幅の信頼が置けない。どんなスルタンも、廷臣や家来が何でも真実を告げるなどとは、絶対に思うわけにはいかない。

こうして巨大な権力は、周囲の空間そのものを歪めるブラックホールのような働きをする。それに近づけば近づくほど、すべてがねじ曲げられる。あなたが巨大な権力を持っていたら、あなたの軌道に入ったとたんに、言葉の一つひとつが特別に重くなり、目に入る人は誰もがあなたにこびへつらったり、あなたの歓心を買ったり、あなたから何かを手に入れたりしようとする。彼らはあなたには一、二分しか時間を割いてもらえないことを承知しているし、失言したり筋の通らない物言いをしたりしてしまうことを恐れているので、けっきょく空疎なスローガンか、ごくありきたりなことしか言わない。二年ばかり前、私はイスラエルのベンヤミン・ネタニヤフ首相との晩餐に招かれた。友人たちには行くなと警告されたが、私は誘惑に勝てなかった。閉ざされた扉の奥で重要人物にしか明かされない何か大きな秘密を、ついに聞けるかもしれないと、私は思っていた。だが、なんという期待外れだったことか！　そこには三〇人ほどの人がいて、誰もがこの大立者の注意を惹いたり、機知で感心させたり、機嫌を取ったり、何かを手に入れたりしようとしていた。何か大きな秘密を知っている人がいたとしたら、見事にそれを自分の胸にしまい込んでいた。これはネタニヤフのせいではないし、実際、誰のせいでもなかった。権力の持つ引力のせいだった。

もし本当に真実を知りたかったら、権力のブラックホールから脱出して、たっぷり時間を浪費しながら周辺をあちこちうろつき回ってみる必要がある。革命的な知識はめったに中心まで行き着かない。なぜなら、中心は既存の知識の上に築かれているからだ。旧来の秩序の守護者たちはたいてい、誰が権力の中心まで達することができるかを決め、型破りの不穏な考えを伝える人々は、たいてい除外する。もちろん、馬鹿げた考えも信じられないほど多く除外する。したがって、ダヴォスの世界経済フォーラムに招待されないだけでは、およそ叡智の保証にはならない。だからこそ、周辺で多くの時間を浪費する必要があるのだ。周辺部にはすばらしい、革命的な見識がいくつかあるかもしれないが、主に、無知な憶測や、偽りであることが証明されているモデル、迷信的な信条、馬鹿げた陰謀論で満ちている。

このように指導者たちはジレンマに陥っている。権力の中心にとどまれば、世界をはなはだしく歪んだ形でしか見られない。だが、思い切って周辺部に行けば、稀少な時間をあまりに多く浪費することになる。しかも、この問題は悪化する一方だ。今後数十年間に、世界は今日よりもなおさら複雑になる。その結果、個々の人間は、ポーンであろうとキングであろうと、世界の行方を決める技術的な装置や経済の動向や政治のダイナミクスについて、知っていることがいっそう少なくなる。二〇〇〇年以上前にソクラテスが述べたとおり、そのような状況下で取りうる最善の行動は、私たち一人ひとりが自らの無知を認めることだ。

だが、そうだとしたら、道徳と正義はどうなるのか？　もし私たちにはこの世界が理解できないのなら、正しいものと間違っているもの、正義と不正義を区別することなど、どうして望めるだろうか？

16

正義

私たちの正義感は時代後れかもしれない

私たちの他のあらゆる感覚と同じで、正義感も太古にさかのぼる進化的な起源を持っている。人間の道徳性は何百万年にも及ぶ進化の過程で形作られ、狩猟採集民の小さな生活集団の中で起こる社会的ジレンマや倫理的ジレンマに対処できるように適応した。もし私があなたと狩りに行き、私はシカを一頭仕留めたのに、あなたは何も捕まえられなかったなら、私は獲物をあなたと分かち合うべきか？　あなたがキノコ狩りにでかけて、籠(かご)がいっぱいになるほど採ってきたら、仮に私のほうが強かったとして、私はそのキノコを全部奪い取っていいのか？　そして、あなたが私を殺そうとたくらんでいるのを知ったら、私は機先を制し、夜陰に紛れてあなたの喉を掻き切ってもかまわないのか？(1)

物事のうわべだけを見ると、私たちがアフリカのサバンナを離れてから都会のジャングルで暮らすようになった現在まで、たいした変化はなかった。シリアの内戦やグローバルな不平等や地球温暖化といった、今日私たちが直面する問題は、昔からお馴染みの問題の規模を大きくしただけにすぎないように思える。だが、それは錯覚だ。規模は大切で、他の多くの見地と同じで、正義の見地に立つと、私たちは自分が暮らしている世界にろくに適応できていない。

これは価値観の問題ではない。二一世紀の人々は、非宗教的なものにしろ、あるいは宗教的なものにしろ、価値観はたっぷり持っている。問題は、複雑なグローバル世界でそうした価値観に基づいて行動するのが難しい点にある。それはすべて、数のせいだ。狩猟採集民の正義感は、きわめて接近して暮らしている数百の人の生活に関連したジレンマに対処するために構築された。さまざまな大陸に住む何億もの人の関係を理解しようとすると、私たちの道徳感覚は圧倒されてしまう。

正義には、一連の抽象的な価値観だけではなく、具体的な因果関係の理解も必要とされる。もしあなたが我が子に食べさせるためにキノコを集めたのに、そのキノコが入った籠を私が無理やり奪い、あなたの苦労が水の泡になって、子供たちは今晩お腹を空かせたまま寝る羽目になるとしたら、それは不当だ。これは苦もなく理解できる。なぜなら、因果関係が簡単に見て取れるからだ。あいにく現代のグローバルな世界は、因果関係が細かく分岐していて複雑であるという、本質的な特徴を持っている。私は自宅で平穏に暮らし、他者を害するようなことはいっさいしないでいても、左翼の活動家によれば、ヨルダン川西岸でイスラエルの兵士や入植者が行なっている不正行為に完全に荷担しているのだという。社会主義者たちに言わせれば、私の快適な生活は、第三世界の惨憺たる搾取工場での児童労働に基づいていることになる。動物福祉の提唱者は、私の生活が、何十億という家畜を残忍な搾取体制下に置くという、史上屈指の恐ろしい犯罪と分かち難く結びついていることに注意を促す。

私は本当にこれらすべてに責任があるのだろうか？　それには簡単に答えられない。私は、経済的なつながりと政治的なつながりの気が遠くなるようなネットワークに頼って生きているために、そして、グローバルな因果関係はあまりにもつれているので、昼食の食材はどこから調達されたのかや、履いている靴は誰が作ったのかや、年金基金は私が納めたお金で何をしているのかといった、ごく単純な疑問にさえ答えるのが難しい。(2)

川を盗む

原始時代の狩猟採集民は、昼食の食材がどこから調達されたか(自分で採集してきた)や、誰が自分の履き物を作ったか(二〇メートル離れた所で寝ている人)や、自分の年金基金が何をしているか(泥まみれになって遊んでいる。当時の人には年金基金は一つしかなかった。すなわち我が子だ)を熟知していた。そのような狩猟採集民と比べると、私ははるかに無知だ。何年も研究すれば、私が票を投じた政府が地球の反対側の怪しげな独裁者に密かに武器を売っていたことが判明するかもしれない。だが、私がそれを突き止めるまでの間には、今日の夕食に食べた卵を産んだニワトリの運命といった、はるかに重要な事柄を究明しそびれるかもしれない。

知ろうと努力しない人は知らぬが仏の状態にとどまり、知ろうと努力する人は真実を見つけ出すのに大変な苦労をするように、現在の世の中はできている。グローバルな経済制度が、私の代わりに、私の知らないうちに、休むことなく盗みを働いているときに、いったいどうしたら盗むのを避けられるというのか？　行動を結果で判断する(被害者を惨めにするから盗むのは悪い)かどうかや、結果に関係なく従うべき絶対的な義務を信じている(神がそう言っているから盗むのは悪い)かどうかは重要ではない。問題は、私たちが実際に何をしているかを把握するのがきわめて複雑になった点にある。

盗んではいけないという戒律は、盗むという行為が、自分の所有していないものを自らの手で物理的に持ち去ることを意味していた時代に考案された。ところが今日では、盗みに関する本当に重要な議論は、完全に異なる筋書きにかかわるものとなっている。

仮に私が大手の石油化学企業の株に一万ドル投資し、毎年五パーセントの配当を受け取っているとしよう。その企業は環境対策にお金をかけないので、莫大な利益をあげている。地域の給水や、一般大衆の健康や、地元の野生生物への害を顧みず、有毒な廃棄物を近くの川に垂れ流しにしている。豊富な資金を使って何人も弁護士を雇い、どんな賠償金の請求からも守ってもらう。また、ロビイストたちを抱えておき、環境規制強化の法案の成立を阻む。

「川を盗んでいる」として、私たちはその企業を非難できるだろうか？　そして、私個人についてはどうか？　私は誰の家にも押し入ってはいないし、誰の財布からもお札を抜き取っていない。この企業がどうやって利益をあげているかも知らない。私の投資先の一つがその企業であることを、ぼんやりと記憶しているだけだ。では、私は盗みを犯しているのだろうか？　関連する事実をすべて知る術などないときに、どうすれば道徳に適う行動が取れるだろう？

「意図の道徳性」を採用してこの問題をかわそうとすることはできる。重要なのは、何を意図するかであって、実際に何をするかや、その行動がどんな結果をもたらすかではない、というわけだ。ところが、すべてが互いにつながっている世界では、至上の道徳的義務は、知る義務となる。近代以降の歴史上で最大級の犯罪は、憎しみや強欲が招いただけでなく、無知と無関心に負うところがなおさら大きかった。うっとりするほど魅力的なイギリスの淑女たちは、アフリカとカリブ海諸島のどちらにも一度として足を踏み入れたこともないまま、ロンドンの証券取引所で株や債券を買うことで、大西洋の奴隷貿易に出資した。そして、四時のお茶には、地獄のようなプランテーションで生産された、雪のように白い角砂糖を入れて甘みを加えた――プランテーションのことは何一つ知らずに。

一九三〇年代後期のドイツでは、地元の郵便局の局長は、職員の福祉に気を配り、小包が行方不明になって途方に暮れている人々には自ら手を貸してその小包を探すような、高潔な市民だったかもしれない。彼は毎日真っ先に出勤し、誰よりも遅くまで働き、吹雪の日にさえ郵便物が時間どおりに配達されるようにした。ところが嘆かわしいことに、利用者に手厚い対応を見せる彼の効率的な郵便局は、ナチスドイツの神経系におけるきわめて重要な細胞だった。この郵便局は、人種差別的なプロパガンダや、ドイツ国防軍の徴兵命令、地元のナチス親衛隊支部への厳格な命令を迅速に配達していた。知ろうという真摯な努力をしない人の意図には、どこか不適切なところがある。

だが、何をもって「知ろうという真摯な努力」とするのか？　どの国の郵便局長も、扱っている郵便物を開封し、政府のプロパガンダが出てきたら、辞任したり反乱を起こしたりするべきなのか？　一九三〇年代のナチスドイツを、道徳の見地から絶対的な確信を持って振り返るのは易しい。なぜなら、因果の鎖がどこにつながっていったかがわかっているからだ。だが、後知恵の助けがなければ、道徳に関して確信を持つことは望めないかもしれない。狩猟採集民の脳にとって、世界はあまりに複雑になり過ぎた、というのがつらい現実なのだ。

現代世界における不正義の大半は、個人の先入観よりもむしろ大規模な構造的偏見に起因するが、私たちの狩猟採集民の脳は、構造的偏見を検知するようには進化しなかった。私たちはみな、そうした偏見の少なくともいくつかは共有しているものの、すべての偏見を見つけ出す時間もエネルギーも持っていない。本書を書くことで、私は個人のレベルでそれを思い知らされた。グローバルな問題を論じるときには、私はいつも、不利な境遇にあるさまざまな集団の見地よりもグローバルなエリート層の見地を優先する危険がある。グローバルなエリート層は会話を支配しているので、彼らの見解は見逃しようがない。それに対して、不利な境遇にある集団は、日頃から沈黙させられているので、彼らのことは簡単に忘れてしまう——意図的な悪意からではなく、たんなる無知から。

たとえば私は、タスマニア島先住民の独特の物の見方や問題について、何一つ知らない。実際、あまりにも無知だったので、以前に本を書いたときには、タスマニア島の先住民はヨーロッパからの入植者に一掃され、もう存在しないと思い込んでいた。じつは、タスマニア島の先住民に血筋をたどれる人が、現在、何千人も生きており、彼らは独自の多くの問題と悪戦苦闘している。その一つは、自らの存在がしばしば否定されるというものだ。とくに、博学なはずの研究者たちによって。

たとえあなた自身が、不利な境遇にある集団に属していて、そのためその集団の見地を直接深く理解していたとしても、同じような境遇にある他の集団すべての見地を理解していることにはならない。どの集団も下位集団も、異なるガラスの天井や二重基準、遠回しな侮辱、制度化された差別などから成る迷宮と向き合っているからだ。三〇歳のアフリカ系アメリカ人男性は、アフリカ系アメリカ人男性であるとはどういうことかについて、三〇年分の経験を積んでいるかもしれない。だが、アフリカ系アメリカ人女性や、ブルガリアのロマ人、目の不自由なロシア人、中国のレズビアンであるとはどういうことかについては、何の経験もない。

このアフリカ系アメリカ人男性はこれまで、これといった理由もないのに何度となく警官に呼び止められて職務質問されてきた。それに対して中国のレズビアンは、そういう経験はいっさいせずに済んだ。アフリカ系アメリカ人ばかりが暮らす地区でアフリカ系アメリカ人の家庭に生まれたこの男性は、自分と同じような人々に囲まれており、アフリカ系アメリカ人男性として生き延び、活躍するために知っておく必要のあることを彼らに教わった。中国のレズビアンは、レズビアンばかりが暮らす地区でレズビアンの家庭に生まれたわけではないから、重要な教訓は誰一人教えてくれなかったかもしれない。したがって、ボルティモアでアフリカ系アメリカ人として育っても、杭州で育つレズビアンの苦労を理解する役には立たない。

以前なら、これはあまり問題にならなかった。なぜなら人は、地球の反対側にいる人々の苦境には、責任はないに等しかったからだ。近隣で自分より恵まれていない人に同情しようと努力すれば、たいていそれで十分だった。ところが今日では、気候変動や人工知能（ＡＩ）のような問題をめぐるグローバルな議論の主だったものは、タスマニアの人だろうが、杭州の人だろうが、ボルティモアの人だろうが関係なく、あらゆる人に影響を及ぼすので、あらゆる見地を考慮に入れる必要がある。とはいえ、いったい誰にそんなことができるだろうか？ 世界中の無数の集団の間に張り巡らされた複雑な網を、いったい誰が理解できるだろう？(3)

規模を縮小するか、それとも否定するか？

たいていの人は、世界の主要な道徳的問題を理解しようと心から望んだとしても、もうそれはかなわない。人は二人の狩猟採集民の関係や、二〇人の狩猟採集民の関係や、二つの近隣の氏族（クラン）の関係は理解できる。だが、数百万のシリア人の関係や、五億のヨーロッパ人の関係や、互いに接触のある地球上のすべての集団や下位集団の関係を理解できるようにはなっていない。

この規模の道徳的ジレンマを理解し、判断を下そうとするときには、人々は四つの方法のどれかを使うことが多い。第一の方法は、問題の規模を縮小することだ。たとえば、シリアの内戦を、二人の狩猟採集民の間で起こっているかのように理解したり、アサド政権は一人の人間、反体制派も一人の人間で、一方が悪人、もう一方が善人であるかのように想像したりする。この争いの歴史的な複雑さは、単純明快な筋に置き換える。[4]

第二の方法は、胸に迫る人間ドラマに的を絞ることであり、そうしたドラマはこの争い全体を表しているという建前になっている。この争いが本当はどれほど複雑かを、統計や厳密なデータで人々に説明しようとしたら、ついてきてもらえないが、ある子供の悲劇的な身の上話をすれば、人々の涙腺を緩め、血を沸き立たせ、道徳面で偽りの確信を持たせることができる。[5] 多くの慈善団体が、ずっと昔からこれを理解している。次のような注目に値する実験がある。参加者は、ロキアというマリ共和国の貧しい七歳の女の子を救うために、お金を寄付するように頼まれた。多くの参加者は、彼女の話に心を動かされて優しい気持ちになり、財布を開けた。ところが研究者たちが、ロキアの身の上話に加えて、アフリカにおける貧困というもっと広範な問題についての統計も示すと、参加者は突然、助ける意欲が減退した。別の研究では、学者たちは一人の病気の子供か、八人の病気の子供のどちらかを救うために寄付を募った。参加者は、八人の集団よりも、ただ一人の子供のほうに、より多くのお金を出した。[6]

大規模な道徳的ジレンマに対処する第三の方法は、陰謀論をでっち上げることだ。グローバル経済はどのように機能しているのか？　それは良いものなのか、悪いものなのか？　これはあまりに複雑で理解を超えている。だから、二〇人の大富豪がさらに豊かになるために、裏で糸を引いたり、マスメディアを支配したり、戦争を扇動したりしているとでも想像するほうが、はるかに易しい。そうした陰謀論は、ほぼ確実に根も葉もない幻想にすぎない。現代の世界は、私たちの正義感にとってだけではなく、管理能力にとっても、あまりに複雑だ。大富豪やＣＩＡ、秘密結社フリーメイソン、ユダヤ人による世界支配を目指すとされるシオンの長老たちも含め、世界で起こっていることを本当に理解している人は誰もいない。だから、裏で効果的に糸を引くことができる人などいないのだ。(7)

以上三つの方法は、世界が本当はきわめて複雑であることを否定しようとするものだった。最後に残った第四の方法は、ドグマを一つ生み出し、全知という触れ込みの理論か機関か支配者を信頼し、どこへなりと、導かれるままについていくことだ。宗教的な信条やイデオロギー上のドグマが、今の科学時代にあっても依然としてとても魅力的なのは、苛立たしいほど複雑な現実からの避難場所を提供してくれるからにほかならない。すでに指摘したとおり、世俗主義の運動も、これまでこの危険を免れなかった。人は宗教的なドグマをいっさい退け、科学的な真実を断固重視するところから始めたとしても、遅かれ早かれ現実の複雑さに我慢できなくなり、疑問を差し挟むことを許さない教義を作り出さざるをえなくなる。そうした教義は知的な慰めと道徳的な確信を提供してくれる一方で、正義を与えてくれるかどうかは疑わしい。

それならば、どうするべきなのか？　自由主義のドグマを採用し、個々の有権者や消費者から成る集合体を信頼するべきなのか？　それとも、個人主義のアプローチを退け、歴史上の多くの文化に倣って、コミュニティに権限を与え、いっしょにこの世界の意味を理解するべきなのだろうか？　とはいえ、そのような解決策を選べば、個人の無知という窮地を脱しても、偏った集団思考という、なおさら厳しい窮地に飛び込む羽目になる。狩猟採集民の生活集団や、村のコミュニティ、さらには都市のさまざまな地区でさえも、人々が直面している共通の問題について、いっしょに考えることができた。だが、今や私たちはグローバルな問題に悩まされているが、グローバルなコミュニティは存在しない。フェイスブックもナショナリズムも宗教も、そのようなコミュニティを創設する段階には程遠い。既存の人間の集団はみな、グローバルな真実を理解することよりも、自らの権益を増やすことに余念がない。アメリカ人、中国人、イスラム教徒、ヒンドゥー教徒など、どの集団も「グローバルなコミュニティ」は形成していない。だから、彼らによる現実の解釈は、とうてい信頼できない。

それならば私たちは、もう諦め、真実を理解して正義を見つけるという人間の探求は失敗に終わったと宣言するべきなのか？　私たちは公式にポスト・トゥルースの時代に入ったのだろうか？

17

ポスト・トゥルース

いつまでも消えないフェイクニュースもある

私たちはぞっとするような「ポスト・トゥルース」の新時代に生きており、どちらを見ても嘘と作り事ばかりだと、近頃繰り返し言われている。例はいくらでも手に入る。たとえば二〇一四年二月下旬、軍の徽章をつけていないロシアの特殊部隊がウクライナに侵入し、クリミア半島の主要な軍事基地を占領した。ロシア政府とプーチン大統領本人が、彼らがロシアの部隊であることを再三否定して、自発的に組織された「自警団」(1)だとし、地元の店でロシア製のように見える装備を手に入れたかもしれないと主張した。

この荒唐無稽な説明を口にしたとき、プーチンとその側近たちは、嘘をついていることを百も承知していた。

ロシアのナショナリストたちは、より高い次元の真実のためになると言い張って、この嘘を大目に見ることができるだろう。ロシアは正義の戦争を行なっていたのであり、大義名分のためには人を殺すことが許されるなら、嘘をつくことも当然許されるのではないか？　ウクライナ侵攻を正当化するとされる、このより高次の大義名分とは、ロシアという神聖な国家の維持だった。ロシアの国家神話によれば、ロシアは神聖な存在で、不埒な敵たちが侵略して分割しようと何度も試みたにもかかわらず、一〇〇〇年にわたって持ちこたえてきたことになる。モンゴル人、ポーランド人、スウェーデン人、ナポレオンのグランダルメ（大陸軍）、ヒトラーのドイツ国防軍に続いて、一九九〇年代にはＮＡＴＯとアメリカとＥＵが、ロシアの一部を切り離してウクライナのような「似非国家」に仕立て上げて、ロシアを破壊しようと試みたという。ロシアの多くのナショナリストにとっては、ウクライナはロシアとは別個の国家であるという考え方のほうが、ロシアという国家を再統合する神聖な使命を果たす間にプーチン大統領が口にしたことのどれよりもはるかに大きな嘘となる。

ウクライナ国民や傍から見ている人や専門の歴史学者がこの説明に呆れ返り、それをロシアの欺瞞の兵器庫から跳び出した「原爆級の嘘」と見なしたとしても当然だろう。ウクライナは一つの国民としても独立国としても存在しないと主張すれば、多くの歴史的事実を無視することになる。たとえば、ロシアが統合されていたはずの一〇〇〇年間に、キエフとモスクワが同じ国に含まれていたのは約三〇〇年にすぎない。また、ロシアが以前は受け容れ、独立国ウクライナの主権と国境を保護してきた、非常に多くの法律や条約に違反することになる。そしてこれが最も重要なのだが、その主張は、自分はウクライナ人だと考えている何百万もの人々の意見を無視している。彼らには、自分が何者かについて発言権がないというのだろうか？

世界には似非国家がいくつかあることに関しては、ウクライナのナショナリストもロシアのナショナリストに間違いなく同意するだろう。だが、ウクライナはそのような似非国家ではない。むしろ、ロシアがいわれもなく行なったウクライナ侵攻を隠蔽するために打ち建てた「ルガンスク人民共和国」や「ドネツク人民共和国」こそが似非国家だ(2)。どちらの側を支持するにしても、どうやら私たちは本当に、ポスト・トゥルースの恐ろしい時代に生きているらしい。今や、特定の軍事紛争だけでなく、歴史全体や国家全体が偽造されうるのだ。だが、もし今がポスト・トゥルースの時代ならば、いったいいつが、のどかな真実の時代だったのか？　一九八〇年代か？　一九五〇年代か？　一九三〇年代か？　そして、何がきっかけで私たちはポスト・トゥルースの時代へと移行したのか？　インターネットか？　ソーシャルメディアか？　プーチンとトランプの躍進か？

歴史にざっと目を通すと、プロパガンダや偽情報はけっして新しいものではないことがわかるし、ある国家や国民の存在をまるごと否定したり、似非国家を創り出したりする習慣さえ、はるか昔までさかのぼる。日本軍は一九三一年に自らに対して偽装攻撃を行なって中国軍の犯行とし、中国侵略の口実とした後、翌三二年に満洲国という似非国家を設立して、征服行為を正当化した。その中国にしても、チベットが独立国として存在したことをずっと以前から否定してきた。オーストラリアへのイギリスの植民は、無主の地（テラ・ヌリウス）という法原理によって正当化され、それによって五万年に及ぶ先住民の歴史が事実上消し去られた。

二〇世紀初期には、シオニズムのお気に入りのスローガンは、「民なき土地［パレスティナ］への、土地なき民［ユダヤ人］」の帰還を謳うものだった。地元のアラブ人住民の存在は、都合よく無視された。一九六九年、イスラエルのゴルダ・メイア首相は、パレスティナ人などというものは今も昔も存在したためしがないという、有名な言葉を残した。存在していないはずの人々を相手にした武力紛争が何十年も続いているというのに、そのような見方は今日でさえごく一般的だ。たとえば二〇一六年二月、アナト・ベルコ議員はイスラエル議会で行なった演説の中で、パレスティナの人々や彼らの歴史が現実に存在することを疑った。彼女が挙げた証拠は？　アラビア語には「p」という文字が存在してさえいないのだから、どうしてパレスティナの人々など存在できるだろうか、というのだ（アラビア語では、「f」が「p」を表す。だからパレスティナのアラビア語名はファラスティンだ）。

ポスト・トゥルースの種（しゅ）

実際には、人間はつねにポスト・トゥルースの時代に生きてきた。ホモ・サピエンスはポスト・トゥルースの種であり、その力は虚構を創り出し、それを信じることにかかっている。自己強化型の神話は石器時代以来ずっと、人間の共同体を団結させるのに役立ってきた。実際、ホモ・サピエンスがこの惑星を征服できたのは、虚構を創り出して広める人間ならではの能力に負うところが何より大きい。私たちは、非常に多くの見ず知らずの同類と協力できる唯一の哺乳動物であり、それは人間だけが虚構の物語を創作して広め、厖大な数の他者を説得して信じ込ませることができるからだ。誰もが同じ虚構を信じているかぎり、私たちは全員が同じ法や規則に従い、それによって効果的に協力できる。

だから、新しい、ぞっとするようなポスト・トゥルースの時代をもたらしたとして、あなたがフェイスブックやトランプやプーチンを責めるなら、何世紀も前に何百万ものキリスト教徒が自己強化型の神話のバブルの中に閉じこもり、聖書の記述が真実かどうかをけっして問おうとはしなかったことや、何百万ものイスラム教徒がクルアーンを疑うことなく信じ込んでいたことを思い出してほしい。何千年にもわたって、人間の社会的ネットワークの中で「ニュース」や「事実」として通ってきたことの多くは、奇跡や天使、魔物、魔女についての物語であり、想像力に富む報告者が奈落の底から直接、生中継したものだ。イヴがヘビに誘惑されたことや、異教徒はみな死ぬと地獄で魂が焼かれることや、宇宙の創造主はバラモンの人が不可触民と結婚するのを好まないことを裏づける科学的証拠はいっさいない。それにもかかわらず、何十億もの人がこうした物語を何千年にもわたって信じてきた。フェイクニュースのなかには、いつまでも消えないものもあるのだ。

私が宗教をフェイクニュースと同一視したために腹を立てる人も多いかもしれないことは承知しているが、それがまさに肝心の点だ。でっち上げの話を一〇〇〇人が一か月間信じたら、それはフェイクニュースだ。だが、その話を一〇億人が一〇〇〇年間信じたら、それは宗教で、信者の感情を害さない(あるいは、怒りを買わない)ために、それを「フェイクニュース」と呼ばないように諭される。とはいえ、私が宗教の有効性や潜在的な善意を否定していないことに注目してほしい。むしろ、その逆だ。良くも悪くも、虚構は人間の持つ道具一式のなかでもとりわけ効果的だ。宗教の教義は、人々をまとめることによって、人間の大規模な協力を可能にする。宗教の教義は人間を鼓舞して、軍隊を組織したり刑務所を設置したりさせるだけでなく、病院や学校や橋も建設させる。アダムとイヴはけっして存在しなかったが、それでもシャルトル大聖堂は美しい。聖書の大半は虚構だろうが、それでも何十億もの人に喜びをもたらすことができるし、慈悲深く、勇敢で、創造的であるようにと、人間を促すことに変わりはない——『ドン・キホーテ』や『戦争と平和』や『ハリー・ポッター』といった、他のフィクションの名作とちょうど同じように。

　私が聖書を『ハリー・ポッター』になぞらえたので、またしても機嫌を損ねた人もいるだろう。もしあなたが科学を重んじるキリスト教徒なら、聖書はもともと事実に基づく説明としてではなく、深い叡智を含むたとえ話として意図されていたと主張して、聖書の中の誤りや神話の釈明をするかもしれない。だが、それは『ハリー・ポッター』にも当てはまるのではないか？

　もしあなたがキリスト教原理主義者なら、聖書の言葉は一つ残らず文字どおりの真実だと言い張る可能性が高い。それならば、あなたは正しいと、しばらく仮定しよう。聖書は本当に唯一の真の神の絶対信頼できる言葉だ、と。では、あなたはクルアーンやタルムード、モルモン書、ヴェーダ、アヴェスタ〔訳註　ゾロアスター教の経典〕、古代エジプトの『死者の書』はどう考えるのか？　こうした文書は、生身の人間が（あるいはことによると悪魔が）創作した、手の込んだ虚構だと言いたくならないだろうか？　そして、アウグストゥスやクラウディウスのようなローマの皇帝の神格は、どう見るか？　古代ローマの元老院は、人を神に変える力を持っていると主張し、そうして生まれた神々を、帝国の臣民が崇拝することを求めた。それは虚構だったのではないか？　実際、自らの口でその虚構を認めた偽りの神の例が、歴史上に少なくとも一つは存在する。前述のように、日本の軍国主義は一九三〇年代から四〇年代前半にかけて、昭和天皇の神格に対する熱狂的な信心を拠り所としていた。日本の敗戦後、天皇は、それが真実ではないこと、自分はけっきょく神ではないことを公に宣言した。

だから、たとえ聖書は神の真の言葉であることに同意したとしても、数千年にわたって虚構を信頼してきた何十億もの敬虔なヒンドゥー教徒やイスラム教徒、ユダヤ教徒、エジプト人、日本人が依然として残ることになる。ことさら信心深い人々でさえも、一つを除いてあらゆる宗教が虚構であることに同意するだろう。だからといって、やはり、これらの虚構が必ずしも無価値だったり有害だったりすることにはならない。それらは依然として美しく、人を鼓舞するものでありうる。

もちろん、宗教の神話がすべて同じように慈悲深いわけではない。一二五五年八月二九日、イングランドのリンカンの町にある井戸で、ヒューという九歳の男の子の遺体が見つかった。フェイスブックもツイッターもなかったにもかかわらず、ヒューは地元のユダヤ人たちによる儀礼的殺害の犠牲になったという噂がたちまち広まった。口から口へと伝わるうちに尾ひれがつき、当時、イングランドでも有数の年代記作者として名高かったマシュー・パリスは、詳細で惨たらしい記述を提供した。イングランド中の傑出したユダヤ人たちがリンカンに集まり、ヒューを誘拐して太らせ、拷問にかけ、ついには磔（はりつけ）にしたという。一九人のユダヤ人が殺人の容疑で裁判にかけられ、処刑された。同じようにユダヤ人に罪を着せる、いわゆる「血の中傷」が、イングランドの他の町でも流行し、一連の大量虐殺につながり、ユダヤ人のコミュニティがいくつもまるごと殺戮の対象となった。とうとう一二九〇年には、イングランドのユダヤ人住民全員が国外に追放された(3)。

だが、話はそこで終わらなかった。イングランドからのユダヤ人追放の一世紀後、イギリス文学の父と称えられるジェフリー・チョーサーは、リンカンのヒューの話をモデルとする血の中傷を『カンタベリー物語』(桝井迪夫訳、岩波文庫、一九九五年、他)に含めた(「女子修道院長の話」)。この話は、ユダヤ人たちの絞首刑で終わる。同様の血の中傷はその後、中世後期のスペインから近代のロシアまで、反ユダヤ主義運動には付き物になった。ヒラリー・クリントンが首謀者である子供の人身売買ネットワークが、人気のピザ店の地下で子供たちを性的奴隷として拘束しているという、二〇一六年の「フェイクニュース」の話にさえ、そのかすかなこだまが聞き取れる。大勢のアメリカ人がその話を信じたために、クリントンの選挙運動に支障が出るほどで、ある男性は銃で武装してそのピザ店を訪れ、地下室を見せろと要求した(ピザ店には地下室はないことが判明した(4))。

リンカンのヒュー本人はと言えば、彼が本当はどうして死んだのかは誰にもわからないが、彼はリンカン大聖堂に葬られ、聖人として崇められた。彼はさまざまな奇跡を行なうという評判で、イングランドから全ユダヤ人が追放されて以来何世紀もたってからでさえ、彼の墓は、巡礼者たちを惹き寄せ続けた(5)。ナチスによるホロコーストから一〇年後の一九五五年になってようやく、リンカン大聖堂は血の中傷を虚偽であるとして退け、ヒューの墓のそばに、次のような内容のプレートを設置した。

話は、中世に、そしてそのはるか後になってからでさえ、ヨーロッパ全土に行き渡っていた。このような根も葉もない話のせいで、無実のユダヤ人が数多く命を落とした。リンカンにも独自の言い伝えがあり、被害者とされる人物が、一二五五年に大聖堂に葬られた。そのような話は全キリスト教徒の名誉に資するものではない。(6)

ユダヤ人コミュニティによるキリスト教徒の少年たちの「儀礼的殺害」という作り

というわけで、わずか七〇〇年しかもたないフェイクニュースもあるわけだ。

かつての嘘も、永遠の真実に

協力を強固なものにするために虚構を使ったのは、古代の宗教だけではない。時代が下ってからは、各国が独自の国家の神話を創り出す一方、共産主義やファシズムや自由主義のような運動は、手の込んだ自己強化型の信条を作り上げた。ナチスのプロパガンダの巨匠で、近代以降最高のマスメディア操作の達人かもしれないヨーゼフ・ゲッベルスは、次のように述べて自分の手法を簡潔に説明したとされている。「一度だけ語られた嘘は嘘のままであり続けるが、一〇〇〇回語られた嘘は真実になる」[7]。ヒトラーは著書『わが闘争』（平野一郎・将積茂訳、角川文庫、一九九八・一九九九年、他）で、次のように書いている。「どれほど見事なプロパガンダのテクニックをもってしても、ある根本原則を絶えず念頭に置いておかないかぎり成功は覚束ない。すなわち、要点を絞り込み、それをひたすら繰り返すのだ」[8]。今日のフェイクニュースの売り手たちに、これ以上のことを言える人がいるだろうか？

ソ連のプロパガンダ機関も、ナチスに劣らず自由自在に真実を操り、いくつもの戦争全体から個々の写真まで、あらゆるものの歴史を書き直した。一九三六年六月二九日、共産党の機関紙の「プラウダ」（「プラウダ」はロシア語で「真実」の意）は、ヨシフ・スターリンが七歳のゲーリャ・マルキゾーヴァという女の子を抱いている写真を第一面に掲載した。この画像は、言わばスターリンの聖像となり、スターリンを「国民の父」に祭り上げ、「ソ連の幸せな子供時代」を理想化した。国中の印刷機と工場が、この写真の場面のポスターや彫刻やモザイクを大量に製造し始め、それがソ連のありとあらゆる場所の公共機関で展示された。どんなロシア正教会の教会も、赤子のイエス・キリストを抱く聖母マリアの聖像抜きでは考えられないのとちょうど同じで、ソ連の学校は、幼いゲーリャを抱くスターリン・パパの聖像抜きではありえなかった。

悲しいかな、スターリンの帝国では、名声は災難の招待状となることが多かった。一年もたたないうちに、ゲーリャの父親は、日本のスパイでトロッキー主義のテロリストであるという偽りの嫌疑で逮捕されて、一九三八年に処刑され、スターリンによる恐怖政治の何百万もの犠牲者の一人となった。ゲーリャと母親はカザフスタンに流刑となり、そこで間もなく母親は不可解な状況下で命を落とした。では、有罪を宣告された「人民の敵」の娘を抱く「国民の父」が描かれた無数の聖像は、どうしたらいいのか？　心配ない。これ以後、ゲーリャ・マルキゾーヴァは消えてなくなり、至る所にある肖像の中の「ソ連の幸せな子供」は、マムラカット・ナハンゴヴァという、畑でせっせと綿花を摘んでレーニン勲章を授与された、一三歳のタジキスタンの少女とされた（写真の中の少女が一三歳には見えないと思ったとしても、そのような反革命的な異論を口にするほど愚かな人間は一人もいなかった）[9]。

ソ連のプロパガンダ機関はじつに効率的だったので、国内の極悪非道の残虐行為を隠してのける一方で、国外にはユートピアのようなビジョンを描いて見せた。今日、ウクライナ人は、プーチンがクリミア半島とドンバスでのロシアの行動について西側諸国の多くの報道機関を首尾良く欺いたと苦情を言う。とはいえプーチンも、手管の点ではスターリンには及びもつかない。一九三〇年代前期、西側諸国の左翼のジャーナリストや知識人は、スターリンが画策した人為的な飢饉のせいで何百万もの国民がウクライナをはじめソ連各地で亡くなっているときに、ソ連を理想の社会として褒め称えていた。フェイスブックやツイッターの時代である今は、出来事のどのバージョンを信じるべきか決めかねることもあるが、少なくとも、ある政権が世の中に知られずに何百万もの人を殺すことはもう不可能だ。

宗教やイデオロギーに加えて、営利企業も虚構とフェイクニュースに頼っている。ブランド戦略は、人々が真実だと思い込むまで、同じ虚構の物語を何度となく語るという手法を取ることが多い。あなたは、コカ・コーラについて考えたとき、どんな画像が頭に浮かぶだろうか？　若くて健康な人々がスポーツをしながらいっしょに楽しんでいるところを思い描くだろうか？　あるいは、太り過ぎの糖尿病患者が病院のベッドに横たわっている姿を想像するだろうか？　コカ・コーラをたくさん飲んでも若返れないし、健康になれないし、運動が得意にもなれない。むしろ、肥満と糖尿病になる危険が高まる。それにもかかわらず、コカ・コーラは長年、厖大な資金を投じて、自らを若さや健康やスポーツと結びつけてきた。そして、何十億という人が、潜在意識の中でその結び付きを信じている。

真実がホモ・サピエンスの課題リストの上位に入ったことは一度もなかった、というのが真実だ。特定の宗教あるいはイデオロギーが現実を偽って伝えたら、その宗教あるいはイデオロギーの信奉者は、判断力に優る競争相手に太刀打ちできないから、遅かれ早かれその偽りに気づくに違いないと、多くの人は思い込んでいる。そう思っていれば気が楽なのだが、あいにく、それもまた神話にすぎない。実際には、人間が協力してどれだけ力を発揮できるかは、真実と虚構の間の微妙なバランスにかかっているのだ。

もしあなたが現実を歪めすぎると、非現実的な形で行動してしまうので、自分のためにならない。たとえば、一九〇五年にキンジキティレ・ングワレという東アフリカの霊媒師は、ヘビ神に仕える精霊ホンゴに憑依(ひょうい)されたと主張した。この新しい預言者は、東アフリカのドイツ植民地の人々への、革命のメッセージを持っていた――団結し、ドイツ人を追い出せ、という。このメッセージの魅力を増すために、ングワレは信奉者たちに、ドイツ人の銃弾を水（水はスワヒリ語で「マジ」）に変えるという触れ込みの秘薬を与えた。こうして、マジ・マジ反乱が始まった。そして、失敗に終わった。なぜなら戦場では、ドイツ人の銃弾は水に変わらなかったからだ。銃弾は、装備不足の反乱軍兵士の体に容赦なく食い込んだ[10]。その二〇〇〇年前、ローマ人に対するユダヤ人の大反乱もやはり、神はユダヤ人のために戦い、見たところ無敵のローマ帝国を打ち負かす手助けをしてくれるという、熱狂的な信念が呼び起こしたものだった。この反乱も失敗に終わり、エルサレムは破壊され、ユダヤ人は国を追われた。

その一方で、何らかの神話に頼らなければ、大勢の人を効果的に組織することはできない。もしありのままの現実にこだわっていたら、ついてきてくれる人はほとんどいない。神話がなければ、失敗に終わったマジ・マジ反乱やユダヤ人の大反乱ばかりでなく、大きな成果をあげたマフディーやマカベア家の反乱も、組織できなかっただろう。

実際、人々を団結させる点では、偽りの物語のほうが真実よりも本質的な強みを持っている。集団への忠誠心がどれほどのものかを判断したかったら、人々に真実を信じるように頼むよりも、馬鹿げたことを信じるように求めるほうが、はるかに優れた試金石になる。もし大首長が、「日は東から昇り、西に沈む」と言ったら、人々はその首長への忠誠心がなくても、是認して拍手喝采するだろう。だが、もし首長が、「日は西から昇り、東に沈む」と言ったら、手を叩くのは忠実な支持者だけだ。同様に、もしあなたの隣人たちがみな、同じとんでもない物語を信じていたら、危機が訪れたときに彼らは団結して立ち上がると思って間違いない。もし彼らが、正しいという折り紙付きの事実しか信じる気がないのなら、それが何の証になるというのか？

少なくとも一部のケースでは、虚構や神話ではなく、当事者の合意のみで成り立つ約束事を通して人々を組織することが可能だと主張する向きもあるかもしれない。たとえば、経済の領域では、貨幣や企業は人間の約束事にすぎないことを誰もが知っているにもかかわらず、それらは神や聖典よりもはるかに効果的に人々を束ねる。聖典の場合、熱狂的な信者は、「この書物は神聖だと、私は信じている」と言うだろうが、ドルの場合には、熱狂的な信奉者は、「他の人々がドルには価値があると信じていると、私は信じている」と言うにすぎない。ドルが人間の所産でしかないのは明らかであるにもかかわらず、世界中の人がドルを尊重する。それならば、なぜ人間はあらゆる神話と虚構を捨て、ドルのような約束事に基づいて自らを組織しないのか？

とはいえ、そのような約束事は、虚構と明確に異なるわけではない。たとえば、聖典と貨幣の違いは、一見したときよりもずっと小さい。ほとんどの人はドル札を目にすると、それが約束事にすぎないことを忘れる。彼らは、亡くなった白人男性の肖像が描かれた緑色の紙切れを見ると、それ自体が価値を持つものと見なす。「じつは、これは値打ちのない紙切れなのだが、価値があると他の人々が思っているので、私はそれを利用することができるのだ」と、自分に念を押すことは、まずない。人間の脳を機能的磁気共鳴画像法（fMRI）のスキャナーで観察すると、一〇〇ドル札が詰まったスーツケースを見せられた人の脳で興奮するのは、疑い深い部分（「他の人々は、これには価値があると信じている」）ではなく、欲が深い部分（「こいつは凄いぞ！　欲しい！」）なのがわかる。同様に、大半の場合には、他の人々が聖書やヴェーダやモルモン書を神聖だと見なしている状況に長い間繰り返しさらされているうちに、人はそれを神聖視し始める。私たちが聖典を尊重することを学ぶ方法は、紙幣を尊重するのを学ぶ方法とまさに同じなのだ。

したがって実際には、「何かが人間の約束事にすぎないのを知ること」と「何かが本質的な価値を持つと信じること」の間には、厳密な区別はない。多くの場合、人々はこの区別に関しては曖昧だったり、この区別を忘れがちだったりする。別の例を挙げよう。もし腰を据えて深い哲学的な議論をしたら、企業は人間が創作した虚構の物語であることに、ほとんど誰もが同意するだろう。マイクロソフトは、それが所有する建物でも、雇用する人々でも、仕えている株主でもなく、立法者と弁護士が織り成した複雑な法律上の虚構だ。とはいえ私たちは、九九パーセントの時間、深い哲学的な議論をしてはいないので、トラや人間とちょうど同じ、この世界の現実の存在であるかのように企業を扱う。

虚構と現実の境界をぼやかす目的は、「娯楽」に始まり、果ては「生存」まで、さまざまだ。少なくともしばらくは疑うのをやめにしないかぎり、ゲームもできなければ小説も読めない。サッカーを心から楽しむには、ルールを受け容れ、それは人間が考案したものにすぎないことを、少なくとも九〇分間は忘れなくてはならない。もしそうしなければ、二二人が一個のボールを追いかけ回すなどというのは、まったく馬鹿げたことに思えてしまう。サッカーはただの娯楽として始まったかもしれないが、はるかに真剣なものになりうることは、イングランドのフーリガンやアルゼンチンのナショナリストなら誰もが証言するだろう。サッカーは、個人のアイデンティティを明確に形作るのを助けたり、大規模なコミュニティを結束させたりできるし、暴力を振るう理由を提供することさえできる。国家や宗教は、ステロイド剤を使っているサッカークラブのようなものだ。

人間には、知っていると同時に知らないでいるという、驚くべき才能がある。あるいは、より正確に言うなら、人間は何かについて本当に考えたときには、それを知ることができるものの、ほとんどの時間はそれについて考えていないので、それを知らないでいられる。あなたは本当に意識を集中すれば、貨幣は虚構であることに気づく。だが、たいていは集中していない。もしサッカーについて問われれば、それは人間が考案したものだとわかる。だが、試合の真っ最中には、サッカーについてあなたに問う人はいない。もしあなたが時間とエネルギーを注ぎ込めば、国家とは手の込んだ作り話であることがわかる。だが、戦争のただ中には、そんな時間やエネルギーはない。もしあなたが究極の真実を求めれば、アダムとイヴの物語が神話であることに気づく。だが、あなたはどれほど頻繁に究極の真実を求めるだろうか？

真実と力が手を携えて進める道のりには、自ずと限度がある。遅かれ早かれ、両者は別々の道を進み始める。もしあなたが力を欲しているのなら、どこかの時点で虚構を広め始めなくてはならない。もしこの世界について真実を知りたければ、力を放棄しなければならない。たとえばあなた自身の力の源泉について、盟友を怒らせたり、信奉者を気落ちさせたり、社会の調和を損ねたりするようなことを認めざるをえなくなる。学者は歴史を通してこのジレンマと向かい合ってきた。彼らは力のために働くのか、真実に仕えるのか？　誰もが確実に同じ物語を信じるように人々を統一することを目指すべきなのか、不統一に陥るという代償を払ってまで人々が真実を知ることを許すべきなのか？　キリスト教の聖職者のものであれ、儒教を信奉する中国の官吏のものであれ、共産主義の理論家のものであれ、最も強力な学者の権力機構は、まとまりを真実に優先させた。だからこそ、それらはとても強力だったのだ。

人間という種は、真実よりも力を好む。私たちはこの世界を理解しようとすることよりも、支配しようとすることに、はるかに多くの時間と努力を投入するし、たとえ世界を理解しようとするときにさえ、たいていは、それによって世界が支配しやすくなることを願ってそうする。したがって、真実が君臨し、神話が無視される社会をあなたが夢見ているのなら、ホモ・サピエンスにはまったく期待が持てない。チンパンジーでも当てにしたほうがまだましだろう。

洗脳マシーンから抜け出す

だからといって、フェイクニュースが深刻な問題ではないというわけではないし、政治家や聖職者は好き勝手に白々しい嘘をついてかまわないことにもならない。また、何もかもがただのフェイクニュースだ、真実を見出そうとする試みはすべて失敗に終わる運命にある、真面目なジャーナリズムとプロパガンダの間にはまったく違いはないなどと結論するのも、完全に間違っている。どんなフェイクニュースの裏にも、本当の事実や本当の苦しみがある。たとえばウクライナでは、ロシア人兵士が本当に戦っており、何千もの人が本当に亡くなったし、何十万もの人が本当に家を失った。人間の苦しみは虚構を信じることで引き起こされる場合が多いが、苦しみ自体は、それでもなお現実のものなのだ。

したがって、フェイクニュースを当然のものとして受け容れる代わりに、それは私たちが思っているよりもはるかに難しい問題であることを認識し、現実を虚構と区別するためになおさら一生懸命努力するべきだ。完璧を期してはならない。この世で屈指の虚構は、世界が複雑であることを否定し、無垢の純粋さvs.悪魔のような邪悪さという絶対的な構図で物事を考える、というものだ。真実だけを語る政治家はいないが、それでも、他の政治家よりもはるかに優る政治家はいる。もし選ぶとなったら、私はスターリンよりもチャーチルをずっと信頼するだろう――チャーチルも、自分の都合次第では平気で真実を粉飾したけれど。同様に、偏見や誤りと無縁の新聞はないが、真実を見出そうと誠実に努力する新聞もあれば、洗脳マシーンのような新聞もある。もし私が一九三〇年代に生きていたとしたら、「プラウダ」や「シュテュルマー」〔訳註　一九二三年にドイツで創刊された反ユダヤ主義の週刊新聞〕ではなく、「ニューヨーク・タイムズ」を信じる分別が自分に備わっていたことを願うばかりだ。

自分の偏見を暴き、自分の情報源の確かさを確認するために時間と労力をかけるのは、私たち全員の責任だ。前のほうの章で指摘したとおり、私たちは何から何まで自分で詳しく調べるわけにはいかない。だが、そうだからこそ、せめて自分のお気に入りの情報源ぐらいは念入りに調べる必要がある――それが新聞であろうと、ウェブサイトであろうと、テレビのネットワークであろうと、人であろうと。どのようにして洗脳を避け、現実と虚構を区別するかは、第二〇章で掘り下げることにし、ここでは単純な経験則を二つだけ紹介しよう。

第一に、信頼できる情報が欲しければ、たっぷりお金を払うことだ。現在のところ、ニュース市場で支配的なモデルは、「あなたには費用のかからない、エキサイティングなニュースを、あなたの注意と引き換えに」だ。あなたはニュースに対して何も支払わず、低品質の製品を手に入れる。さらに悪いことに、あなた自身が図らずも製品になってしまう。まず、センセーショナルな見出しに目を奪われ、続いて、広告主や政治家に売られるのだ。

したがってニュース市場のモデルとしては、「お金はかかるが、あなたの注意を濫用しない高品質のニュース」のほうが、はるかに優れている。今日の世界では、情報と注意は決定的に重要な資産だ。自分の注意をただで差し出し、その見返りに低品質の情報しか受け取らないというのは狂気の沙汰だ。もしあなたが、高品質の食品や衣料や自動車に進んでお金を払う気があるのなら、高品質の情報にも喜んでお金を払ってもいいのではないか？

ある怪しげな億万長者が、次のような取引をあなたに持ちかけたとしよう。「毎月三〇ドル払いますから、その代わり、毎日一時間、あなたを洗脳して、私の望みどおりの政治的偏見や商品に関する偏見をあなたの頭にインストールさせてください」。あなたは、その取引に同意するだろうか？　正気の人なら、まず同意しないだろう。だから、その怪しげな億万長者は、少しばかり違う取引を提案する。「毎日一時間、洗脳させてください。このサービスは無料で提供します」。すると今度は、突然この取引は何億もの人に魅力的に聞こえるらしい。そんな人々に倣ってはいけない。

第二の経験則は、もし何らかの問題が自分にとって格別に重要に思えるのなら、関連した科学文献を読む努力をすることだ。ただし、科学文献といっても、専門家の査読を受けた論文や、名の知れた学術出版社が刊行した書籍や、定評のある大学や機関の教授の著作に限る。科学に限界があることは言うまでもないし、科学は過去に多くのことを取り違えてきた。それでも、科学界は何世紀にもわたって、最も信頼できる知識の源泉であり続けてきた。もしあなたが、科学界が何かについて間違っていると思っているとしたら、実際に間違っている可能性は十分あるが、少なくとも、自分が退けようとしている科学理論を知り、自分の主張を支える証拠を何かしら提示してほしい。

一方、科学者は科学者で、世間で行なわれている最新の議論に、これまでよりもはるかに積極的に関与する必要がある。その議論が、医学であれ歴史であれ、自分の専門分野にかかわってきたときには、意見を聞いてもらうことを恐れるべきではない。沈黙は中立ではなく、現状の支持を意味する。もちろん、学術研究を続け、少数の専門家しか読まない科学雑誌に結果を発表することは、きわめて重要だ。だが、一般向けの科学書を通して、さらには芸術や虚構を巧みに使うことを通して、最新の科学理論を一般大衆に伝えることも、同じぐらい重要だ。

では、科学者はSFを書き始めるべきなのか？　じつは、それもアイデアとして悪くない。芸術は人々の世界観を形作るのに主要な役割を担うし、二一世紀には、SFはおそらく最も重要なジャンルになるのではないか。なぜならSFは、AIや生物工学や気候変動のようなことを、人々がどう理解するかを決めるからだ。私たちには真っ当な科学もたしかに必要だが、政治的な視点からは、SF映画の佳作は、「サイエンス」誌や「ネイチャー」誌の論文よりも、はるかに価値がある。

18

SF

未来は映画で目にするものとは違う

人間が世界を支配しているのは、他のどんな動物よりもうまく協力できるからであり、人間がこれほどうまく協力できるのは、虚構を信じているからだ。したがって、詩人や画家や劇作家は、少なくとも兵士や技術者と同じぐらい重要だ。人々が戦争を起こしたり大聖堂を建てたりするのは、神を信じているからであり、神を信じているのは、神についての詩を読んだり、神が描かれた絵を見たり、神についての演劇に魅了されたりしたことがあるからだ。同様に、資本主義という現代の神話に対する私たちの信仰は、ハリウッドやポップス業界の芸術的創作物を基盤としている。もっと多くの物を買えば幸せになれると信じているのは、資本主義の楽園がテレビに映し出されるのを私たちが我が目で見たからだ。

二一世紀初頭における最も重要な芸術のジャンルは、SFかもしれない。機械学習や遺伝子工学の分野の最新の論文を読む人は本当に少ない。だが、『マトリックス』や『her／世界でひとつの彼女』のような映画や、「ウエストワールド」や「ブラック・ミラー」のようなテレビシリーズは、現代におけるテクノロジーや社会や経済の最も重要な進展を人々がどう理解するかを決める。これは、科学的事実をどう描くかにSFがもっとずっと多くの責任を負う必要があることも意味する。今のままでは、人々に誤った考えを吹き込んだり、人々の注意を間違った問題に向けさせたりしかねない。前のほうの章で指摘したとおり、今日のSFの最悪の罪は、知能を意識と混同する傾向にある点かもしれない。この混同のせいで、SFはロボットと人間が戦争になるのではないかと、過剰な心配を抱いているが、実際に恐れる必要があるのは、アルゴリズムによって力を与えられた少数の超人エリート層と、力を奪われたホモ・サピエンスから成る巨大な下層階級との争いだ。人工知能（AI）の将来について考えるにあたっては依然として、カール・マルクスのほうがスティーヴン・スピルバーグよりもはるかに優れた手引きと言える。

実際、AIについての多くの映画は科学の現実とあまりにかけ離れているので、まったく異なる懸念の寓話にすぎないのではないかと思いたくもなる。たとえば二〇一五年の映画『エクス・マキナ』は、AIの専門家が女性ロボットに恋をし、まんまと騙されて操られる話のように見える。だが現実には、これは高い知能を持つロボットに対する人間の恐れについての映画ではない。高い知能を持つ女性に対する男性の恐れ、とくに、女性解放が女性上位につながるのではないかという恐れについての映画なのだ。AIが女性で科学者が男性という設定の、AIについての映画を目にしたときにはいつも、それはおそらく人工頭脳学ではなくフェミニズムについての映画だろう。なぜなら、どうしてまたAIが性的アイデンティティやジェンダー・アイデンティティを持っているのか？　性は有機的な多細胞生物の特徴だ。非有機的なAIロボットにそれがいったいどんな意味を持ちうるだろう？

枠にはまって生きる

それよりはるかに優れた見識を持ってSFが探究したテーマに、テクノロジーが人間を操作したり支配したりするために使われる危険にまつわるものがある。『マトリックス』が描く世界では、ほぼすべての人間がサイバースペースに閉じ込められ、彼らが経験することはすべて、人間を支配するアルゴリズムに決められている。『トゥルーマン・ショー』は、図らずもテレビのリアリティ番組の主役を演じているある一人の人間に的を絞る。本人は知らないが、彼の友人も知人も、母親や妻や親友たちまでもが俳優で、彼に起こることは何から何まで、よく練られた脚本に従っており、彼の言動はみな、隠しカメラで記録され、何百万ものファンが熱心に追っている。

ところが、どちらの映画も見事にできてはいるものの、けっきょくその筋書きの完全な意味合いからは尻込みしている。両作とも、マトリックスの中に閉じ込められた人間には正真正銘の自己があり、その自己はテクノロジーを使ったありとあらゆる操作に影響されずに保たれるし、マトリックスの外には本物の現実が待ち受けていて、主人公が一生懸命試みさえすれば、その現実にアクセスできると決めてかかっている。マトリックスは、人の内なる正真正銘の自己を、外の本物の世界から隔てている人工的な障壁にすぎない。『マトリックス』のネオと『トゥルーマン・ショー』のトゥルーマンという二人の主人公はともに、巧みなごまかしの網を乗り越え、そこから脱出し、正真正銘の自己を発見し、本物の約束の地に行き着く。

奇妙なことに、この本物の約束の地は、重要な点のいっさいで、捏造されたマトリックスとまったく同じだ。トゥルーマンはテレビスタジオを抜け出したとき、ディレクターがテレビ番組から追い出してしまっていた大学時代の思い出の人と再会しようとする。それにもかかわらず、もしトゥルーマンがそのロマンティックな幻想を実現したら、彼の人生は『トゥルーマン・ショー』が世界中の何百万もの観客に売りつけた、完璧なハリウッドの夢とそっくりになるだろう――フィジーでの休暇というおまけ付きで〔訳註　フィジーは、映画の中で前述の思い出の人が連れ去られたとされる場所〕。この映画は、トゥルーマンが現実の世界でどんな代替人生を見つけられるかについては、手掛かりすら与えてくれない。

同様に、ネオは有名な赤いカプセルを呑み下した後、マトリックスから抜け出したとき、外の世界は中の世界と変わらないことを発見する。外の世界でも中の世界でも、暴力に満ちあふれた争いがあり、恐れや肉欲、愛、嫉妬に衝き動かされている人々がいる。この映画は、ネオがアクセスした世界はいっそう大きなマトリックスにすぎず、もしそこを抜け出して「本物の現実の世界」に行きたければ、再び青いカプセルか赤いカプセルのどちらかを選ばなければならない、と告げられる場面で終わるべきだった。

現在のテクノロジーと科学の革命が意味しているのは、正真正銘の個人と正真正銘の現実をアルゴリズムやテレビカメラで操作しうるということではなく、真正性は神話であるということだ。人々は枠の中に閉じ込められるのを恐れるが、自分がすでに枠、すなわち自分の脳の中に閉じ込められていることに気づかない。そして、脳はさらに大きな枠、すなわち無数の独自の虚構を持つ人間社会の中に閉じ込められている。あなたがマトリックスを脱出したときに発見するのは、さらに大きなマトリックスだけだ。一九一七年にロシア皇帝に対して反乱を起こした農民と労働者は、やがてスターリンに支配される羽目になった。世界があなたを操作するさまざまなやり口を調べ始めたら、あなたはけっきょく、自分の核を成すアイデンティティが神経ネットワークによって創り出された複雑な錯覚であることに気づく。

人は、枠の中に閉じ込められ、この世界に存在するさまざまな驚異を味わう機会をすべて逃してしまうことを恐れる。ネオはマトリックスの中に閉じ込められているかぎり、そしてトゥルーマンはテレビスタジオの中に閉じ込められているかぎり、フィジーもパリもマチュピチュも、けっして訪れることはない。だが実際には、あなたが人生で経験することはどれも、あなた自身の体と心の中に存在している。マトリックスから抜け出したりフィジーに旅したりしても、それに変わりはない。あなたの心のどこかに、「フィジーでのみ開けること！」という大きな赤い注意書きがついた鉄の金庫があって、あなたがようやく南太平洋に旅したときにそれを開ける機会を得て、そこからフィジーでだけ抱くことができる、あらゆる種類の特別な情動や感情が湧いてくる、というわけではない。そして、もし一生涯フィジーを訪れなければ、そうした特別の感情を永遠に味わいそこなう、ということではない。違う。何であれあなたがフィジーで感じられることは、世界のどこにいても感じられる。たとえマトリックスの中にいてさえも。

ひょっとしたら私たちはみな、『マトリックス』風の巨大なコンピューター・シミュレーションの中で生きているのかもしれない。それならば、私たちの国家や宗教やイデオロギーの物語のいっさいと矛盾することになる。だが私たちの精神的経験は、それでもやはり現実のものだ。もし人間の歴史が、惑星ジルコンからやって来たラットの科学者たちがスーパーコンピューターで行なっている手の込んだシミュレーションだと判明したら、カール・マルクスやイスラミックステートは、じつにばつの悪い思いをするだろう。だが、それらのラットの科学者たちは、依然としてアルメニア人大虐殺やアウシュヴィッツの責任を取らなければならない。彼らはどうやってそのシミュレーションをジルコン大学の倫理委員会の審査に通したのか？　たとえガス室はシリコンチップの中のただの電気信号にすぎなかったとしても、痛みと恐れと絶望の経験の耐え難さは微塵も軽減されなかった。

痛みは痛みであり、恐れは恐れであり、愛は愛だ――たとえマトリックスの中であってさえも。あなたが感じる恐れが、外の世界の一群の原子によって引き起こされたものであろうが、コンピューターが操作する電気信号によって引き起こされたものであろうが、関係ない。その恐れは依然として現実のものだ。だから、もし自分の心の現実を探究したければ、マトリックスの外だけではなく中でもそれができる。

ほとんどのSF映画が本当に語っているのは、とても古い物語で、それは物質に対する心の勝利だ。三万年前、その物語は次のように展開した。「心が石のナイフを思い浮かべ、手がナイフを作り、人間がマンモスを殺す」。だが実際には、人間がこの世界の支配権を獲得したのは、ナイフを発明してマンモスを殺すことによってというよりもむしろ、人間の心を操作することによってだった。心は歴史的な動きや生物学的現実を意のままに形作る主体ではなく、歴史と生物学によって形作られる客体だ。自由や愛や創造性といった、私たちが最も大切にしている理想さえも、誰かがマンモスを殺すために形作った石のナイフのようなものだ。最高の科学理論に従えば、そして、最新のテクノロジーに何ができるかを考えれば、心はつねに操作される危険がある。人を操作する枠組みから解放されたがっている、正真正銘の自己などありはしないのだ。

あなたはこれまでの年月に自分がどれだけの数の映画や小説や詩を観たり読んだりしてきたか、見当がつくだろうか？　そうした作品によって愛に関する自分の考え方がどのように形作られてきたか、理解しているだろうか？　愛にとってロマンティック・コメディは、セックスにとってのポルノ、戦争にとってのランボーのようなものだ。そして、もしあなたが、どこかのデリート・ボタンを押せばハリウッドの形跡を自分の潜在意識や大脳辺縁系からすべて消し去れると考えているのなら、それは自己欺瞞にほかならない。

私たちは、石のナイフを形作るという考えは好ましく思うが、自分が石のナイフだという考えは気に入らない。だから、大昔のマンモスの物語のマトリックス版は、次のように展開する。「心がロボットを思い浮かべ、手がロボットを作り、ロボットがテロリストを殺すが、ロボットは心を支配しようともし、心がロボットを殺す」。とはいえ、この物語は間違っている。問題は、心にはロボットは殺せないだろうということではない。そもそもロボットを思い浮かべた心がすでに、はるか以前の操作の産物だったことが問題なのだ。したがって、ロボットを殺しても私たちは自由になれない。

ディズニー、自由意志を信じられなくなる

ピクサー・アニメーション・スタジオとウォルト・ディズニー・ピクチャーズは二〇一五年、人間の境遇についてのはるかに現実的で不穏な長篇アニメーション『インサイド・ヘッド』を発表した。この映画はたちまち、大人と子供の区別なく大好評を博した。『インサイド・ヘッド』の中で、ライリー・アンダーソンという一一歳の少女が両親とともにミネソタ州からサンフランシスコへ引っ越す。彼女は友人たちや生まれ故郷が忘れられず、新しい生活に馴染めなかったので、家出をしてミネソタに戻ろうとする。ところがライリーの知らないところで、はるかに大規模なドラマが展開していた。ライリーは、本人が知らないうちにテレビのリアリティ番組のスターになっていたわけではないし、マトリックスの中に閉じ込められていたわけでもない。そうではなく、ライリー自身がマトリックスであり、彼女の中に何かが閉じ込められていたのだ。

ディズニーは、一つの神話を何度となく語ることでエンターテインメントの一大帝国を築き上げた。ディズニーの無数の映画の中で、主人公は困難や危険に直面するが、けっきょくは正真正銘の自己を見つけ、自分の自由な選択に従って勝利する。ところが『インサイド・ヘッド』は、この神話を情け容赦なく打ち壊す。人間に関する神経生物

学の最新の見解を採用し、観客をライリーの脳の中への旅に連れ出す。ところが、なんとライリーは正真正銘の自己を持っておらず、自由な選択など一つもしていないことが判明する。じつはライリーは、相容れない一群の生化学的メカニズムによって管理されている巨大なロボットだった。映画の中では、それらのメカニズムはかわいらしいアニメのキャラクターとして擬人化されている。黄色で陽気なヨロコビ、青くて不機嫌なカナシミ、赤くて短気なイカリ……という具合だ。これらのキャラクターは、巨大なテレビ画面でライリーの一挙一動を見守りながら、頭の中の司令部でボタンやレバーで操作し、ライリーの気分や決定や行動をすべて制御している。

ライリーがサンフランシスコでの新生活に適応できなかったのは、司令部の手違いの結果であり、そのせいで、ライリーの脳は完全にバランスを失いかけていた。この状況を正すために、ヨロコビとカナシミはライリーの脳の中で遠大な旅をする羽目になり、「考えの列車」に乗ったり、記憶の保管所を調べたり、芸術的なニューロンのチームがせっせと夢を制作している内なるスタジオを訪れたりする。私たちは、擬人化されたこれらの生化学的メカニズムを追いながらライリーの脳の奥底へと入っていくが、魂にも、正真正銘の自己にも、自由意志にもけっして出合うことはない。実際、映画の筋の要となる悟りの瞬間には、ライリーは正真正銘の単一の自己を発見したりしない。むしろ、ライリーはどんな単一の核とも同一視できず、彼女の幸福は多くの異なるメカニズムの相互作用にかかっていることが明らかになる。

観客は最初、ライリーを主人公の黄色で陽気なヨロコビと同一視するように誘導される。ところがけっきょく、これはライリーの人生を破滅させかねない重大な誤りであることがわかる。ヨロコビは自分だけがライリーの正真正銘の本質だと考え、他の内なるキャラクターをみな威嚇し、それによって、ライリーの脳の微妙な均衡を乱す。ヨロコビが自分の誤りを理解し、ライリーはヨロコビでもカナシミでも他のどのキャラクターでもないことに、観客とともに気づいたとき、問題が解消する。ライリーは、生化学的キャラクター全員による争いと協働が生み出す複雑な物語なのだった。

真に驚くべきなのは、ディズニーがこれほど過激なメッセージを伝える映画を市場に出したことだけではなく、それが全世界でヒットしたことでもある。『インサイド・ヘッド』がここまで成功したのは、この映画がハッピーエンドのコメディであり、おそらくほとんどの観客が神経学的な意味合いとその不気味な含みの両方を見落としたからだろう。

二〇世紀の最も予言的なSF書には、これは当てはまらない。読者はその不気味な性質を見逃しようがない。書かれたのは一世紀近く前だが、年を経るごとに現実味が増している。オルダス・ハクスリーが『すばらしい新世界』を書いたのは一九三一年で、共産主義とファシズムがロシアとイタリアに根を張り、ナチズムがドイツで台頭し、軍国主義の日本が中国での征服戦争に乗り出し、全世界が大恐慌に見舞われていた頃だ。それにもかかわらず、ハクスリーはこうした暗雲のいっさいを見透かし、戦争も飢饉も疫病もなく、途切れない平和と繁栄と健康を享受する未来社会を想像した。それは大量消費の世界であり、セックスも麻薬もロックンロールもやりたい放題で、最も大切なのは幸福だった。人間は生化学的なアルゴリズムであり、科学は人間のアルゴリズムをハッキングでき、それからテクノロジーを使えば操作できるというのが、この本の基盤を成す前提だ。

このすばらしい新世界では、世界政府が先進的なバイオテクノロジーとソーシャル・エンジニアリングを使い、誰もがつねに満足し、誰一人反抗する理由を持たないようにしている。ライリーの脳の中のヨロコビやカナシミらのキャラクターが、忠実な政府職員になったかのようなものだ。したがって、秘密警察も、強制労働収容所も、ジョージ・オーウェルの『一九八四年』風の愛情省も必要ない。実際、ハクスリーの非凡さは、恐れと暴力ではなく愛と快感を通してのほうが、人をはるかに確実に制御できることを示した点にある。

『一九八四年』を読むと、オーウェルがぞっとするような悪夢の世界を描いていることがはっきりわかるので、残された疑問は、「そのような恐ろしい状況に行き着くのを避けるにはどうしたらいいか？」だけだ。だが『すばらしい新世界』は、読み手をはるかにまごつかせ、考え込ませる経験を提供する。なぜなら、それがいったいどうしてディストピアなのかをはっきり指摘するのが難しいからだ。その世界は平和で繁栄しており、誰もがいつもこの上なく満足している。そのどこが悪いというのか？

ハクスリーは小説のクライマックスで、この問題を直接取り上げる。西ヨーロッパ駐在の世界統制官ムスタファ・モンドと、野人ジョン（ニュー・メキシコの蛮人保存地区で一生を過ごしてきた男で、ロンドンではムスタファ・モンド以外に、シェイクスピアや神について依然として何か知っている唯一の人物）との会話の場面だ。野人ジョンがロンドンの人々を煽り立てて、彼らを支配しているシステムに反抗させようとすると、その呼びかけに、人々はまったくの無関心で応じるが、彼は警察に逮捕され、ムスタファ・モンドの前に連れていかれる。この世界統制官はジョンと愉快に言葉を交わし、ジョンがどうしても反社会的でいたいなら、どこか人里離れた場所に引っ込み、世捨て人として生きればいいと説明する。その後ジョンは、国際秩序の根底にある見方に異議を申し立て、世界政府は幸福の追求のために、真実と美だけではなく、人生で気高く高潔なものもすべて排除してしまったと非難する。

「親愛なる我が友よ」とムスタファ・モンドは言った。「文明には気高さも高潔さも断じて必要ない。そんなものは政治の無能の徴候だ。我々のもののように、きちんと組織された社会では、気高かったり高潔だったりする機会は誰にもない。状況が完全に不安定にならないかぎり、そのような機会は巡ってこない。戦争がある場所、複数の相手に対する忠誠の板挟みになるような場所、逆らわなければならない誘惑や、獲得するために戦ったり、守ったりしなければならない愛の対象がある場所では、気高さや高潔さに意味があることは明らかだ。だが、今日では戦争はまったくない。人が誰かを愛し過ぎるのを防ぐために、細心の注意が払われている。忠誠の義務がぶつかり合うことなどない。人々はなすべきことをなさざるをえないように、条件づけられている。それに、なすべきことは全体にとても愉快で、自然な衝動のじつに多くを自由に満たすことが許されているので、逆らうべき誘惑は、実際には存在しない。そして、何か不運な偶然のせいで不愉快なことがたまたま起ったとしても、まあ、事実から逃れさせてくれるソーマ〔薬〕〔訳註　副作用なしに、無上の幸福感を即座に与えてくれるという、この作品に出てくる架空の薬〕がいつでもある。ソーマを服用すれば、いつも怒りは収まるし、敵と仲直りできるし、気長で辛抱強くなれる。過去には、非常な努力をし、長年厳しい精神修養を積まなければ、そうしたことは達成できなかった。それが今では、半グラムの錠剤を二つか三つ呑み込むだけで済む。今や誰もがりっぱな道徳家になれる。自分の道徳性の少なくとも半分は、瓶に入れて持ち運べる。苦難抜きのキリスト教——それがソーマだ」

「でも、苦難は必要です。オセロの言葉を覚えていないのですか？　『もし嵐の後には必ずそれほどの静穏が訪れるのなら、風よ吹き荒れよ。死者を目覚めさせるまで』。年老いたインディアンの一人がよく語ってくれた話があります。マツァキという娘について。その娘と結婚したい青年たちは、朝、娘の菜園に鍬を入れなければならなかった。簡単そうに見えたけれど、ハエや蚊がいました。すばしこい奴らが。ほとんどの青年は、噛まれたり刺されたりするのに耐えられませんでした。ところが、一人だけ我慢できた青年がいて、彼が娘を手に入れたんだそうです」

「素敵な話だ！ だが、文明国では」と統制官は言った。「鍬を入れてやらなくても娘を手に入れられるし、ハエや蚊もいないから刺されることもない。何世紀も前に全部駆除したから」

野人はうなずいたものの、顔をしかめていた。「駆除したのですか。そう、いかにもあなた方らしい。不愉快なものは何でも、我慢することを学ぶ代わりに、排除してしまうとは。心の内で非道な運命の石つぶてや矢に耐えるのと、武器を取って苦難の海に立ち向かい、それに抗うことで終止符を打つのと、どちらが気高いことなのか……だが、あなた方はそのどちらもしない。苦しむことも抗うことも。ただ、石つぶてと矢を廃止するだけです。あまりにも安直ではないですか（中略）必要なのは」と野人は続けた。「いつもと違い、何か苦難を伴うものです（中略）危険な生き方をすることに、何か意義があるのではないでしょうか？」

「たっぷりある」と統制官は答えた。「人はときおり副腎を刺激される必要がある（中略）それは完璧な健康のための一条件だ。だから我々はＶＰＳ治療を強制的に受けさせることにしたのだ」

「ＶＰＳ？」

「Violent Passion Surrogate（代替激情）だ。月に一回、定期的に。全身にアドレナリンをあふれ返らせる。恐れや激しい怒りと生理学的に完全に同等だ。デズデモーナを殺害したり、オセロに殺害されたりするときに抱く激情と同じ作用があるが、不都合な面はすべて抜きにできる」

「ですが、私は不都合なことが好きなのです」

「我々は好きではない」と統制官は言った。「物事を気楽にやりたい」

「でも、私は気楽さは望みません。神が欲しい。詩が欲しい。本当の危険が欲しい。自由が欲しい。善良さが欲しい。罪が欲しい」

「じつのところ」とムスタファ・モンドは言った。「君は不幸せになる権利を主張しているわけだ」

「なるほど。いいでしょう」と野人は反抗的に言った。「私は不幸せになる権利を主張しています」

「歳を取り、醜く無能になる権利は言うまでもなく、梅毒や癌になる権利、食べ物に事欠く権利、シラミにたかられる権利、明日何が起こるか絶えず不安に思いながら生きる権利、腸チフスにかかる権利、ありとあらゆる種類の言語に絶する苦痛で責め苛(さいな)まれる権利を」

長い沈黙が流れた。

「そのすべての権利を主張します」とついに野人が言った。

ムスタファ・モンドは肩をすくめた。「好きにするといい」と彼は言った。(1)

野人ジョンは無人の地に隠遁し、世捨て人として暮らす。彼はインディアンの野人保護地区で何年も暮らし、シェイクスピアと宗教で洗脳されていたため、現代的なものの恩恵をすべて退ける習慣が身についていた。だが、そのような珍しい刺激的な人物の噂はたちまち広まり、人々が群がって彼を観察し、やることなすことを記録したので、彼はすぐに有名人になる。望みもしない注意をこれほど向けられて心底うんざりした野人は、文明化されたマトリックスから逃げ出す――赤いカプセルを呑み下してではなく、首を吊ることで。

『マトリックス』や『トゥルーマン・ショー』の制作者たちとは違い、ハクスリーは脱出の可能性はないのではないかと思っていた。なぜなら、脱出する人など存在するかどうか、疑っていたからだ。脳も「自己」もマトリックスの一部なので、マトリックスから逃げ出すには、自分自身から逃げ出さなければならない。とはいえ、その可能性が本当にあるかどうかは探究に値する。自己の狭い定義を脱することが、二一世紀における必須のサバイバルスキルとなってもおかしくない。

V
レジリエンス

昔ながらの物語が崩れ去り、
その代わりとなる新しい物語が
まだ現れていない当惑の時代を、
どう生きればいいのか？

19 教育
変化だけが唯一不変

人類は前代未聞の革命に直面しており、私たちの昔ながらの物語はみな崩れかけ、その代わりとなる新しい物語は、今のところ一つも現れていない。このような史上空前の変化と根源的な不確実性を伴う世界に対して、私たちはどう備え、次の世代にはどんな準備をさせておけるのか？　今日生まれた赤ん坊は、二〇五〇年には三〇代に入っている。万事が順調にいけば、その子供は二一〇〇年にも生きていて、二二世紀に入っても潑溂（はつらつ）と暮らしてさえいるかもしれない。二〇五〇年あるいは二二世紀の世界で生き延び、活躍するのに役立ててもらうためには、その子供に何を教えるべきなのか？　その子は、仕事を得たり、周りで起こっていることを理解したり、人生の迷路をうまく通り抜けていったりするためには、どんな技能を必要とするのか？

あいにく、二一〇〇年は言うまでもなく、二〇五〇年の世界がどうなっているかは誰にもわからないので、このような疑問の答えを私たちは知らない。もちろん、これまでも人間は未来を正確に予測することはできなかった。だが今日、未来の予想はかつてないほど難しくなっている。なぜなら、テクノロジーのおかげでいったん体と脳と心を作り変えられるようになってしまえば、もう何一つ確かに思えるものがなくなるからで、それには、これまで不変で永遠のように見えていたものも含まれる。

今から一〇〇〇年前の一〇一八年には、人々は未来についてわからないことはたくさんあったが、それでも人間社会の基本的特徴が変わることはないと確信していた。もしあなたが一〇一八年に中国に住んでいたら、一〇五〇年までに宋王朝が崩壊したり、契丹が北から侵入してきたり、疫病で何百万もの人が亡くなったりしうることは承知していた。とはいえ、一〇五〇年にもほとんどの人が依然として農民や織工として働き、支配者たちが依然として軍隊や官僚制を人間で賄い、男性が依然として女性の上に立ち、平均寿命が依然としておよそ四〇年で、人間の体はまったく同じままであるだろうことは明白だった。したがって、一〇一八年には中国の貧しい親は、子供たちに田植えの仕方や絹織物の織り方を教え、豊かな親は、息子たちに儒教の古典の読み方や、書道、馬に乗っての戦い方を、娘たちには慎みのある従順な家庭婦人になることを教えた。こうした技能が一〇五〇年にも必要とされることは明らかだった。

それに対して、今日私たちは、二〇五〇年に中国や世界のその他の国々がどうなっているか、想像もつかない。人々が何をして暮らしを立てているかも、軍隊や官僚制がどのように機能するかも、ジェンダー関係がどうなっているかも、まったくわからない。今よりもはるかに長く生きる人もおそらくいるだろうし、生物工学や、脳とコンピューターを直接つなぐブレイン・コンピューター・インターフェイスのおかげで、人間の体そのものが空前の革命を経ているかもしれない。したがって、今日子供たちが学ぶことの多くは、二〇五〇年までに時代後れになっている可能性が高い。

現在、情報を詰め込むことに重点を置いている学校が多過ぎる。過去にはそれは道理に適っていた。なぜなら、情報は乏しかったし、既存の情報の緩慢でか細い流れさえ、検閲によって繰り返し堰き止められたからだ。たとえばあなたが一八〇〇年にメキシコの田舎の小さな町に住んでいたら、広い世界について多くを知ることは難しかっただろう。ラジオもテレビも日刊紙も公共図書館もなかったからだ。[1] 仮にあなたは字が読め、個人の書庫に出入りできたとしても、小説と宗教の小冊子以外には、ほとんど読むものはなかっただろう。スペイン帝国は、各地で印刷される文書はすべて厳しく検閲し、外部からは念入りに検査した出版物がわずかに持ち込まれるのを許すだけだった。[2] あなたがロシアやインド、トルコ、中国の田舎町に暮らしていても、状況はほとんど同じだった。近代的な学校が設立され、子供たち全員に読み書きを教え、地理や歴史や生物学の基本的事実を知らせるようになったのは、途方もない進歩だった。

それに対して二一世紀の今、私たちは厖大な量の情報にさらされ、検閲官たちでさえそれを遮断しようとはしない。むしろ彼らは、せっせと偽情報を広めたり、無関係な情報で私たちの気を散らしたりしている。もしあなたがメキシコの田舎町に住んでいて、スマートフォンを持っていたら、一生をかけてさえとても足りないほど、ウィキペディアを読んだり、TEDの講演を観たり、無料のオンライン講座を受講したりできる。どんな政府も、気に入らない情報をすべて隠すことは望めない。その一方で、相容れない報道や、人の気を逸らす情報を世間に氾濫させるのは、驚くほど易しい。世界中の人が一回マウスをクリックするだけで、シリアのアレッポの爆撃や、北極圏の氷の融解について、最新情報を手に入れられるが、矛盾する話があまりに多いため、何を信じていいか困ってしまう。そのうえ、たった一回クリックするだけでアクセスできるものは他にも無数にあるので、的を絞るのが難しく、政治や科学があまりに複雑に見えるときには、愉快な猫の動画や、有名人のゴシップや、ポルノに、ついつい切り替えたくもなる。

そのような世界では、教師が生徒にさらに情報を与えることほど無用な行為はない。生徒はすでに、とんでもないほどの情報を持っているからだ。人々が必要としているのは、情報ではなく、情報の意味を理解したり、重要なものとそうでないものを見分けたりする能力、そして何より、大量の情報の断片を結びつけて、世の中の状況を幅広く捉える能力だ。

実際には、それはこれまで何世紀にもわたって西洋の自由主義教育の理想だったが、今に至るまで、西洋の多くの学校でさえ、その実現を怠ってきた。教師は生徒の頭にデータを詰め込んでおいて、「自分で考えるように」生徒を促すばかりで良しとしてきた。自由主義の学校は、権威主義に陥るのを恐れていたので、単一の価値観に基づく包括的な「大きな物語」を特別に恐ろしがっていた。教師たちは、生徒に多くのデータと少しばかりの自由を与えておきさえすれば、生徒は自分なりの世界観を創り出すだろうし、たとえこの世代が、すべてのデータを総合して、この世界についての首尾一貫した有意義な物語に仕立て上げられなかったとしても、将来、真っ当な総合的物語を構築する時間はたっぷりあるだろうと思い込んでいた。ところが今や、私たちはその時間を使い果たしてしまった。これからの数十年間に私たちが下す決定は、生命そのものの将来を方向づけるだろうが、そうした決定は、現在の世界観にだけ基づいて下すしかない。もしこの世代が、森羅万象の包括的な見方を持っていなければ、生命の将来はランダムに決まってしまうだろう。

のしかかるプレッシャー

ほとんどの学校は、生徒に情報を与えるだけではない。それに加えて、微分方程式を解いたり、プログラム言語のC＋＋でコンピュータープログラムを書いたり、試験管の中の化学物質を同定したり、中国語で会話をしたりといった既定の技能をあれこれ生徒に持たせることにも重点を置き過ぎている。とはいえ、二〇五〇年に世の中や雇用市場がどうなっているか見当もつかないので、人々が具体的にどんな技能を必要とするようになるか、よくわからない。C＋＋でプログラムを書くことや、中国語を話すことを一生懸命教えたのに、二〇五〇年を迎える頃には、AIが人間よりはるかに上手にソフトウェアを書くことができ、「你好（ニーハオ）」ぐらいしか言えない人でも、新しいグーグルの通訳アプリがあれば、北京（ペキン）語でも、広東（カントン）語でも、客家（ハッカ）語でも、ほぼ問題なく会話が交わせるようになっているかもしれない。

それでは、私たちは何を教えるべきなのか？　多くの教育の専門家は、学校は方針を転換し、「四つのC」、すなわち「critical thinking（批判的思考）」「communication（コミュニケーション）」「collaboration（協働）」「creativity（創造性）」を教えるべきだと主張している。[3] より一般的に言うと、学校は専門的な技能に重点を置かず、汎用性のある生活技能を重視するべきだという。なかでも最も重要なのは、変化に対処し、新しいことを学び、馴染みのない状況下でも心の安定を保つ能力になるだろう。二〇五〇年の世界についていくためには、新しいアイデアや製品を考えつくだけではなく、何よりも自分自身を何度となく徹底的に作り直す必要がある。

なぜなら、変化のペースが速まるにつれ、経済ばかりでなく「人間であること」の意味そのものさえもが変化しそうだからだ。すでに一八四八年には『共産党宣言』が、「確固たるものもすべて、どこへともなく消えてなくなる」と宣言している。もっとも、マルクスとエンゲルスは、主に社会構造と経済構造について考えていた。二〇四八年までには、身体構造や認知構造までもがどこへともなく消えるか、データビットの雲の中に紛れてしまうだろう。

一八四八年には、何百万もの人が村の農場での仕事を失い、工場で働くために大都市へ出ていった。だが、大都市に着いても、ジェンダーを変えたり第六感を追加したりすることはなかった。そして、もし織物工場で仕事が見つかれば、職業人生の最後までその仕事に従事することが見込めた。

二〇四八年までには、人々はサイバースペースへの移住や、流動的なジェンダー・アイデンティティ、コンピューター・インプラントによって生み出される新しい感覚的経験に対処しなければならなくなっているかもしれない。もし3Dのバーチャルリアリティ・ゲームのために最新のファッションをデザインする仕事が見つかって、それに意義を見出したとしても、一〇年以内にその仕事だけでなく、それと同じ芸術的創造の水準を必要とする仕事はすべて、AIに取って代わられかねない。だから、あなたは二五歳のときに出会い系サイトで、「ロンドンに住み、ファッションショップで働く二五歳の異性愛の女性」と自己紹介したとしても、三五歳のときには、「年齢調整をしているジェンダー不特定の人間で、新皮質の活動は主にニューコスモスのバーチャルワールドで行なわれており、人生の使命はかつてどんなファッションデザイナーも到達したことのない場所まで行き着くこと」と言うかもしれない。そして、四五歳のときには、デートしたり、自分を規定したりするのはすっかり時代後れになっているだろう。アルゴリズムに、自分に最適の相手を見つけて（あるいは生み出して）もらうのを待つだけでいい。ファッションデザインの技法から人生の意味を引き出す点に関して言えば、あなたはファッション分野でアルゴリズムに挽回不可能な大差をつけられてしまい、過去一〇年間の自分の代表作を見ると、誇らしさよりも恥ずかしさでいっぱいになる。そして、この四五歳の時点でも、あなたの前には根本的な変化の年月が、まだ何十年も残っているのだ。

どうか、この筋書きを文字どおりに受け止めないでほしい。私たちが目の当たりにするだろう具体的な変化の数々を本当に予測できる人は誰もいない。どのようなものであれ、詳細な筋書きは真実に程遠い可能性が高い。もし誰かが二一世紀半ばの世界を描写してくれて、それがSFのように聞こえたら、おそらく間違っている。だがその一方で、それがSFのように聞こえなかったら、間違っていることは請け合いだ。具体的なことまでは確信は持てないが、変化が起こることだけは間違いない。

そのような深遠な変化のせいで、人生の基本構造は一変し、不連続性がその最も目立つ特徴となるだろう。太古から、人生は補完し合う二つの部分に分割されていた。まず学習の時期があり、それに労働の時期が続いた。人生の第一の時期には、人は情報を蓄積し、技能を伸ばし、世界観を構築し、安定したアイデンティティを築いた。たとえ一五歳で一日のほとんどの時間を、（正規の学校ではなく）家族の田んぼで働いて過ごしたとしても、そこでやっている最も重要なことは学習だった。稲をどう育て、大きな町からやって来る強欲な商人とどう交渉し、他の村人たちとの、土地や水をめぐる争いをどう解決するかを学ぶのだ。人生の第二の時期には、蓄積した技能を頼りに世を渡り、生計を立て、社会に貢献した。もちろん、五〇歳になってさえ、米や商人や争いについて新しいことを学び続けるが、それは磨き上げられた技能の微調整にすぎなかった。

だが二一世紀の半ばには、加速する変化に寿命の延びが重なり、この従来のモデルは時代後れになる。人生はばらばらになり、人生の各時期の間の連続性がしだいに弱まる。「私は何者なのか？」という疑問は、かつてないほど切迫した、ややこしいものとなる。(4)

これには途方もないレベルのストレスが伴いそうだ。なぜなら、変化はほぼ例外なくストレスに満ちており、ある年齢を過ぎると、たいていの人はどうしても変化を好まなくなるからだ。一五歳のときには、人生全体が変化だと言える。体が成長し、心が発達し、人間関係が深まっていく。すべてが流動的で、何もかもが新しい。誰もが自分といとさえ可能に思える。

同時に、胸を躍らせもする。新しい展望が目の前に開けつつあり、全世界を制覇するこうものを創り上げるのに大忙しだ。ティーンエイジャーの大半は、それに怖じ気づくが、

だが五〇歳に達する頃には、変化は望まず、ほとんどの人は世界制覇を断念している。すでに、あちこち行ったし、あれこれやったし、いろいろ手に入れた。だから、安定性のほうがはるかに好ましい。自分の技能やキャリア、アイデンティティ、世界観に多くを注ぎ込んだので、最初からやり直したくはない。何かを築き上げるのに一生懸命働いてきた人ほど、それを手放し、新しいものを受け容れる余地を作るのが難しい。新たな経験や少しばかりの調節は依然として大切にするが、五〇代の人の大半は、自分のアイデンティティと性格の深層構造を徹底的に改める気にはなれない。

これには神経学的な理由がある。大人の脳は、かつて考えられていたよりも柔軟で変わりやすいものの、やはりティーンエイジャーの脳ほど適応性はない。ニューロンを接続し直したり、シナプスを配線し直したりするのは、かなりの重労働だ。[5] だが二一世紀には、安定性は高嶺の花となる。もしあなたが何か安定したアイデンティティや仕事や世界観にしがみつこうとすれば、世の中は轟音を立てて飛ぶように過ぎていき、あなたは置き去りにされる危険を冒すことになる。おそらく平均寿命が延びることを考えれば、その後あなたは途方に暮れた老いぼれとして、何十年も過ごす羽目になりかねない。経済的にばかりではなく、とりわけ社会的にも存在価値を持ち続けるには、絶えず学習し

て自己改造する能力が必要だ——五〇歳のような若い年齢では間違いなく。

未知との遭遇が常識となる時代には、自分の過去の経験ばかりか全人類の過去の経験も、手引きとしては以前ほど頼りにできない。超知能を持つ機械や、人工的に作られた体、気味が悪いほどの精度で人の情動を操作できるアルゴリズム、人間が引き起こす気候の急速な大変動、一〇年ごとに職業を変える必要性といった、かつて誰も出合ったためしのない事物や事態に、個々の人間も人類全体も対処せざるをえない場合が増えていく。まったく前例のない状況に直面したときには、どうするのが適切なのか？　厖大な量の情報の洪水に見舞われ、全部を吸収して分析することなど逆立ちしてもできないときに、いったいどう振る舞うべきなのか？　深遠な不確実性というものが欠陥ではなく特徴である世界で、どう生きればいいのか？

そのような世界で生き延び、栄えるには、精神的柔軟性と情緒的なバランスがたっぷり必要だ。自分が最もよく知っているものの一部を捨て去ることを繰り返さざるをえず、未知のものにも平然と対応できなくてはならないだろう。あいにく、未知のものを取り入れ、心の安定を保つことを子供たちに教えるのは、物理の方程式や第一次世界大戦の原因を教えるよりもずっと難しい。本を読んだり講義を聴いたりしても、レジリエンスは身につかない。二一世紀に求められる精神的柔軟性を、教師自身がたいてい欠いている。なぜなら、彼ら自身が、古い教育制度の産物だからだ。

産業革命が私たちに残したのが、教育の生産ライン理論だ。町の真ん中に大きなコンクリートの建物があり、中にはまったく同じ造りの部屋が並び、それぞれ机と椅子が何列も置かれている。ベルが鳴ると、各部屋に三〇人かそこらの、同じ年に生まれた子供たちが入っていく。毎時間、誰かしら大人が入ってきて、話し始める。大人たちはみな、政府からお金をもらってそうしている。地球の形について語る人もいれば、人間の過去について語る人や、人体について語る人もいる。このモデルを笑うのは簡単だし、それが過去にどれほどの実績をあげたとしても、今や破綻しているということで、ほとんどの人の意見が一致する。だが私たちは今のところ、実用的な代案を生み出せずにいる。高額所得層が住むカリフォルニア州の郊外地域だけではなくメキシコの田園地帯でも実施可能な汎用性のあるモデルは、断じてまだ考案できていない。

人間をハッキングする

というわけで、メキシコやインドやアラバマ州のどこかの時代後れの学校で身動きが取れなくなっている一五歳の子供に私が与えられる最善の助言は、大人に頼り過ぎないこと、だ。ほとんどの大人は、良かれと思って行動しているが、どうしても世の中が理解できずにいる。過去には、大人の教えに従っていれば、まず間違いがなかった。大人たちは世の中をとてもよく知っていたし、世の中の変化はゆっくりしたものだったからだ。だが、二一世紀にはそうはいかないだろう。変化のペースが加速しているせいで、大人の言うことが時代を超越した叡智なのか、それとも古臭い偏見なのか、けっして確信が持てない。

それなら、代わりに何に頼れるのか？　テクノロジーだろうか？　いや、テクノロジーに賭けるのは、なおさら危険だ。テクノロジーはおおいに人の役に立つが、あなたの人生に対してテクノロジーがあまりに大きな影響力を獲得したら、あなたはテクノロジーの言いなりになりかねない。何千年も前、人間は農業を発明したが、農業というテクノロジーは、ほんの一握りのエリートたちを富ませる一方、大半の人間を奴隷化した。ほとんどの人は、日の出から日の入りまで、ぎらぎらと照りつける太陽の下で雑草を抜き、水桶を運び、穀物を刈り入れることになった。あなたもそれと同じ目に遭いかねない。

テクノロジー自体は悪いものではない。もしあなたが、自分の人生に何を望むかを知っていれば、テクノロジーはそれを達成するのを助けてくれる。だが、人生で何をしたいのかわかっていなければ、代わりにテクノロジーがいとも簡単にあなたの目的を決め、あなたの人生を支配することだろう。とくに、テクノロジーが人間をますます正確に理解するようになっているので、あなたはテクノロジーに仕えてもらう代わりに、しだいにテクノロジーに仕えるようになるかもしれない。スマートフォンに目が釘付けになったまま通りを歩き回るゾンビたちを見たことがあるだろう。あなたは彼らがテクノロジーを支配していると思うだろうか？　それともテクノロジーが彼らを支配しているのか？

それならば、自分を頼みとするべきなのか？　「セサミストリート」や古めかしいディズニー映画でなら、それはすばらしい発想のように思えるが、現実の世界ではそれほどうまくいかない。ディズニーでさえ、それに気づきつつある。ライリー・アンダーソンとちょうど同じように、たいていの人は自分がほとんどわかっていないので、「自分に耳を傾け」ようとすると、簡単に外部からの操作の餌食にされてしまう。自分の頭の中で聞こえる声は、信頼できるものだったためしがない。なぜならその声は必ず、生化学的なバグは言うまでもなく、国家のプロパガンダや、イデオロギーによる洗脳や、商業広告を反映しているからだ。

バイオテクノロジーと機械学習が進歩するにつれ、人々の最も深い情動や欲望を操作しやすくなるので、ただ自分の心に従うのは、いっそう危険になる。コカ・コーラやアマゾン、百度（バイドウ）、政府が、あなたの心や脳の操作の仕方を知ったとき、あなたは依然として、自己と、企業や政府のマーケティングの専門家との区別がつくだろうか？

これほど手強い課題を成し遂げるには、自分のオペレーティングシステムをもっとよく知るために必死に努力する必要がある。自分は何者か、そして、人生に何を望むかを知るために。もちろんこれ、すなわち汝自身を知れ、は本書でいちばん古い助言だ。哲学者や預言者は何千年にもわたり、人々に自分自身を知るよう促してきた。だが二一世紀ほど、この助言の実行が急を要することはこれまでなかった。なぜなら、老子やソクラテスの時代と違い、今や熾烈な競争が繰り広げられているからだ。コカ・コーラやアマゾン、百度、政府がみな我先にあなたをハッキングしようとしている。あなたのスマートフォンやコンピューターや銀行口座ではなく、あなたとあなたの有機的なオペレーティングシステムをハッキングしようと競っている。私たちは、コンピューターがハッキングされる時代に生きていると言われるのを聞いたことがあるかもしれないが、それは真実の半分も語っていない。じつは私たちは、人間がハッキングされる時代に生きているのだ。

今この瞬間も、さまざまなアルゴリズムがあなたをじっと眺めている。あなたがどこに行き、何を買い、誰に会うかを見守っている。間もなく、あなたの足取りや呼吸や心拍も一つ残らずモニターするようになる。ビッグデータと機械学習に頼り、あなたのことをますますよく知ろうとしている。そして、あなた以上にあなたのことを知るようになった日には、これらのアルゴリズムはあなたを支配したり操作したりできるだろう。だが、あなたにはそれに対してほとんど打つ手がない。あなたはマトリックスや『トゥルーマン・ショー』の中で暮らすことになる。けっきょくそれは、単純な現実問題だ。もし、あなたの中で起こっていることを本当にアルゴリズムがあなたよりもよく理解できるのなら、権限はアルゴリズムに移る。

もちろんあなたは、権限をすべてアルゴリズムに譲り、アルゴリズムを信頼して自分のこともそれ以外の世の中のこともすべて決めてもらって、満足そのものかもしれない。それならば、くつろいで、そういう暮らしを楽しめばいい。何一つ手出しする必要はない。アルゴリズムが万事片づけてくれる。だが、自分という個人の存在や生命の将来に関して、多少の支配権を維持したければ、アルゴリズムよりも先回りし、アマゾンや政府よりも先回りし、彼らよりも前に自分自身を知っておかなければならない。先回りするときには、荷物をたくさん抱えていかないほうがいい。幻想はすべて置いていくにかぎる。ひどく重たいから。

20

意味
人生は物語ではない

私は何者か？　人生で何をするべきか？　人生の意味とは何か？　人間は太古からこうした問いを投げかけ続けてきた。どの世代も新しい答えを必要とする。なぜなら、何を知っていて何を知らないかは、変わり続けるからだ。科学や神、政治、宗教について、私たちが知っている事柄と知らない事柄のいっさいを考えると、今日、私たちが出すことのできる最善の答えは何か？

人々はどんな種類の答えを期待しているのだろう？　人生の意味について問うときは

ほぼ例外なく、人は物語を語ってもらうことを期待している。ホモ・サピエンスは物を語る動物であり、数やグラフではなく物語で考えるし、この世界そのものも、ヒーローと悪漢、争いと和解、クライマックスとハッピーエンドが揃った物語のように展開すると信じている。私たちは人生の意味を探し求めるときには、現実とはいったいどういうものかや、宇宙のドラマの中で自分がどんな役割を果たすのかを説明してくれる物語を欲しがる。その役割のおかげで、私は何か自分よりも大きいものの一部となり、自分の経験や選択のいっさいに意味が与えられる。

無数の不安な人間たちに何千年にもわたって語られてきた、人気抜群の物語がある。それによると、私たちはみな、生きとし生けるものを網羅して結びつける永遠のサイクルの一部だという。どの生き物にも、このサイクルの中で果たすべき特有の機能がある。人生の意味を理解するとは、自分ならではの機能を理解することであり、良い人生を送るとは、その機能を果たすことだ。

ヒンドゥー教の聖典「バガヴァッド・ギーター」は、血で血を洗う内戦のさなかに、偉大な戦士で王子のアルジュナが疑念に駆られる様子を語る。友人や親族が敵軍にいるのを目にした王子は、戦って彼らを殺すのをためらう。彼は何が善で何が悪か、誰がそれを決めたのか、人間の命の目的は何かを問い始める。すると、神の化身クリシュナはアルジュナに、次のように説明する。壮大な宇宙のサイクルの中で、それぞれの生き物は独自の「ダルマ」、すなわち、たどらなければならない道と果たさなければならない義務を持っている。どれほどそれが困難な道のりであろうと、もし自分のダルマを実現すれば、心の平穏とあらゆる疑いからの解放を享受する。もしダルマに従うことを拒み、誰か別の者の道を選ぼうとすれば、あるいは、どんな道も選ばずにさまよえば、宇宙の均衡を乱し、平穏も喜びもけっして見出せない。自分の道をたどりさえすれば、それがどのような道かは関係ない。洗濯女の道を熱心にたどる洗濯女は、王子の道から逸れる王子よりもはるかに優れている、と。人生の意味を理解したアルジュナは、戦士としての自分のダルマを忠実にたどることにする。友人や親族を殺し、軍を勝利に導き、ヒンドゥー世界でも群を抜いて尊敬され愛される英雄となる。

一九九四年、ディズニーの長篇アニメーション『ライオン・キング』は、幼いライオンのシンバにアルジュナの代役を務めさせ、この古代の物語を現代の観客向けに作り変えた。シンバが存在の意味を知りたがると、ライオンの王である父のムファサは、大きな「命の環（サークル・オブ・ライフ）」について語る。レイヨウは草を食べ、ライオンはレイヨウを食べ、ライオンが死ぬと、その体が分解して草の養分になる、とムファサは説明する。こうして命は一つの世代から次の世代へと続いていく。ただし、それぞれの動物が、このドラマにおける自分の役割を演じれば、だが。すべては結びついており、誰もが他のすべての者に頼っている。だから、もし草の葉一枚がその役割を果たしそこなっただけでさえ、「命の環」全体が崩れてしまいかねない。シンバの使命はムファサの死後、動物たちの王国を支配し、他の動物たちに秩序を守らせることだ、とムファサは言う。

ところが、ムファサが邪悪な弟スカーに殺され、天命を全うできなかったとき、幼いシンバはこの不幸は自分が招いたのだと思い、罪の意識に苛まれて王となる宿命を避け、王国を離れて荒野にさまよい込む。そこでやはりのけ者にされていた、ミーアキャットとイボイノシシという二匹の動物に出会い、辺鄙な土地でいっしょに気楽な数年を過ごす。彼らの反社会的な哲学は、どんな問題にも「気にするな（ハクナ・マタタ）」と唱えることで応じるというものだった。

だが、シンバは自分のダルマを免れることができない。自分が何者で、生涯に何をするべきなのかわからないので、成長するにつれてしだいに悩むようになる。映画の山場でムファサの霊が幻影となってシンバの前に現れ、「命の環」と、王の血を引いている事実を思い出させる。シンバは自分が留守にしている間に、邪悪なスカーが王座に就いたものの、その悪政の下、今や王国が不和と飢饉でひどく荒廃していることも知る。ついにシンバは、自分が何者で、何をするべきかを悟る。そして王国に戻り、叔父を殺し、王となり、調和と繁栄を回復する。映画の終わりで、シンバは生まれたばかりの跡継ぎを、集まった動物たちに誇らしげに示し、大きな「命の環」が続いていくことを確実にする。

「命の環」は、循環する物語として宇宙のドラマを提示する。シンバとアルジュナの知るかぎりでは、はるか昔からライオンはレイヨウを食べ、戦士は戦ってきたし、これからも永遠にそうし続ける。この果てしない繰り返しが物語に力を与える。これこそ物事がたどるべき自然の道筋であり、もしアルジュナが戦いを避けたり、シンバが王位に就くことを拒んだりしたら、それは自然の法則そのものへの叛逆であることを意味する。

もし私が「命の環」という物語の何らかのバージョンを信じていたら、人生における自分の義務を定める、確固とした真のアイデンティティが私にはあることになる。私は長年、このアイデンティティを疑問に思ったり、知らなかったりするかもしれないが、ある日、人生の大きな山場を迎えたときにそのアイデンティティが明らかになり、私は宇宙のドラマの中での自分の役割を理解し、その結果、多くの試練や苦難に見舞われるかもしれないが、疑いや絶望を免れることができる。

明確な始まりと、あまり長過ぎない中間部と、きっぱりとした結末のある、直線的な宇宙のドラマを信じる宗教やイデオロギーもある。たとえば、イスラム教の物語では、最初にアッラーが全宇宙を創り、この世のさまざまな戒律を定めたことになっている。それからアッラーは、それらの戒律をクルアーンの中で人間たちに啓示した。あいにく、無知で邪悪な人々がアッラーに逆らい、戒律を破ったり隠したりしようとしたので、戒律を守ってその知識を広めるのが、有徳で忠実なイスラム教徒の使命となった。ついには最後の審判の日に、アッラーが一人ひとりの人間の振る舞いに裁きを下す。高潔な人は楽園での永遠の至福で報われ、邪悪な人は燃え盛る地獄の穴に放り込まれる。

この壮大な物語には、次のような意味合いがある。すなわち、私の人生におけるささやかながら重要な役割は、アッラーの命令に従い、アッラーの戒律についての知識を広め、必ずアッラーの望むとおりにすることなのだ。もしこのイスラム教の物語を信じていたら、毎日五回祈りを捧げ、新しいモスクの建設のためにお金を寄付し、背教者や異教徒と戦うことに私は意味を見出すだろう。手を洗ったり、ワインを飲んだり、セックスをしたりといった、平凡極まりない活動も、広大無辺な意味を持つ。

ナショナリズムも直線的な物語を奉じている。たとえばシオニズムの物語は、旧約聖書時代のユダヤ民族の冒険と業績から始まり、二〇〇〇年に及ぶ捕囚や迫害の歴史を詳しく説明し、ホロコーストとイスラエル国の創建でクライマックスに達し、イスラエルが平和と繁栄を享受して全世界にとっての道徳的・霊的な指針となる日を待望する。もし私がこのシオニズムの物語を信じていたら、自分の人生の使命は、ヘブライ語の純粋さを守ったり、失われたユダヤ人の領土を取り戻すために戦ったり、あるいは忠実なイスラエル人の新世代の子供を誕生させて育てたりして、ユダヤ民族の権益を増進することだと結論するだろう。

この場合にも、ありきたりの行為でさえ意味を持つ。イスラエルの学童は独立記念日には、母国のために取られる行動なら何でも褒め称える、人気の高いヘブライ語の歌をいっしょに歌うことが多い。一人が「私はイスラエルの地に家を建てた」と歌うと、別の子が「私はイスラエルの地に木を植えた」と声を上げ、さらに別の子が「私はイスラエルの地で詩を書いた」とつけ加えるという具合で、どんどん続き、最後に「だからイスラエルの地には、家や木や詩［そして、他にも何なりと加えてもらってかまわない］

がある」と全員で合唱する。

共産主義もよく似た物語を語るが、民族性ではなく階級に焦点を絞る。『共産党宣言』は以下のような主張で始まる。

これまでのあらゆる社会の歴史は階級闘争の歴史である。自由民と奴隷、貴族と平民、領主と農奴、ギルドの親方と職人、すなわち虐げる者と虐げられる者とが、常時真っ向から対立し、ときには隠然と、ときには公然と、絶えることのない戦いを繰り広げてきたが、その戦いは毎回、社会全体の革命的な再建か、相争う階級の共倒れのどちらかに終わるのだった。(1)

この宣言は、さらに説明を続ける。現代においては、「社会全体が、敵対する二大陣営へ、直接対峙する二大階級へと、しだいに分裂を深めている。すなわち、有産階級(ブルジョアジー)と無産階級(プロレタリアート)である」(2)。彼らの闘争はプロレタリアートの勝利で終わり、それが歴史の終わりと地上における共産主義の楽園の確立を告げ、その楽園では誰一人何も所有せず、誰もが完全に自由で幸せになる。

もし私がこの共産主義の物語を信じていたら、自分の人生の使命は熱烈なパンフレットを書いたり、ストライキやデモを計画したり、あるいは強欲な資本主義者を暗殺したり、その取り巻きと戦ったりすることだと結論するだろう。バングラデシュの繊維労働者を搾取するブランドをボイコットしたり、クリスマスのディナーの席で、欲張りな資本主義者の義父と議論したりといった、ほんの些細な意思表示にさえ、その物語は意味を与えてくれる。

私の真のアイデンティティを定めたり、行動に意味を与えたりしようとする多種多様な物語を眺めると、規模はほとんど関係ないことに気づいて驚かされる。シンバの「命の環」の類の話は、永遠に続くように見える。私は全宇宙を背景にしたとき初めて、自分が何者かを知ることができる。それに比べると、ナショナリズムの神話や部族の神話の大半のように、ごく小さなものもある。シオニズムは、地表のおよそ〇・〇〇五パーセントの土地を占める、人類のおよそ〇・二パーセントの人々が、ほんのわずかな時間に行なった冒険を神聖なものとしている。シオニズムの物語は、中国の諸王朝や、ニューギニアの諸部族や、アンドロメダ銀河にも、モーセやアブラハムが生きた時代や類人猿の進化の前に経過した果てしない歳月にも、何一つ意味を与えていない。

そのような視野の狭さは深刻な波紋を呼ぶ。たとえば、イスラエル人とパレスティナ人の間の平和条約締結を阻む大きな障害の一つは、イスラエル人がエルサレムの町を分割したがらないことだ。この町は「ユダヤ民族の永遠の都」であり、永遠のものに関しては絶対に妥協できない、と彼らは主張する。[3]永遠に比べれば、何人か人間が死ぬことなど、物の数とも思われないではないか？　これはもちろん、まったくのナンセンスだ。「永遠」は、どんなに短くても一三八億年ある。それが現在の宇宙の年齢だ。地球はおよそ四五億年前に形作られ、人類は少なくとも二〇〇万年存在してきた。それに対して、エルサレムはわずか五〇〇〇年前に創設され、ユダヤ民族は長くても三〇〇〇年の歴史しか持たない。これでは永遠と言う資格はとうていない。

未来はというと、物理学者によれば、地球という惑星は今から約七五億年後に、膨張する太陽に呑み込まれるが[4]、私たちの宇宙はあと少なくとも一三〇億年は存在し続けるそうだ。ユダヤ民族やイスラエルという国家やエルサレムの町が、一三〇億年後はおろか、今から一万三〇〇〇年後にも依然として存在していると、本気で信じている人がいるだろうか？　未来を眺めれば、シオニズムは持続するとしてもせいぜい数世紀だろうが、それでもイスラエル人の大半はその先まで思いを馳せることができず、どういうわけかそれが「永遠」となってしまう。そして、「永遠の町」のために人々は喜んで犠牲を払うが、その町のことを、たんに家々が束の間並んでいる場所と考えていたら、おそらくそのような犠牲を払うことは拒むだろう。

私はイスラエルで暮らすティーンエイジャーだった頃、最初はやはり、自分よりも何か大きいものの一部になれることを約束するナショナリズムに心を奪われていた。自分の命を国に捧げれば、国の中で永遠に生き続けられると信じたかった。だが、「国の中で永遠に生き続ける」とはどういうことなのか、理解できなかった。とても深遠な言い回しのように聞こえはしたが、実際には何を意味するのか？　一三歳か一四歳だった頃の戦没者追悼記念日のことが思い出される。アメリカでは戦没将兵追悼記念日は今や主に大規模なセールの日という色合いが濃いが、イスラエルの戦没者追悼はきわめて厳粛で重要な行事だ。この日はどの学校でも、イスラエルが行なった多くの戦争で倒れた兵士たちを追悼する式典が執り行なわれる。子供たちは白い服をまとい、詩を暗唱し、歌を歌い、花輪を供え、旗を振る。というわけで、私も白い服を着て、通っていた学校の式典に臨み、旗を振ったり詩を暗唱したりする合間に、自分も大人になったら戦没者になりたいと、自然に思っていた。なにしろ、もし自分がイスラエルのために命を犠牲にした英雄的な戦没者だったら、私の栄誉を称えて、子供たちがみな詩を暗唱し、旗を振ってくれるだろうから。

だが、それから思った。「ちょっと待てよ。もし死んだら、その子供たちが本当に私の栄誉を称えて詩を暗唱してくれていることが、どうしてわかるのか?」。そこで、自分が死んだところを想像しようとしてみた。そして、こぎれいな軍人墓地の白い墓石の下に横たわって、地上から聞こえてくる詩に耳を傾けている自分を想像した。だが、それから思った。「もし死んだら、詩なんか聞こえるはずがない。耳もなければ脳もないし、何も聞いたり感じたりできない。それなら、何の意味があるのか?」

なおさら悪いことに、一三歳になった頃には、宇宙は誕生以来、少なくとも数十億年を経ており、おそらくさらに何十億年も存在し続けるだろうことを知っていた。イスラエルがそれほど長く存在すると、現実的に見込めるだろうか? 白い服を着たホモ・サピエンスの子供たちが二億年後も、依然として私の栄誉を称えて詩を暗唱するだろうか？　この件全体にはどうも胡散臭いところがあった。
もしあなたがたまたまパレスティナ人だったとしても、うぬぼれないほうがいい。今から二億年ばかり後には、パレスティナ人もまったく存在しなくなっているだろう。それどころか、その頃には哺乳動物さえもがほぼ確実にいなくなっているはずだ。他の国民運動も、やはり偏狭だ。セルビアのナショナリズムは、ジュラ紀の出来事などほとんど気にかけず、韓国のナショナリストは、大局的に見ると宇宙の中で重要なのは、アジアの東海岸にある小さな半島だけだと信じている。

もちろん、永久に続く「命の環」に対してあれほど忠実なシンバでさえ、ライオンもレイヨウも草も本当に永遠のものではないという事実についてじっくり考えることはけっしてない。シンバは哺乳動物が進化する前の宇宙がどのようだったかや、人間がライオンを殺し尽くし、草原をアスファルトとコンクリートですっかり覆ってしまったら、自分が愛してやまないアフリカのサバンナがどのような運命をたどるのかは検討しない。だからといって、シンバの人生はまったく無意味になってしまうのか？

物語はどれもみな不完全だ。とはいえ、自分のために実用的なアイデンティティを構築し、人生に意味を与えるためには、盲点も内部矛盾もない完全な物語が本当に必要なわけではない。物語は二つの条件を満たしさえすれば、私の人生に意味を与えることができる。第一に、私に何らかの役割を与えること。ニューギニアの部族民は、シオニズムやセルビアのナショナリズムを信じそうにない。なぜなら、どちらもニューギニアやそこの人々のことなどまったく眼中にないからだ。人間は映画スターと同じで、自分のために重要な役柄を用意してくれる脚本しか気に入らないものだ。

第二に、優れた物語は無限の彼方まで続く必要はないが、私の地平の外まで続いていること。物語は、私を自分よりも何か大きいものの中に埋め込むことで、私にアイデンティティを提供し、私の人生に意味を与えてくれる。だが、そこにはいつも危険がある。何がその「何か大きいもの」に意味を与えるのか、私は疑問に思い始めかねないからだ。もし私の人生の意味は、プロレタリアートあるいはポーランド国民を助けることならば、プロレタリアートやポーランド国民にはいったい何が意味を与えるのか？　こんな話がある。ある男が、地球は巨大なゾウの背中に載って今の場所にとどまっていると主張した。そのゾウは何の上に立っているのかと訊かれると、大きなカメの上に立っている、と男は答えた。では、そのカメは？　さらに大きなカメの背中に載っている。では、そのさらに大きなカメは？　男は叱りつけるように言った。「そんなことは気にするな。そこから先はずっとカメだから」

人の心をつかむ物語はたいてい、結論を出さずじまいにしている。それらの物語は、意味が最終的にはどこから生まれてくるのかは、けっして説明する必要がない。なぜなら、人々の注意を惹きつけて、「安全地帯」にとどめておくのがとても上手だからだ。たとえば、世界が巨大なゾウの背中に載っていると説明するときには、そのゾウが巨大な耳をばたつかせるとハリケーンが起こり、怒りで身を震わせると地震が起こって地表が揺れるといった事柄を、こまごまと説明することで、厄介な質問をされるのを防ぐ。それなりの話を語れば、ゾウが何の上に立っているか尋ねることなど、誰も思いつかない。同様に、ナショナリズムは英雄的行為の物語で私たちを魅了し、過去の災難を詳しく語ることで私たちを感動させ、自国民が受けた数々の不正義を並べ立てることで私たちの激しい怒りを掻き立てる。私たちはこの国家の壮大な物語にすっかり夢中になり、世の中で起こることを何から何まで、自分の国に対する影響に基づいて評価し始め、そもそも自国がなぜそれほど重要なのかはほとんど考えない。

人はある特定の物語を信じていると、その物語のごく些細な点にまできわめて強い関心を抱く一方、その範囲外のものは目に入らなくなる。熱心な共産主義者は、革命の初期段階で社会民主主義者と手を組むことが許されるかどうかは、いくらでも時間をかけて議論するが、地球という惑星上での哺乳動物の進化や宇宙での有機生命体の拡がりの中でプロレタリアートが占める位置について、じっくり考えてみることはない。そのようなたわいのない話は、反革命的で、時間の無駄だと見なされる。

わざわざ時間と空間のいっさいを網羅する物語もあるが、注意を制御する能力のおかげで、他の多くの効果的な物語は、それよりもはるかに狭い範囲にとどまることができている。物語を語る上で、きわめて重要な法則がある。いったん聴衆の視野の外まで物語を拡げることができたら、それが最終的にどこまで拡がるかはほとんど問題にならないのだ。人は一〇〇〇年前にできた国のためになら、一〇億年前に誕生した神のためにと同じぐらい凶悪な狂信的行為に及びうる。人間はどうしても大きな数が苦手だからだ。たいていの場合、私たちの想像力は驚くほど簡単に尽き果てさせることができる。

宇宙について知られていることをすべて考え合わせると、宇宙と人間の存在にまつわる究極の真実が、イスラエルやドイツやロシアのナショナリズムの物語であるなどと、いや、ナショナリズム一般の物語であるとさえ、正気の人間が信じることはまったくありえないように思える。時間や空間のほぼ全体、ビッグバン、量子物理学、生命の進化を無視する物語は、よくてもせいぜい真実のほんの一部にすぎない。ところが人々はどうしたわけか、そうした物語の外側には目をつぶっていられる。

実際、歴史を通じて何十億もの人が、自分の人生が意味を持つためには、国家や壮大なイデオロギー上の運動に夢中になる必要さえないと信じてきた。死後も自分の個人的な物語が確実に存続するように、「何かを後に残す」だけで十分なのだ。私が後に残すその「何か」は、理想的には自分の魂、あるいは個人の本質だ。今の体が死んだ後、新しい体の中に生まれ変われば、死は終わりではなくなる。二つの章の間の、たんなる隙間にすぎない。そして、前の章で始まった筋が、次の章へと引き継がれる。多くの人がそのような考え方を、少なくとも漠然と信じている。たとえその考え方が何か特定の神学に基づいていなくても、だ。彼らは手の込んだドグマは必要としない。自分の物語が死の地平を超えて続いていくという心強い思いさえあれば十分なのだ。

人生は果てしない叙事詩的物語であるという考え方は、きわめて魅力的で一般的だが、大きな問題を二つ抱えている。第一に、自分の個人的な物語を引き延ばしたところで、それは本当にもっと意味深いものにはならない。たんに長くなるだけだ。実際、誕生と死の果てしないサイクルという考え方を採用する二大宗教であるヒンドゥー教と仏教は、そのいっさいが無益である恐ろしさを共有している。私は何百万回となく歩くことを学び、成長し、義母と喧嘩をし、病気になり、死ぬ。そしてまた、そっくり同じことを繰り返す。それに何の意味があるというのか？　これまでの無数の人生で流した涙をすべて集めれば、太平洋もいっぱいになるだろう。抜けた歯と髪の毛をすべて積み重ねれば、ヒマラヤ山脈よりも高くなるだろう。そして、それだけの代償を払って、私は何を誇れるというのか？　ヒンドゥー教と仏教の賢者たちがともに、このメリーゴーラウンドで回り続ける方法ではなく、そこから降りる方法を見つけることに努力を集中したのも無理はない。

この考え方の第二の問題は、裏付けとなる証拠の乏しさだ。前世で、自分が中世の農民やネアンデルタール人の猟師、ティラノサウルス、アメーバ（もし私が本当に何百万回も生きてきたのなら、人類は過去二〇〇万年ほどしか存在していないのだから、どこかの時点で恐竜やアメーバだったに違いない）だったことを示す、どんな証拠があるというのか？　将来、私がサイボーグ、あるいは銀河間探検家、はたまたカエルとして生まれ変わると、誰が請け合えるというのか？　そんな見込みに基づいて人生設計をするのは、雲の上の銀行から振り出された先日付小切手と引き換えに自宅を手放すようなものだ。

したがって、何かしらの魂あるいは霊が自分の死後も本当に生き延びるとは思えない人は、何か実体のあるものを後に残そうと躍起になる。その「何か実体のあるもの」は、文化的なものと生物学的なものという、二通りの形を取りうる。私は、たとえば詩を残したり、自分の貴重な遺伝子を残したりできる。今から一〇〇年後にも人々が依然として私の詩を読むから、あるいは、子や孫が依然として生きているから、私の人生には意味がある、というように。では、子や孫の人生の意味は？　まあ、それは本人の問題であって、私の問題ではない。このように、人生の意味とは、安全装置を解除した手榴弾のようなものだ。いったん誰かに手渡してしまえば、自分は安全でいられる。

悲しいかな、たんに「何かを後に残す」というささやかな希望でさえ、めったに実現されない。かつて存在していた生き物の大半は、遺伝的な特性をまったく残さずに絶滅した。たとえば、ほぼすべての恐竜がそうだ。あるいは、サピエンスに取って代わられたネアンデルタール人もそうだ。あるいは、私の祖母が属していたポーランドの氏族(クラン)も同様だ。祖母のファニーは一九三四年に、両親と二人の姉妹とともに祖国を離れてエルサレムに移住したが、親族のほとんどは、ポーランドのフミェルニクとチェンストホヴァの町にとどまった。数年後、ナチスがやって来て、子供一人残さず皆殺しにした。

何か文化的なものを後に残そうとする試みも、めったにうまくいかない。祖母のポーランドの氏族が残したものといえば、家族のアルバムの写真に写っている、いくつかの色褪せた顔だけで、祖母でさえ、九六歳の今、それらの顔と記憶に残っている名前とを結びつけられない。私の知るかぎりでは、彼らは何一つ文化的創作物を残さなかった――詩も、日記も、買い物リストさえも。彼らは、ユダヤ民族あるいはシオニズム運動の集合的な遺産の一部を成しているとする向きもあるかもしれないが、それでは彼ら一人ひとりの人生には何の意味も与えてもらえない。そのうえ、彼ら全員が本当にユダヤ人としてのアイデンティティを大切にしていたのか、あるいは、シオニズムに賛同していたのか、知れたものではないではないか。なかには熱烈な共産主義者で、命を犠牲にしてまでソ連のためにスパイをしていた人がいるかもしれない。ポーランド社会に同化することを何よりも望み、将校としてポーランド軍で働き、カティンの森の大虐殺でソ連に殺された人もいたかもしれない。さらに、過激なフェミニストで、伝統的な宗教的アイデンティティも民族主義的アイデンティティもすべて拒絶した人もいたかもしれない。彼らは何も後に残さなかったので、死後にあれやこれやの主義主張に彼らを結びつけるのは簡単だし、本人たちはそれに抗議さえできない。

遺伝子や詩のような、何か実体のあるものを残せないのなら、この世界をほんの少しだけでも良くできれば十分なのではないか？　あなたが誰かを助け、その人がいずれ誰か別の人を助け、それによって世界の全般的な向上に貢献し、思いやりの壮大な連鎖の、一つの小さな環となることができる。気難しいけれどもずば抜けた才能を持つ子供をうまく導いてやれば、その子がいずれ医者になり、何百という人の命を救うこともありうるのではないか？　年老いた女性が道を渡るのを助けたなら、その人の人生を一時間ほど明るいものにできるかもしれないではないか？　思いやりの壮大な連鎖には、たしかに長所もあるが、その連鎖は先程のカメの壮大な連鎖に似ている。どこから意味が生まれてくるのか、明らかには程遠いのだ。こんな話がある。ある年老いた賢者が、人生の意味について何を学んだかと訊かれた。「そうだな、自分がこの世にあるのは、他人を助けるためであることを学んだ」と彼は答えた。「だが、いまだにわからないことがある。それは、なぜ他人がこの世にいるのか、だ」

どんな壮大な連鎖も未来への遺産も共同体の叙事詩的物語も信頼しない人が頼れる、最も安全で最もつましい物語は、ロマンスかもしれない。ロマンスは、今、ここ、という範囲を超えようとはしない。無数の愛の詩が証言しているとおり、恋をしているときには、全宇宙が、最愛の人の耳たぶやまつげ、あるいは乳首に圧縮されてしまう。頬杖をつくジュリエットを見詰めて、ロミオは思わず言う。「ああ、あの手を包む手袋になれたなら。あの頬に触れられたなら！」。今、ここで、たった一つの体に触れられれば、全宇宙とつながっているように感じられる。

実際には、あなたの最愛の人もまた、ただの人間にすぎず、毎日電車の中やスーパーマーケットであなたが無視する大勢の人と、本質的には何の違いもない。だがあなたには、その人は無限に思え、あなたはその無限に喜んで無我夢中になる。どの伝統に属する神秘的な詩人も、宇宙との和合をロマンティックな恋愛になぞらえ、神を恋人に見立てて書くことが多かった。ロマンティックな詩人は逆に、自分の恋人を神として崇めて描いてきた。もしあなたが誰かに本当に恋していたら、人生の意味について悩むことなどけっしてない。

では、恋をしていなかったらどうなのか？　もしロマンティックな物語を信じていながら、恋をしていなかったとしても、少なくとも自分の人生で目指すものが何かはわかっている。運命の人と出会うことだ。それならあなたは数え切れないほどの映画で目にしてきたし、無数の本でも読んできた。あなたは、いつの日にかその特別な人と出会い、二つの輝く目の中に無限を見出し、全人生が突然意味を成し、その人の名前を繰り返し唱えるだけで、これまでに抱いた疑問がすべて解消する。『ウエスト・サイド物語』のトニーや、バルコニーから自分を見下ろしているジュリエットを目にしたときのロミオとちょうど同じように。

屋根の重み

優れた物語は、私に役割を与えなければならないし、私の視野の外まで延びていかなければならないものの、真実である必要はない。物語は純粋な虚構でありながら、それでも私にアイデンティティを提供し、自分の人生には意味があると感じさせることができる。実際、私たちの科学的理解の及ぶかぎりでは、さまざまな文化や宗教や部族が歴史を通して生み出してきた幾千万の物語は、一つとして真実ではない。どれもただの人間の創作にすぎない。もしあなたが人生の真の意味を問い、その答えとして物語を与えられたら、それが間違った答えであることを承知してほしい。厳密な詳細はあまり関係ない。どんな物語も間違っている。ひとえに、それが物語だからだ。この世界は物語のようには展開しない。

それならなぜ、人はそうした虚構を信じるのか？　一つには、個人のアイデンティティが物語の上に築かれているからだ。人は幼い頃から物語を信じるように教えられる。そうした物語に疑いを抱いたり、それが正しいことを証明したりするのに必要な知的自立性や情緒的自立性を発達させるはるか以前に、親や教師、近隣の人々、そして文化一般から、物語を聞かされる。だから、知的に成熟する頃には、物語の中にすっかりはまり込んでいるので、知性を使って物語の真偽を問うよりも物語を合理化しようとする可能性のほうがはるかに高い。アイデンティティの探求に乗り出す人の大半は、宝探しをする子供に似ている。親が前もって隠しておいてくれたものしか、見つからないからだ。

第二に、個人のアイデンティティだけでなく、自分たちが所属する集団の制度や機関も物語の上に築かれているからだ。そのため、物語を疑うのはじつに恐ろしい。多くの社会では、疑おうとする人は追放されたり迫害されたりする。仮にそうされなかったとしても、社会の構造そのものに疑問を差し挟むのは、よほど神経が太くないとできないことだ。もし本当に物語が間違っているのなら、私たちの知っている世界全体が、道理に適わないことになるからだ。国の法律や社会の規範や経済の制度がすべて崩壊しかねない。

ほとんどの物語は、土台の強さではなくむしろ屋根の重みでまとまりを保っている。キリスト教の物語を考えてほしい。この物語はこの上なく脆弱な土台の上に載っている。全宇宙の創造主の息子が、およそ二〇〇〇年前に天の川銀河のどこかで炭素系の生命体として生まれたという証拠がどこにあるのか？　それがガリラヤで起こり、母親が処女だったという証拠がどこにあるのか？　どこにもありはしない。それにもかかわらず、巨大でグローバルな制度や機関がその物語の上に築かれ、その重みが圧倒的な力でのしかかってくるため、その物語は維持されている。この物語に出てくるたった一つの言葉の変更をめぐって、いくつも戦争が行なわれてきた。近年には、セルビア人によるクロアチア人の虐殺とクロアチア人によるセルビア人の虐殺という形で表面化した、西方教会の信徒と東方教会の信徒の間の一〇〇〇年に及ぶ分裂は、「filioque」（ラテン語で「息子からも」の意）という一語をめぐって始まった。西方教会の信徒は、キリスト教徒の信仰告白にこの言葉を加えることを望んだのに対して、東方教会の信徒は、それに激しく反対した（その単語を加えることの神学的な意味合いはあまりに難解なので、ここでわかりやすい形で説明することは不可能だ。もし興味があれば、グーグルで調べてほしい）。

個人のアイデンティティや社会制度全体がいったん物語の上に築かれると、その物語を疑う行為は想像を絶するものになる。それは、その物語を裏づける証拠があるからではなく、物語が崩れたら、個人と社会の激動が引き起こされるからだ。歴史においては、土台よりも屋根のほうが重要な場合もあるのだ。

ホーカス・ポーカスと信仰創出業

私たちに意味とアイデンティティを提供してくれる物語はすべて虚構だが、人間はそれを信じる必要がある。それでは、どうすれば物語を現実として感じられるようにできるのか？　なぜ人間が物語を信じたいと思っているかは明らかだが、実際にはどうやって信じているのか？　すでに何千年も前に聖職者やシャーマンがその答えを見つけている。すなわち、儀式だ。儀式は抽象的なものを具体的にし、虚構を現実に変える摩訶不思議な行為だ。儀式の本質は、「ホーカス・ポーカス、XはYだ！」という魔法の呪文にある。(5)

どうすればキリストを敬虔な信者にとっての現実にできるか？　ミサでは、司祭は一切れのパンと盃に入ったブドウ酒を手に取り、パンはキリストの身体であり、ブドウ酒はキリストの血であると宣言し、信者はそれを食べ、飲むことで、キリストとの霊的な交わりを達成する。キリストを自分の口の中で実際に味わうほど、現実感のあることがあるだろうか？　伝統的には、司祭はこの大胆な宣言を、宗教と法律と人生の秘密に関して使われる古代言語であるラテン語で行なった。集まった農民たちが驚嘆して見守る前で、司祭は一切れのパンを高々と掲げ、「ホク・エスト・コルプス！」――「これは（私の）身体だ！」――と声高に言う。するとパンはキリストの身体になるという建前だった。ラテン語を知らず、文字の読めない農民たちの頭の中で、「ホク・エスト・コルプス！」は「ホーカス・ポーカス！」に変わり、カエルを王子に変身させたり、カボチャを馬車に変えたりする強力な呪文が、こうして誕生した。(6)

キリスト教が誕生する一〇〇〇年前、古代のヒンドゥー教徒も同じトリックを使った。「ブリハッド・アーラニヤカ・ウパニシャッド」という文献は、馬を生贄にする儀式を、宇宙の全物語の実現と解釈している。この文献は、「ホーカス・ポーカス、XはYだ！」という公式に則り、次のように述べている。「生贄にした馬の首は暁、目は太陽、生命力は空気、開いた口はヴァイシュヴァーナラと呼ばれる火、生贄にした馬の体は年……脚は季節、関節はひと月と半月、足は昼と夜、骨は星、肉は雲……あくびは稲妻、身震いは雷鳴、排尿は雨、いななきは声である」(7)。こうして哀れな馬は、全宇宙となる。

ロウソクに火をつける、ベルを鳴らす、珠を数えるといった日常的な行為に深い宗教的な意味を持たせることで、ほとんど何でも儀式に変えられる。頭を下げる、ひれ伏す、合掌するといった動作にも、それが当てはまる。シーク教徒のターバンから、イスラム教徒のヒジャブまで、さまざまな被り物は、たっぷり意味を与えられているので、何世紀にもわたって、熱烈な争いを引き起こしてきた。

新しい命とキリストの復活を象徴する復活祭の卵であれ、エジプトで奴隷にされ、奇跡的に脱出したことを思い出すために過ぎ越しの祭りのときにユダヤ教徒が食べなくてはならない苦い薬草と種なしパンであれ、食べ物にも、栄養価をはるかに超える霊的な重要性を持たせうる。この世界で、何かを象徴すると解釈されたことのない料理は、まずないだろう。たとえば信心深いユダヤ教徒は元日に、新しい年が甘いものになるようにと蜂蜜を食べ、魚のように子宝に恵まれ、後ろではなく前へ進むようにと魚の頭を食べ、善行がザクロのたくさんの種のように増えることを願ってザクロを食べる。

同じような儀式は、政治目的でも使われてきた。何千年にもわたって、王冠や王座や杖が王国や帝国全土を象徴してきたし、「王座」や「王冠」の所有をめぐって行なわれた野蛮な戦争で、無数の人が命を落としてきた。王宮では、最も複雑な宗教の儀式にも匹敵するほどの、きわめて手の込んだ儀礼が発達した。軍隊では、規律と儀式は切っても切れない関係にあり、古代ローマから今日まで、兵士は隊列を組んでの行進や、上官への敬礼、軍靴の手入れに延々と時間を費やす。ナポレオンは、色鮮やかな勲章のために、兵士たちに命を犠牲にさせることができるという、有名な言葉を残している。

儀式の持つ政治的な重要性を孔子ほどよく理解していた人はいないかもしれない。孔子は、「礼」を遵守することが、社会の調和と政治の安定のカギであると見ていた。『礼（らい）

記』や『周礼』や『儀礼』といった儒教の古典は、どの国家行事のときにどの儀式を行なうべきかを、儀式に使われる器の数や演奏する楽器の種類、身につける服の色に至るまで挙げて、詳細に記録している。中国が危機に見舞われるたびに、儒者は即座に、礼を軽んじたせいにした[8]。上級曹長が軍事的敗北を、怠け者の兵士たちが自分の靴を磨かなかったせいにするのと似たようなものだ。

現代の西洋では、儀式に対する儒教のこだわりは、しばしば浅薄さと時代後れの表れと見なされてきた。だが実際には、それは孔子が人間の性質を時間を超越して深く理解していたことの証なのだろう。儒教文化が真っ先に中国で、続いて近隣の朝鮮やヴェトナムや日本でも、きわめて長命の政治構造や社会構造を生み出したのは偶然ではないかもしれない。もし人生の究極の真実を知りたければ、さまざまな儀式は巨大な障害となる。だが孔子のように、もし社会の安定と調和に関心があるのなら、真実は不都合なことが多いのに対して、さまざまな儀式はおおいに役立つ。

これは古代中国でと同様、二一世紀にも通用する。ホーカス・ポーカスの力は、現代の産業世界でも健在だ。二〇一八年の多くの人にとって、二本の木の棒を交差させて釘で打ちつけたものが神で、塀に貼られたカラフルなポスターが革命で、風に翻る布切れが国家だ。フランスは想像の中にしか存在しないので、目にしたり耳にしたりはできないが、三色旗は間違いなく目に見えるし、「ラ・マルセイエーズ」は耳に聞こえる。だから、カラフルな旗を振り、国歌を歌うことで、人は国家を抽象的な物語から実体のある現実に変える。

何千年も前、敬虔なヒンドゥー教徒たちは、貴重な馬を生贄にした。今日では、高価な旗の製作に投資する。インドの国旗は、「ティランガ」(文字どおりの意味は「三色」)として知られている。サフラン色と白と緑の三本の縞から成るからだ。二〇〇二年に定められたインドの国旗法は、この旗は「インドの人々の希望と大志を表している。国家の威信の象徴だ。この三色旗が輝かしい栄光に包まれて翻り続けるように、過去五〇年間に、インド軍の軍人を含めて何人もが進んで命を捧げた」[9]と公言している。そして、インドの第二代大統領サルヴパッリー・ラーダークリシュナンの次のような説明の引用が続く。

サフラン色は自制あるいは無私無欲を象徴している。我々の指導者は物質的利益に無関心で、任務に身を捧げなければならない。中段の白は光であり、我々の振る舞いを導く、真実への道である。緑は大地との関係、他のすべての命が頼りとする大地の植物との関係を示している。白の中央にあるアショカホイールは、ダルマの法輪である。真理(サティヤー)、ダルマ(徳)が、この旗の下で働く者全員の支配原理であるべきだ。[10]

二〇一七年、インドの民族主義的な政府は、パキスタンとの国境に面したアタリの町に、世界でも最大級の旗を掲げた。これは、自制と無私無欲のどちらの気持ちでもなくパキスタンの嫉妬心を掻き立てるべく計算された意思表示だった。そのティランガは縦二四メートル、横三六メートルで、高さ一一〇メートルのポールに掲揚された（フロイトだったら、何と言っただろう？）。旗はパキスタンの大都市ラホールからも見えた。あいにく、強風で旗が何度も破れ、そのたびに国家の威信のために継ぎ合わせなければならなかったので、インドの納税者は多大な負担を強いられた(11)。インド政府はなぜ、デリーのスラムに下水設備を建設する代わりに、巨大な旗を作るのに乏しい資源を注ぎ込むのか？　それは、国旗は下水設備にはできない形でインドを現実のものにするからだ。

実際、その国旗にかかる費用そのもののおかげで、この儀式はより効果的になる。あらゆる儀式のうち、犠牲を払う行為が最も強力だ。なぜなら、この世界のいっさいのもののうちでも、苦しみこそが最も現実味があるからだ。苦しみはけっして無視もできなければ、存在を疑うこともできない。もし人々に何かしらの虚構を本当に信じさせたければ、その虚構のために犠牲を払うようにそそのかすといい。人はいったん物語のために苦しめば、たいていその物語が現実のものだと確信する。もし神に命じられたという理由で断食したら、空腹感という明確な感覚が、彫像や肖像画よりも効果的に、神に存在感を与える。祖国のための戦争で脚を失ったら、詩や賛歌よりも義足や車椅子のほうが、国家に現実味を帯びさせる。もっとささやかなレベルでは、イタリアから輸入された品質の高いパスタではなく質で劣る地元のパスタを買ったりして、日々小さな犠牲を払えば、スーパーマーケットの中でさえも、国家が現実のものに感じられる。

これはもちろん、論理的な誤りだ。神あるいは国家を信じているから苦しむとしても、自分の信念が正しいことにはならない。まんまと騙された代償を払っているだけかもしれないではないか。ところが、たいていの人は、自分がかもにされたことは認めたがらない。その結果、ある信念のために犠牲を払えば払うほど、信じる気持ちが強まる。これこそ、犠牲の持つ不可思議な魔力だ。神に生贄を捧げる聖職者は、私たちを支配下に置くためには、何一つ私たちに与える必要はない——雨も、お金も、戦争での勝利も。その代わりに、何かを取り去る必要がある。私たちをうまく言いくるめて、何か痛みを伴う犠牲を払わせればいい。そうすれば、私たちはもう逃れられない。

商業の世界でも、それは通用する。中古のフィアットを二〇〇〇ドルで買ったら、聞いてくれる人がいれば誰にでもその自動車について愚痴をこぼすだろう。だが、新品のフェラーリを二〇万ドルで買ったら、相手かまわず褒めそやすだろう。それがとても優れた自動車だからではなく、それほどの金額を払った以上、それがこの世でいちばんすばらしいものだと信じざるをえないからだ。ロマンスの場合にさえも、ロミオやウェルテルのような熱烈な恋をしたがっている人は誰もが、犠牲を払わなければ真の愛などありえないことを知っている。犠牲は、自分が真剣であることを恋人に納得させる方法であるだけではなく、本当に恋をしていることを自分に納得させる方法でもある。あなたは、女性が恋人にダイヤモンドの指輪を持ってくるように頼むのはなぜだと思っているだろうか？　その恋人は、いったんそれほど大きな金銭的犠牲を払ったら、それが価値ある目的のためだったと自分に確信させざるをえないからだ。

自己犠牲は、本人にとってだけではなく、傍観者にとっても、きわめて説得力がある。殉じる人抜きで維持できる神や国家や革命はほとんどない。神のドラマや民族主義の神話や革命の英雄物語におこがましくも疑問を差し挟んだりしたら、たちまち叱られる。「自分の命をささげたあの尊い人たちは、このために亡くなったのです！　それなのにあなたは、彼らが犬死にしたなどと言うつもりですか？　これらの英雄たちは、でためを鵜呑みにした愚か者だったと思うのですか？」

シーア派のイスラム教徒にとって、宇宙のドラマは、ヒジュラ〔訳註　イスラム教の創始者ムハンマドがメッカからメディナに移ったこと。この移住の年がイスラム歴の元年〕から六一年目のムハッラム〔訳註　イスラム歴の第一月〕の一〇日目（西暦六八〇年一〇月一〇日）に当たるアーシューラーの日にクライマックスを迎えた。その日、イラクのカルバラーで、ウマイヤ朝カリフの邪悪な権力簒奪者ヤズィードの兵士たちが、預言者ムハンマドの孫のフサイン・イブン・アリーを、つき従っていた少数の信者もろとも虐殺した。シーア派にとって、フサインの殉教は、善と悪、虐げられた者たちと不正義との永遠の戦いを象徴するようになった。キリスト教徒がキリストの十字架上の死のドラマを繰り返し再現し、キリストの受難を真似るのとちょうど同じで、シーア派はアーシューラーのドラマを再現し、フサインの受難を真似る。フサイン殉教の地に建てられたカルバラーの聖廟に、毎年何百万ものシーア派の信者が群がり、アーシューラーの日には世界中の信者が追悼の儀式を行ない、自らの体をナイフで切ったり鎖で打ったりする場合もある。

とはいえ、アーシューラーの重要性は、一つの場所と日に限定されてはいない。アヤトラ・ルーホッラー・ホメイニーをはじめ、無数のシーア派指導者は、「毎日がアーシューラーであり、あらゆる場所がカルバラーである」と、信徒たちにたびたび語ってきた。(12) このように、カルバラーでのフサインの殉教は、あらゆるときに、あらゆる場所で、あらゆる出来事に意味を与えるのであり、平凡極まりない決定さえも、この宇宙における善と悪との壮大な戦いに影響を及ぼすと考えるべきなのだ。もしこの物語を疑おうものなら、たちまちカルバラーのことを持ち出されるだろう。フサインの殉教を疑ったり嘲ったりするほどひどい罪は、他にまずない。

もし殉教が珍しく、進んで自分を犠牲にする人があまりいなければ、神に生贄を捧げる聖職者は、代わりに、人々に誰か他の人を犠牲にさせることもある。カナンの執念深いバール神に人間を生贄に捧げたり、イエス・キリストのより大いなる栄光のために異端者を火あぶりにしたり、アッラーが命じたからという理由で、不義を犯した女性を処刑したり、階級の敵たちを強制労働収容所へ送ったりすることがある。いったんそうすると、若干異なる犠牲の魔力が効き目を発揮し始める。何かの物語の名においてあなたが自分に苦しみを与えると、「この物語が真実か、自分は騙されやすい愚か者」という二者択一を迫られる。他者に苦しみを与えたときには、今度は、「この物語が真実か、自分は冷酷な悪者か」という二者択一を迫られる。すると私たちは、自分が愚か者だと認めたくないのと同じで、自分が悪者だとも認めたくないので、その物語が真実だと信じることにする。

一八三九年三月、イランのマシュハドの町で、皮膚病にかかったあるユダヤ人女性が地元の藪医者に、犬を殺してその血で手を洗えば治ると言われた。マシュハドはシーア派の聖地で、女性が身の毛のよだつようなその治療を行なったのは、たまたま神聖なアーシューラーの日だった。彼女の行為を目撃した数人のシーア派信徒は、カルバラーでの殉教を嘲って犬を殺したと信じ込んだ――あるいは、信じたと主張した。この考えられない冒瀆行為の噂は、たちまちマシュハドの町中に広まった。地元のイスラム教の指導者にそそのかされ、怒りに燃える暴徒たちがユダヤ人居住区になだれ込み、シナゴーグに火を放ち、その場でユダヤ人を三六人殺害した。その後、生き延びたマシュハドのユダヤ人は全員、厳しい選択を迫られた。ただちにイスラム教に改宗するか、殺されるか、だ。この下劣な出来事のせいで、「イランの宗教的な都」というマシュハドの評判が損なわれることはほとんどなかった。(13)

私たちは人間の生贄と聞くとたいてい、カナン人やアステカ族の神殿でのぞっとするような儀式を思い浮かべるし、一神教がこの恐ろしい慣行に終止符を打ったと主張するのが普通だ。だが実際には、一神教の信者は多神教のカルトの大半よりも、ずっと大規模に人間を生贄にしてきた。キリスト教とイスラム教は神の名の下に、バール神やアステカのウィツィロポチトリの信者たちよりもはるかに多くの人を殺した。アステカ族とインカ族が神へ人間の生贄を捧げることを、スペインの征服者(コンキスタドール)がいっさいやめさせた頃、スペイン本国では異端審問によって、馬車に何台分もの異端者たちが火あぶりにされていた。

犠牲はありとあらゆる形を取りうる。聖職者がナイフを振るう場合や、血なまぐさい組織的大虐殺の場合だけとはかぎらないのだ。たとえば、ユダヤ教は聖日の安息日に働いたり旅をしたりすることを禁じている(「安息日」を表すヘブライ語の「シャバット」の文字どおりの意味は、「じっと立っている」「休息する」こと)。安息日は金曜日の日没から始まって土曜日の日没まで続き、その間、正統派ユダヤ教徒は、ほとんどあらゆる種類の「仕事」を慎む。それには、トイレでトイレットペーパーをちぎることまで含まれる(これについては最も学識豊かなラビたちの間で議論が戦わされ、トイレットペーパーをちぎるのは安息日の禁忌を破ることになると結論づけられたので、その結果、敬虔なユダヤ教徒は安息日に尻を拭きたければ、前もってトイレットペーパーをちぎって重ねておかなくてはならなくなった)。(14)

イスラエルでは、信心深いユダヤ教徒は非宗教的なユダヤ人や完全な無神論者にさえも、こうした禁忌を守らせようとすることが多い。イスラエルの政界では、正統派の諸政党がたいていキャスティングボートを握っているので、長年のうちに、それらの政党はさまざまな種類の活動を安息日に禁じる法案を数多く成立させるのに成功した。安息日に自家用車の使用を非合法化することはできなかったものの、公共輸送機関の運行は禁止させた。この全国的な宗教的犠牲は、主に社会の最も弱い部門に打撃を与えている。土曜日は労働者階級の人々が自由に移動して遠方の親戚や友人や観光地を訪れることができる唯一の日だから、なおさらだ。金持ちのおばあさんなら、新車を運転して別の町にいる孫たちを訪ねることができるから何の問題もないが、貧しいおばあさんたちは、そうはできない。バスも電車も動いていないからだ。

宗教政党は、このような困難を何十万もの国民に押しつけることで、ユダヤ教に対する揺るぎない信頼を証明し、それをいっそう確固たるものにする。一滴の血も流されていないとはいえ、それでも多くの人の幸福が犠牲にされている。もしユダヤ教がただの虚構の物語ならば、おばあさんが孫たちを訪ねるのを邪魔したり、貧しい学生が浜辺で少しばかり楽しむのを妨げたりするのは、残酷で無情だ。それでもそうすることで、宗教政党は世間に向かって――そして、自らに向かって――ユダヤ教の物語を本当に信じていることを告げる。なんですって、あなたは彼らが何の理由もなく人々を害して楽しんでいると思っているんですか？

犠牲は物語に対する人々の信頼を強めるだけではなく、物語への他のあらゆる義務の代わりとなることも多い。人類の壮大な物語の大半は、ほとんどの人には達成できない理想を掲げてきた。けっして嘘をつかず、他人の財産をむやみに自分のものにしたがったりせず、本当に十戒を文字どおり守っているキリスト教徒がどれだけいるだろうか？無我の境地まで到達できた仏教徒が、これまでどれだけいるだろうか？精一杯働き、本当に必要とする以上のものを受け取らない社会主義者がどれだけいるだろうか？人々は理想に適った生活ができないので、解決策として犠牲に頼る。あるヒンドゥー教徒は税金をごまかし、ときおり売春婦のもとに行き、年老いた親を虐待するかもしれないが、それから自分はとても信心深い人間だと一人合点する。なぜなら、アヨーディヤーのバーブリー・モスクの破壊を支持し、跡地にヒンドゥー教の寺院を建てるために寄付さえしたからだ。古代と同じで二一世紀にも、人間による意味の探求は、犠牲の連続で終わることがあまりに多過ぎる。

アイデンティティのポートフォリオ

古代のエジプト人やカナン人やギリシア人は、犠牲を分散することで危険を防いだ。たくさん神がいたので、無駄になる犠牲があっても、別の犠牲には依然として効き目があることを願ってのことだ。だから彼らは朝には太陽の神に、昼には大地の女神に、夜にはさまざまな妖精や魔物に生贄を捧げた。これまた、現在までたいして変わっていない。ユダヤ教の唯一神ヤハウェであれ、富の権化マモンであれ、国家であれ、革命であれ、今日人々が信じる物語や神はみな、不完全で、穴だらけで、矛盾に満ちている。したがって、人々は一つの物語だけに全信頼を置くことは稀だ。代わりに、いくつかの物語といくつかのアイデンティティから成るポートフォリオを維持し、必要に応じてそのうちの一つから別の一つへと切り替える。そのような認知的不協和は、ほぼすべての社会や運動に付き物だ。

保守派ポピュリストのティーパーティー運動の典型的な支持者のことを考えてほしい。どういうわけか、彼はイエス・キリストを熱烈に信仰する一方で政府の福祉政策に徹底して反対し、全米ライフル協会を断固支持する。イエス・キリストは、完全武装することよりも貧しい人を助けることに熱心だったのではないか？　キリスト教信仰とライフル協会支持は両立しえないように見えるかもしれないが、人間の脳には引き出しや仕切りがたっぷりあり、ニューロンの一部は金輪際言葉を交わさないのだ。同様に、将来革命が起こると漠然と信じながらも、所持金を賢く投資することの重要性も信じている、バーニー・サンダース〔訳註　民主社会主義者を自認するアメリカの無所属の政治家。二〇一六年と二〇二〇年の大統領選挙で民主党の予備選挙に立候補したが、いずれも敗れた〕の支持者も、いたくさん見つかる。彼らは世界の富の不当な分布について議論していたかと思えば、いとも簡単にウォール街での投資成績の議論に切り替えることができる。

一つしかアイデンティティを持たない人は稀だ。たんにイスラム教徒だけ、あるいはイタリア人だけ、はたまた資本主義者だけ、という人はいない。だが、ときおり狂信的な主義や宗教が現れて、人は一つの物語だけを信じるべきだ、アイデンティティは一つしか持ってはいけない、と断言する。ここ何世代かの間で、その手の主義や宗教のうちで最も狂信的だったのは、ファシズムだ。ファシズムは、人々はナショナリズムの物語以外のどんな物語も信じるべきではなく、国家のアイデンティティ以外のどんなアイデンティティも持つべきではないと断言した。すべてのナショナリストがファシストであるわけではない。ほとんどのナショナリストは自分の国家の物語に絶大な信頼を寄せており、自国ならではの美点と、自国に対する特有の義務を重視するが、それでも、世界には自国以外のものがあることも認める。仮に私が、イタリアという国家に対する特別の義務を持つ忠実なイタリア人だったとしても、他のアイデンティティも持つことができる。さらに、社会主義者、カトリック、夫、父、科学者、菜食主義者でもありうるし、これらのアイデンティティの一つひとつに、さらなる義務が伴う。ときには、アイデンティティのいくつかが、それぞれ違う方向に私を引っ張ることもあるし、義務どうしが衝突することもある。だが、人生とは楽なものではないのだ。

ファシズムが現れるのは、ナショナリズムが他のいっさいのアイデンティティと義務を否定することで、楽をしたがるときだ。最近、ファシズムの正確な意味について、かなりの混乱が生じている。人は、気にくわない相手ならほとんど誰でも「ファシスト」呼ばわりする。この単語は、万能の罵り言葉に成り下がりかねない。では、ファシズムとは本当は何を意味するのか？　簡潔に言えば、ナショナリズムは、私の国家は唯一無二で、私にはそれに対する特別な義務があることを教えてくれるのに対して、ファシズムは次のように主張する。私の国家は至上で、私は自国に対してだけ義務がある。どのような状況下でも、自国の権益に他のいかなる団体や個人の権益をも優先させるべきではない。たとえ自国がわずかな利益しかあげられず、しかも、それによって遠い彼方にいる何百万もの見ず知らずの人に厖大な苦難をもたらすことになったとしても、私は何のためらいもなく自国を支持するべきだ。そうしなければ、私は卑しむべき裏切り者となる。もし自国が私に何百万もの人を殺すように要求したなら、そのときには私は何百万人も殺すべきだ。自国が私に真実と美を売り渡すように要求したなら、そのときには私は真実と美を売り渡すべきだ。

ファシストは芸術をどのように評価するか？　ファシストは映画の良し悪しをどうやって知るのか？　単純な話だ。ファシストには物差しは一つしかない。その映画が国益のためになるなら、それは良い映画だ。その映画が国益のためにならないなら、それは悪い映画だ。それでは、ファシストは子供たちに学校で何を教えるかをどのように決めるか？　ファシストはやはり同じ物差しを使う。国益のためになることなら何でも子供たちに教えればいい。真実かどうかは関係ない⑮。

この国家崇拝はきわめて魅力的で、それは、多くの難しいジレンマを単純化してくれるからだけではなく、人々に、自分はこの世で最も重要で最も美しいもの、すなわち祖国に所属していると考えさせるからでもある。第二次世界大戦とホロコーストという惨事は、このような考え方がどれほど恐ろしい結果につながるかを示している。不幸にも、人々がファシズムの病弊について語るときには、お粗末な内容になることが多い。なぜなら、ファシズムを恐ろしい怪物として描き出しつつも、なぜファシズムがあれほど人を惹きつけるのかを説明しそこなうからだ。そのため今日、人はときどきファシズムの考え方を知らず知らずに採用することがある。「ファシズムは醜いものだと教わったが、鏡を見ると、とても美しいものが映っているから、私はファシストのはずがない」と人は考える。

これは、ハリウッド映画が犯す過ちに似ている。「ハリー・ポッター」シリーズのヴォルデモートであれ、『指輪物語』の冥王サウロンであれ、『スター・ウォーズ』のダース・ヴェイダーであれ、ハリウッド映画は悪者を醜く卑劣な人物として描く。彼らはたいてい、最も忠実な支持者たちに対してさえ無慈悲で意地悪だ。こうした映画を観ているときには、なぜヴォルデモートのようなおぞましい人物に惹かれて従ってしまう人間がいるのか、私にはどうしても理解できない。

邪悪さのどこが問題かと言えば、現実の世界では、邪悪さは必ずしも醜くない点だ。とても美しく見えることもありうる。キリスト教はそれをハリウッドよりもよく知っており、だから伝統的なキリスト教芸術は、悪魔を魅力的で強くたくましい男として描く傾向がある。悪魔の誘惑に逆らうのがこれほど難しいのも、そのためだ。ファシズムに対処するのが難しい理由もそこにある。ファシズムの鏡を覗くと、そこに見えるものはまったく醜くない。一九三〇年代にドイツ人がファシズムの鏡を覗くと、この世で最も美しいものとしてドイツが見えた。今日ロシア人がファシズムの鏡を覗くと、この世で最も美しいものとしてロシアが見えるだろう。そして、もしイスラエル人がファシズムの鏡を覗くと、この世で最も美しいものとしてイスラエルが見えるだろう。それから彼らは、その美しい共同体の中で我を忘れたがるだろう。

「ファシズム」という言葉は、「棒の束」を意味するラテン語の「fascis」に由来する。世界史上有数の残忍で有害極まりないイデオロギーの象徴としては、ひどく魅力のないもののように聞こえる。だが、それには深く不気味な意味がある。棒は一本だととても弱く、たやすく真っ二つに折れる。ところが、何本も束ねて「fascis」にすると、折るのはほぼ不可能になる。これは、個人は取るに足りないものの、共同体は結束しているかぎり、とても強力であることを意味している(16)。したがって、ファシストは誰であれ個人の権益よりも共同体の権益を優先することが正しいと信じており、どの棒にも、けっして束のまとまりを損なわないことを求める。

もちろん、人間をまとめた一つの「棒の束」がどこで終わって次の束が始まるかは、けっして明白ではない。仮に私がイタリア人だったなら、なぜイタリアを自分が所属する棒の束と見なすべきなのか？　家族やフィレンツェの町、トスカナ州、ヨーロッパ大陸、全人類のいずれかに所属していると見てもいいのではないか？　ナショナリズムのうちでも寛容なものなら、実際私には、イタリアに対する特別な義務だけでなく、家族やフィレンツェ、ヨーロッパ、全人類に対する義務を持ちうることを私に告げるだろう。それとは対照的に、イタリアのファシストは、イタリアだけに対する絶対的な忠誠を要求する。

ムッソリーニと彼のファシスト党が必死に努力したにもかかわらず、イタリア人の大半は、イタリアを家族(ファミッリャ)に優先させることには気乗りしないままだった。ドイツでは、ナチスのプロパガンダ機関はもっと徹底していたが、ヒトラーでさえ、他の代替の物語をすべて人々に忘れさせることはできなかった。ナチス時代の最も暗い日々にも、人々はつねに、公式の物語に加えて、代替の物語も維持し続けた。それが歴然としたのが一九四五年だった。一二年に及ぶナチスによる洗脳の後では、多くのドイツ人が戦後の生活についていけないのではないかと、あなたが考えたとしても無理はない。一つの壮大な物語に全幅の信頼を置いていたのだから、その物語が木っ端微塵になったとき、どうしたらいいのか？　ところが、ほとんどのドイツ人は、驚くべき速さで立ち直った。彼らは心のどこか片隅に、世の中についての他のさまざまな物語を持ち続けていて、ヒトラーが自分の頭に銃弾を撃ち込んだ途端、ベルリンやハンブルクやミュンヘンの人々は、新たなアイデンティティを採用し、人生に新たな意味を見出した。

たしかにナチスの大管区指導者(ガウライター)のおよそ二割と、将軍たちの一割ほどが自殺した。(17)だがそれは、ガウライターの八割と将軍の九割が、喜んで生き続けたことを意味する。正式なナチ党員の大多数と、親衛隊の大多数までもが、正気を失うこともなければ自殺することもなかった。彼らは農民や教師、医師、保険代理人などになって活躍した。

じつは、自殺でさえ単一の物語への絶対的な傾倒の証とはならない。二〇一五年一一月一三日、イスラミックステートはパリで何件かの自爆攻撃を画策し、一三〇人を殺害した。その過激派グループは、攻撃はフランス空軍がシリアとイラクでイスラミックステートの活動家を爆撃したことに対する報復であり、今後フランスにそのような爆撃を行なうのを思いとどまらせることを願ってのことだ、と説明した。[18]ところがイスラミックステートは、舌の根も乾かぬうちに、次のように宣言した。フランス空軍によって殺害されたイスラム教徒は全員殉教者であり、今や天国で永遠の至福を享受している、と。

これはつじつまが合わない。もしフランス空軍に殺害された殉教者たちが、今本当に天国にいるのなら、そのために報復をするべき人が、どうしているだろうか？　いったい何に対する報復なのか？　人々を天国に送り込んだことに対する報復なのか？　もしあなたが、愛する弟がくじで一〇〇万ドル当たったと聞いたら、あちこちの宝くじ売り場を復讐のために爆破し始めるだろうか？　同様に、フランス空軍があなたの兄弟数人に、天国への片道切符を与えてくれたからといって、どうしてパリに行って暴れ回ることがあるだろうか？　もしフランスが将来シリアでさらなる爆撃を行なうのを思いとどまらせるのに成功したら、なお悪い。なにしろその場合、天国へ行きつくイスラム教徒が減ってしまうのだから。

イスラミックステートは殉教者が天国に行くとは本当に信じていないと、結論したくもなる。だから彼らは爆撃され、殺されたときに怒るのだ、と。だが、もしそうなら、爆弾ベルトを装着して喜んで自分自身を粉々に吹き飛ばす人が、なぜ彼らのなかにいるのか？　彼らは矛盾についてあまり考えないまま、相容れない二つの物語にしがみついている、というのがおそらくその答えだ。すでに指摘したとおり、ニューロンのうちには、言葉を交わす仲ではないものもあるのだ。

フランス空軍がシリアとイラクにあるイスラミックステートの拠点を爆撃する八世紀前、別のフランス軍が中東に侵入した。それを後世の人は「第七回十字軍」と呼んでいる。聖王ルイ九世率いる十字軍は、ナイル川流域を征服してエジプトをキリスト教の防波堤にしようと願っていた。ところが、マンスーラの戦いで敗れ、遠征軍のほとんどが捕虜となった。ジャン・ド・ジョアンヴィルという十字軍の騎士は、後に回想録の中で次のように記している。戦いで敗北を喫して降伏することに決めたとき、部下の一人が、「この決定には承服しかねます。我々全員が敵の手にかかって殺されることをお勧めします。そうすれば、天国に行かれるでしょうから」と言った。ジョアンヴィルはそっけなく書き添えている。「誰一人、この勧めに従わなかった」(19)

ジョアンヴィルは彼らが耳を貸さなかった理由は説明していない。何と言っても、彼らは主に、永遠の救済という約束を信じたからこそ、フランスの快適な城館(シャトー)を後にして、中東への長く危険な冒険に出た人々だ。それならなぜ、永久に続く天国の至福に今にも入れるというとき、代わりにイスラム教徒の捕虜となることを選んだのか？　どうやら十字軍の戦士たちは、救済と天国を熱心に信じてはいたものの、土壇場に来て、二股をかけてリスク分散を図ったようだ。

エルシノアのスーパーマーケット〔訳註　エルシノアはシェイクスピアの『ハムレット』の舞台〕

歴史を通して人間のほぼ全員が同時にいくつかの物語を信じてきたが、そのうちの一つとして、真実だと絶対的に確信していたものはない。この確信の欠如は、たいていの宗教の悩みの種だった。したがって、たいていの宗教は信心を基本的な徳とし、不信を考えうる最悪の部類の罪と見なした。まるで、証拠なしに物事を信じるのは本質的に良いことであるかのようだった。ところが近代文化が台頭すると、状況は変わった。信心はしだいに精神的隷属のように見えてくる一方で、疑うことは自由の前提条件と見られるようになった。

ウィリアム・シェイクスピアは、一五九九年から一六〇二年にかけてのある時点で、自分なりの『ライオン・キング』を書いた。『ハムレット』として広く知られている作品だ。とはいえシンバと違い、ハムレットは「命の環（サークル・オブ・ライフ）」を完成させなかった。彼は最後の最後まで懐疑的で曖昧で、人生とはどういうものかを悟ることはなく、生きるべきか死ぬべきか、心を決めかねた。この点で、ハムレットは典型的な近代の主人公だ。

近代社会は過去から受け継いだ厖大な数の物語を退けなかった。そうする代わりに、物語のスーパーマーケットを開いた。近代以降の人間は、そのすべてを自由に味見して、自分の好みに合うものなら何でも選んだり組み合わせたりできる。

それほど大きな自由と不確かさに耐えられない人もいる。ファシズムのような近代の全体主義の動きは、不確かな考えのスーパーマーケットに猛烈に反抗し、伝統的な宗教でさえ顔色を失うほど、単一の物語への絶対的な信頼を要求した。ところが、近代以降の人の大半は、このスーパーマーケットが好きになった。人生の何たるかも、どの物語を信じたらいいのかもわからないときには、どうするべきか？　選ぶ能力そのものを神聖視するといい。あなたは何でも自分の好きなものを選ぶ力と自由を持って、そのスーパーマーケットの通路にいつまでも立ち、目の前に並ぶ製品を吟味し、そして……そのフレームでフリーズ。カット。ジ・エンド。クレジットを流して。

自由主義の神話によれば、もしその大型スーパーマーケットに十分長い間立っていれば、遅かれ早かれ自由主義の悟りの瞬間を経験し、人生の真の意味に気づくという。スーパーマーケットの棚に並ぶ物語はすべて偽物だ。人生の意味は、既製品ではない。神の脚本などなく、何であれ私の外にあるものは私の人生に意味を与えられない。私こそが、自分の自由な選択と自分の感情を通して、すべてのものに意味を吹き込むのだ。

ファンタジー映画の『ウィロー』（ジョージ・ルーカスの平凡なおとぎ話）では、その名前がタイトルになった主人公は、普通の小人で、偉大な魔術師になって世界を支配する法則を解明することを夢見ている。ある日、見習いを探している偉大な魔術師が小人の村を通りかかる。魔術師志望のウィローと他の二人の小人が志願すると、その魔術師はじつに簡単な試験をする。右手を差し出して指を広げ、『スター・ウォーズ』に出てくるヨーダのような声で尋ねる。「世界を支配する力はどの指にあるか?」。三人の小人はそれぞれ一本ずつ指を選ぶが、三人とも正しい指を選びそこなう。それでもその魔術師は、ウィローにはどこか見所があることに気づき、「私が指を立てたとき、真っ先に思ったことは?」と後に尋ねる。するとウィローはきまり悪そうに、「あの、馬鹿げていると思いました、自分の指を選ぶなんて」と答える。「ああ!」と魔術師は勝ち誇ったように声を上げる。「だが、それが正解だったんだよ! 君はもっと自分を信じなくては」。自由主義の神話は、この教訓を飽きもせずに繰り返すものだ。

聖書やクルアーンやヴェーダを書いたのは、私たち人間自身の指であり、これらの物語に力を与えるのは私たちの心にほかならない。どれも間違いなく美しい物語だが、その美しさは見る人の目の中にだけ存在する。エルサレムやメッカ、ヴァラナシ、ブッダガヤは聖地だが、それは人間がそこに行ったときに経験する思いのおかげでしかない。宇宙はそれ自体では、原子の意味のない寄せ集めにすぎない。何一つ美しくも神聖でもセクシーでもなく、人間の感情がそのような性質を与えているだけだ。赤いリンゴが魅惑的に見えるのも、大便の塊に胸が悪くなるのも、人間の感情のなせる業(わざ)以外の何物でもない。人間の感情を取り去れば、後には分子の群れが残るばかりだ。

私たちは宇宙についての既成の物語に自分自身を当てはめ、それによって意味を見つけることを期待しているが、自由主義に基づいて世界を解釈すると、真実はその正反対になる。宇宙は私に意味など与えてくれない。私が宇宙に意味を与えるのだ。それが宇宙における私の使命だ。私には決まった運命もダルマもない。私はもしシンバやアルジュナの立場に立たされたら、王国に君臨するために戦うことを選べるが、そうしなくてはならないわけではない。巡回サーカスに入ることも、ブロードウェイに行ってミュージカルで歌うことも、シリコンヴァレーに引っ越してスタートアップ企業を始めることもできる。私は自分自身のダルマを自由に創り出せるのだ。

だから、自由主義の物語も、他のあらゆる宇宙の物語と同じで、天地創造から始まる。そして、創造は刻々と起こり、私が創造主だと言う。それでは、私の人生の目的とは何か？　感じ、考え、欲し、発明し、それによって意味を生み出すことだ。感じ、考え、欲し、発明する人間の自由を制限するものは何であれ、宇宙の意味を制限する。したがって、そうした制限からの自由こそが、至上の理想となる。

実際問題として、自由主義の物語を信じる人は、創造せよ、自由のために戦え、という二つの戒律に照らされて生きる。創造性は、詩を書いたり、自分の性的指向を探求したり、新しいアプリを発明したり、未知の化学物質を発見したりすることで発揮できる。自由のための戦いには、社会的束縛や生物学的束縛や物理的束縛から人々を解放する行為のいっさいが含まれる。残酷な独裁者に反対してデモを行なったり、少女たちに字の読み方を教えたり、癌の治療法を見つけたり、宇宙船を建造したりといったことのすべてが。自由主義の殿堂には、ローザ・パークスやパブロ・ピカソが、ルイ・パストゥールやライト兄弟と並んで、英雄として収まっている。

これは理論上はなんとも胸の躍る、深遠なことのように聞こえる。あいにく、人間の自由と創造性は、自由主義の物語が想像しているようなものではない。私たちの科学的な理解が及ぶかぎりにおいては、私たちの選択や創造の背後には不思議な力など何一つ働いていない。選択や創造は、生化学的な信号をやりとりしている何十億ものニューロンの所産であり、人間はたとえカトリック教会やソ連の軛から解放されたとしても依然として、異端審問やKGBと同じぐらい無慈悲な生化学的アルゴリズムの言いなりなのだ。

自由主義の物語は、自己を表現したり実現したりする自由を追い求めるように私に指示する。だが、「自己」も自由もともに、古代のおとぎ話から借りてきた架空のキメラだ。自由主義は、「自由意志」に関してとりわけ混乱した概念を持っている。人間は明らかに意志や欲望を持っており、自由に欲望を満たすこともある。もし「自由意志」という言葉を、自分が欲することをする自由という意味で使うなら、たしかに人間には自由意志がある。だが、「自由意志」という言葉を、自分が欲することを選ぶ自由という意味で使うなら、人間には自由意志はない。

もし私が男性に性的に惹かれるなら、私には自分の空想を実現させる自由があるかもしれないが、代わりに女性に対して魅力を感じる自由はない。場合によっては、私は自分の性的衝動を抑えたり、あるいは、性的指向を変えるセラピーを試したりすることに決めるかもしれないが、性的指向を変えたいというまさにその欲望は、文化的な偏見か宗教的な偏見か何かにそそのかされた私のニューロンによって、私に押しつけられたものだ。自分の性的指向を恥ずかしいと感じて、それを変えようとする人がいる一方で、罪悪感を微塵も覚えずに、同じ性的欲望を賛美する人もいるのはなぜか？　前者は後者よりも強い宗教的な感情を持っていると言えるかもしれない。だが、人は強い宗教的な感情と弱い宗教的な感情のどちらを持つか、自由に選べるのか？　また、人は自分の弱い宗教的な感情を強めようと意識的に努力して、毎週日曜日に教会へ行くことを決めるかもしれない。だが、もっと信心深くなろうと願う人がいる一方で、無神論者のままでいることに完全に満足している人もいるのはなぜか？　この違いは、さまざまな文化的な傾向や遺伝的な性向に起因しうるが、「自由意志」の結果では断じてない。

性的な欲望に当てはまることは、あらゆる欲望にも当てはまるし、それどころか、あらゆる感情や思考にも当てはまる。自分の頭に次に浮かんでくることについて、ともかく考えてほしい。それはどこから浮かんできたのか？　あなたはそれを思い浮かべることを自由に選び、その後ようやく、それを思い浮かべたのか？　絶対違う。自己探究の過程は単純なことから始まり、しだいに難しくなっていく。最初、私たちは自分の外の世界を支配していないことに気づく。いつ雨が降るかを私は決めてはいない。それから、自分自身の体の中の出来事も支配していないことに気づく。私は自分の血圧を支配してはいない。次に、自分の脳さえ支配していないことを理解する。私はニューロンにいつ発火するかを命じてはいない。最終的に私たちは、自分の欲望、そうした欲望に対する反応さえも支配していないことに気づくべきだ。

それに気づくと、自分の意見や感情や欲望に前ほどこだわらなくなれる。私たちは自由意志を持ってはいないが、自分の意志の圧政から少しは自由になれる。人間は自分の欲望をあまりに重視するため、その欲望に添うように世界全体を支配したり形作ったりしようとする。人間は自分の渇望を満たそうとして、月まで飛んでいき、世界大戦を起こし、生態系全体の安定を乱す。自分の欲望は自由な選択の不可思議な表れではなく、（これまた私たちの支配の及ばない文化的要因の影響を受けた）生化学的プロセスの産物であることが理解できれば、それほど欲望に夢中になることはなくなるかもしれない。自分自身や自分の心や欲望を理解したほうが、何であれ頭に浮かんでくる幻想を実現させようとするよりもいい。

自由意志を信じることをやめれば、何に対してもまったく関心が持てなくなり、どこか隅のほうに縮こまり、飢えて死ぬのではないかと、人は想像することがある。だが実際には、自由意志という幻想を捨てると、深い好奇心が湧いてくる。あなたは、何であれ頭に浮かんでくる思考や欲望をしっかり自己と同一視しているかぎり、自分を知ろうという努力をあまりしなくて済む。自分が何者かはもう完全にわかっていると思う。だが、「あれ、この考えは私ではないぞ。ただの生化学的な揺れにすぎない！」といったん悟ると、自分が何者か、どんな存在か、見当さえつかないことにも気づく。これはどんな人間にとっても、これ以上ないほど胸躍る発見の旅の始まりとなりうる。

この旅のきわめて重要なステップは、「自己」は私たちの心の複雑なメカニズムが絶えず作り出し、アップデートし、書き直す、虚構の物語であると認めることだ。私の心の中には、私は何者で、どこから来て、どこへ向かっており、今この瞬間に何が起こっているかを説明する物語の語り手がいる。最新の政治的な大変動を説明する政府でマスメディアへの応対を担当する情報操作の専門家と同様、この内なる語り手は、物事を繰り返し取り違えるが、それを認めることは、あったとしても稀だ。そして、政府が旗や肖像やパレードで国家の神話を築き上げるのとちょうど同じように、私の内なるプロパガンダ機関は、真実とは似ても似つかないことが多い、大切な思い出や内に秘めてきたトラウマで個人の神話を築き上げる。

フェイスブックやインスタグラムの時代の今は、この神話創作の過程をかつてないほどはっきりと目にすることができる。なぜなら、その過程の一部が、心からコンピューターへと外注されたからだ。延々と時間をかけ、オンラインで粉飾を行なって完璧な自己を構築し、自らの創作物にすっかり執着し、それが真の自分だと誤解するようになる人々を眺めると、興味をそそられると同時にぞっとする。[20]交通渋滞とつまらない口喧嘩と張り詰めた沈黙ばかりの家族の休日も、この過程を経ると、完璧なディナーや笑顔に満ちた美しいパノラマのコレクションに変わる。私たちの経験することの九九パーセントは、自己についての物語に取り込まれることはけっしてない。

私たちの幻想の自己はとても視覚的であるのに対して、本当の経験は身体的であることは特筆に値する。幻想の中では、あなたは心の目で、あるいはコンピューター画面でさまざまな光景を眺める。熱帯の浜辺に立っている自分や、背後の青い海、満面の笑み、片手にはカクテルを持ち、もう一方の手は恋人の腰に回しているところを目にする。まさに楽園だ。だが、写真には写っていないものもある。虫がうるさく飛び回り、脚を刺す。腐った魚のスープを飲んだせいで、胃がむかむかしている。大きな作り笑いのせいで顎に力が入っている。恋人とは、五分前に見苦しい喧嘩をしたばかりだ。写真の中の人々が、その写真を撮るときに何を感じていたかを、私たちも感じられさえしたなら、どうなることか？

したがって、本当に自分を理解したければ、自分のフェイスブックのアカウントや、自己についての内なる物語と自分を同一視するべきではない。そうする代わりに、体と心の実際の流れに注意を払うべきだ。たいした理由もなく、あなたの命令もなしに、思考や情動や欲望が現れては消えるのがわかるだろう。あちらから、こちらから、と異なる風が吹いてきて、髪を乱すのとちょうど同じように。そしてあなたは、風ではないのとまったく同じで、自分が経験する思考や情動や欲望の寄せ集めでもないし、後から振り返ってそれらについて語る検閲済みの物語では断じてない。あなたは思考や情動や欲望を経験するが、それらを支配してはいないし、所有してもいないし、そのどれでもない。人々は、「私は何者なのか？」と問い、物語を聞かされることを期待する。自分について真っ先に知っておく必要があるのは、あなたは物語ではない、ということだ。

語らないこと

自由主義は宇宙のドラマをすべて否定するという、思い切ったことをしたが、その後、人間の中にあるドラマを作り直した。宇宙には筋書きがないので、筋書きを生み出すのは人間の責務であり、それが私たちの人生の使命、そして人生の意味であるというわけだ。私たちの自由主義の時代よりも何千年も前に、古代仏教はさらに先へ行き、宇宙のドラマのいっさいだけではなく、人間が創作した内なるドラマさえも否定した。宇宙には何の意味もなく、人間の感情にもまったく意味はない。感情は何かしらの宇宙の物語の一部ではなく、儚い揺れにすぎず、これといった目的もなく、現れては消える。それが真実だ。つべこべ言わずに、それを受け容れるしかない。

ヒンドゥー教の文献の「ブリハッド・アーラニヤカ・ウパニシャッド」は次のように教えている。「生贄にした馬の首は暁、目は太陽……脚は季節、関節はひと月と半月、足は昼と夜、骨は星、肉は雲」。それに対して、仏教の主要な経典である『大念処経（だいねんじょきょう）

（マハーサティパッターナ・スッタ）』は、次のように説明している。人間は瞑想すると、自分の体に入念に注意を払い、「この体には、髪の毛や体毛、爪、歯、肌、肉、腱、骨、髄、腎臓、心臓……唾液、鼻の粘液、滑液、尿がある」ことに気づく。「こうして、その人は体に注意を払い続ける……今やしっかりと悟る。『これが体だ！』[21]」。毛も骨も尿も、それ以外のものは表していない。それらは、それら以外の何物でもないのだ。

この経典は、次から次へと言葉を重ね、瞑想者が体や心の中で何を観察しようと、それをあるがままに理解することを説明する。瞑想者は、たとえば息をするときには、「深く息を吸い込みながら、『私は深く息を吸い込んでいる』と正しく理解する。浅く息を吸い込んでいるときには、『私は浅く息を吸い込んでいる』と正しく理解する[22]」。長い息は季節を象徴していないし、短い息は日々を象徴してはいない。体の中のただの揺れにすぎないのだ。

ブッダの教えによると、宇宙の三つの基本的な現実は、万物は絶えず変化していること、永続する本質を持つものは何一つないこと、完全に満足できるものはないことだという。銀河の彼方まで、あるいは体や心の隅々まで調べたとしても、けっして変わらないものや、永遠の本質を持つもの、完全な満足をもたらしてくれるものには、絶対に出合えない。

苦しみが現れるのは、私たちがこれを正しく認識しそこなっているからだ。人は、どこかに永遠の本質があり、それを見つけてそれとつながれさえすれば、完全に満足できると信じている。この永遠の本質は、神と呼ばれることもあれば、国家と呼ばれることもあり、魂、正真正銘の自己、真の愛と呼ばれることもある。そして、人はそれに執着すればするほど、失望し、惨めになる。それを見つけられないからだ。執着が大きいほど、自分と大切な目標との間に立ちはだかっているように見える人や集団や機関に対して、大きな憎しみを募らせるから、なお悪い。

というわけで、ブッダによれば、人生には何の意味もなく、人々はどんな意味も生み出す必要はないという。私たちは、意味などないことに気づき、それによって空虚な現象への執着や同一化が引き起こす苦しみから解放されるだけでいい。「どうするべきでしょう?」と人々が訊くと、「何もするな。何一つ」とブッダは勧める。私たちが絶えず何かをしていることこそが問題なのだ。必ずしも身体的な意味ではなく、精神的な意味で、だ。私たちは何時間も目を閉じたままじっと座っていられるが、頭の中ではひっきりなしに物語やアイデンティティを生み出し、戦い、勝利を収めている。本当に何もしないというのは、心も何もせず、何も生み出さないことを意味する。

あいにく、これまたじつに簡単に英雄的な行為の物語に変わりうる。人は目を閉じて座り、息が鼻を出入りする様子に注意を向けているときにさえ、それについての物語を構築し始めかねない。「無理やり呼吸しているところが少しばかりあるから、もっと穏やかに息をすれば、もっと健康になれるだろう」とか、「もし呼吸に注意を払い続け、何もしなければ、悟りを開き、世界一賢く幸せな人になれるだろう」などと。すると、その物語が拡がり始め、人は執着から自分を解放するためだけではなく、他の人々にもそうするよう説得するための探求にも乗り出す。人生には意味がないことを受け容れた私は、それを他の人々に説明したり、信じていない人と議論したり、懐疑的な人に講義をしたり、僧院の建設のために寄付をしたり、などといったことに意味を見つける。「語らないこと」もまた、いとも簡単に物語になってしまいうるのだ。

仏教の歴史は、あらゆる現象の儚さと空虚さや、執着を持たないことの重要性を信じている人々が、国の統治や建物の所有をめぐって、あるいは言葉の意味をめぐってさえ、言い争い、戦いうる例を、数え切れないほど提供してくれる。永遠の神の栄光を信じているからという理由で他の人々と戦うのは、不幸なことではあっても理解はできる。あらゆる現象の空虚さを信じているからという理由で他の人々と戦うのは、奇怪千万だが、じつに人間らしくもある。

一八世紀には、ビルマ（現ミャンマー）と隣のシャム（現タイ）の王朝はともに、ブッダへの帰依を誇り、仏教信仰を庇護することで正当性を得ていた。王たちは僧院に寄付し、仏塔を建て、毎週、博学な僧侶の言葉に耳を傾けた。僧たちは雄弁な説法を行ない、すべての人間の、五つの道徳的義務を説いた。すなわち、殺すこと、盗むこと、犯すこと、欺くこと、酔うことを慎むという義務だ。それにもかかわらず、この二つの王国は絶え間なく戦火を交えた。一七六七年四月七日、ビルマの王シンビューシンの軍が、長い攻囲戦の後、シャムの首都をついに陥落させた。勝ち誇った兵士たちは、殺し、略奪し、犯し、おそらくあちこちで酔いしれた。それから宮殿や僧院や仏塔もろとも町の大方を焼き払い、何千もの奴隷と荷車何台分もの金や宝石とともに帰国した。

シンビューシン王は、けっして仏教を軽んじていたわけではない。大勝利の七年後、王は大河エーヤワディーに沿って行進し、途中、各地の重要な仏塔で礼拝し、自軍にさらなる勝利を授けてくれるようにブッダに願った。ラングーン（現ヤンゴン）に到着したシンビューシンはビルマ全土で最も神聖な建造物であるシュエダゴン・パゴダを再建・拡張した。それから増築した建物に自分の体重に相当する金を貼り、仏塔の上に金の尖塔を建て、宝石（シャムから略奪してきたものかもしれない）をちりばめた。王はこの折に、捕えていたペグーの王とその兄弟と息子を処刑した。[23]

一九三〇年代の日本では、人々が想像力を発揮し、仏教の教義をナショナリズムや軍国主義やファシズムと組み合わせる方法を発見してさえいる。井上日召や北一輝や田中智学といった過激な仏教思想家は、我執を解消するためには天皇に自分をすっかり捧げ、個人的な思考をすべて切り捨て、国家への完全な忠誠を尽くすべきだと主張した。そうした考え方に促されてさまざまな国粋主義組織が誕生し、そのなかには、暗殺活動で日本の保守的な政治制度を転覆しようとする、狂信的な軍人集団も含まれていた。彼らは、前蔵相と三井財閥の総帥、そしてついには首相の犬養毅を殺害した。それによって彼らは、日本の軍事独裁化を加速させた。その後、軍が戦争に乗り出すと、一部の仏教僧や禅師は、国家権力への無私無欲の服従を説き、戦争努力のための自己犠牲を推奨した。

それに対して、思いやりと非暴力に関する仏教の教えは、どういうわけか忘れられ、南京やマニラやソウルでの日本人兵士の振る舞いに、これといった影響は与えなかった。[24]

今日、仏教国ミャンマーの人権面での実績は、世界でも最低レベルで、仏教僧のアシン・ウィラトゥは国内の反イスラム運動を先導している。彼は、ミャンマーと仏教をイスラム聖戦士の陰謀から守りたいと思っているだけだと主張しているが、彼の説法や論説はきわめて扇動的なため、フェイスブックは二〇一八年二月、ヘイト・スピーチ〔訳註　差別や憎悪に基づく表現や発言〕を禁止する同社の方針を理由に、彼のページを削除した。アシン・ウィラトゥは二〇一七年の「ガーディアン」紙によるインタビューで、あたりを飛んでいる蚊に対する憐れみを説いたが、イスラム教徒の女性がミャンマーの軍隊に性的暴行を受けたという申し立てを突きつけられると、笑って言った。「ありえない。奴らの体はあまりにおぞましいから[25]」

八〇億の人間が日頃から瞑想するようになったとしても、世界の平和とグローバルな調和がただちに訪れる可能性はないに等しい。自分についての真実を見て取るのは、あまりに難しいのだ！　たとえ、ほとんどの人間に自分についての真実の観察を試みさせることがどうにかできたとしても、私たちの多くは、出合った真実をたちまち歪め、ヒーローや悪者や敵のいる物語に変え、戦争を起こすのに恰好の口実を見つけることだろう。

現実を試す

こうした大がかりな物語はみな、私たち自身の心が生み出した虚構であるとはいえ、絶望する理由はない。現実は依然としてそこにある。人はどんな架空のドラマでも役を演じることはできないが、そもそもなぜ演じたいなどと思うのか？　人類が直面している大きな疑問は、「人生の意味は何か？」ではなく、「どうやって苦しみから逃れるか？」だ。虚構の物語をすべて捨て去ったときには、以前とは比べ物にならないほどはっきりと現実を観察することができ、自分とこの世界についての真実を本当に知ったなら、人は何があっても惨めになることはない。だがもちろん、言うは易く行なうは難し、だ。

私たち人間は、虚構の物語を創作してそれを信じる能力のおかげで世界を征服した。したがって私たちは、虚構と現実を見分けるのが大の苦手だ。これまでずっと、この違いを見過ごすことに、私たちの生存がかかっていた。それでもこの違いを知りたければ、苦しみが出発点となる。なぜなら、この世で最も現実味があるのが苦しみだからだ。

何か壮大な物語に直面し、それが現実のものか想像上のものかを知りたいときに投げかけるべき重要な疑問の一つが、その物語の主人公は苦しみうるかどうか、だ。たとえば、もし誰かがポーランドという国家についての物語を語ったら、ポーランドが苦しみうるかどうか、少し時間を取って考えてほしい。ロマン派の大詩人で近代ポーランドのナショナリズムの父であるアダム・ミツキェヴィチは、ポーランドを「諸国家にとってのキリスト」と呼んだことで有名だ。彼は、祖国がロシアとプロイセンとオーストリアに分割されてから何十年も過ぎ、一八三〇年の蜂起がロシアに容赦なく鎮圧されて間もない一八三二年に書いた文章で、ポーランドの凄まじい苦しみは全人類の身代わりとして引き受けた犠牲であり、キリストが払った犠牲に匹敵し、ポーランドはまさにキリストと同じように、死から蘇るだろう、と説明した。

ミツキェヴィチは有名な一節でこう書いている。

ポーランドは［ヨーロッパの人々に］言った。「誰であれ私のもとにやって来る者は、自由で平等であるだろう。なぜなら私は自由だからだ」。だがそれを聞いた王たちは心の中でおびえ、ポーランドという国を十字架に架け、墓に横たえ、叫んだ。「我々は自由を殺し、葬った」と。だが、それは愚かな叫びだった……なぜならポーランドという国家は死ななかったからだ……三日目に魂が亡骸に戻ってきて、国家は立ち上がり、ヨーロッパの全民族を奴隷の身分から解放する。(26)

国家は本当に苦しむことができるのか？　目や手、感覚、愛情、熱情を持っているのか？　刺したら血を流すのか？　もちろん、そんなことはない。戦争に敗れたり、州を一つ失ったり、独立を失いさえしたりしても、依然として痛みや悲しみや、他のいかなる種類の悲惨さも経験しえない。体も、心も、感情も、まったく持っていないからだ。じつのところ、それはただの比喩にすぎない。特定の人の想像の中でだけ、ポーランドは苦しむことのできる現実の存在なのだ。ポーランドが存続しているのは、そうした人々が自分の体を貸し与えるからだ——ポーランド軍で兵役に就くことによってばかりでなく、国家の喜びと悲しみを自らの肉体で体現することによっても。一八三一年五月にオストロウェンカの戦いでポーランドが敗れたという知らせがワルシャワに届いたとき、人間の腸(はらわた)が苦悩でよじれ、人間の胸が痛みで波打ち、人間の目が涙でいっぱいになった。

ポーランドが苦しまないからといって、もちろん、ロシアの侵略が正当化されるわけではないし、ポーランド人が独立国を打ち立てて自らの法や習慣を定める権利が損なわれるわけでもない。それでもそれは、けっきょく、現実はポーランドという国の物語ではありえないことを意味している。なぜなら、ポーランドの存在そのものが、人間の心の中の概念に依存しているからだ。

それに対して、侵入してきたロシア軍兵士による強盗と性的暴行の被害者になったワルシャワの女性のことを考えてほしい。ポーランドという国家の比喩的な苦しみとは違い、その女性の苦しみは現実そのものだ。おそらく、ロシアのナショナリズムや東方正教会や男らしい英雄的行為といったさまざまな虚構を人間が信じているために引き起こされたのだろう。そうした虚構のすべてが、ロシアの政治家や兵士たちの多くを奮い立たせていた。とはいえ、それが原因の苦しみは、依然として一〇〇パーセント現実のものだ。

政治家が聞こえの良い観念的な言葉を使って話し始めたときには、いつも用心しなくてはいけない。理解不能のもったいぶった言葉で現実の苦しみを包み込み、ごまかしたり、非難をかわしたりしようとしているのかもしれないから。次の四つの言葉には、とりわけ注意してほしい。犠牲、永遠、純粋、救済。もしそのどれかを耳にしたら、警鐘を鳴らそう。そして、「彼らの犠牲が我々の永遠なる国家の純粋さを救うだろう」といったことを指導者が日頃から口にする国に、あなたがたまたま住んでいたら、自分が非常に厄介な状況に置かれていると思ってもらいたい。自分の正気を保つためには、そのような戯言（たわごと）はいつも現実的な表現に言い換えるよう努めてほしい。苦痛に悲鳴を上げる兵士、殴打され、残忍な仕打ちを受ける女性、恐れで震えている子供、というように。

というわけで、もしこの世界や人生の意味や自分自身のアイデンティティについての真実を知りたければ、まず苦しみに注意を向け、それが何かを調べるのにかぎる。

その答えは物語ではない。

21

瞑想

ひたすら観察せよ

これほど多くの物語や宗教やイデオロギーを批判してきたのだから、自らも矢面（やおもて）に立ち、私のような懐疑的な人間が、どうして毎朝依然として晴れ晴れとした気分で目覚めることができるのかを説明してこそ公平というものだろう。そうするのがためらわれるのは一つには、自分本位になるのを恐れるからであり、また、私にはうまくいくことが誰にでも効き目があるという、誤った印象を与えたくないからでもある。遺伝子やニューロン、経歴、ダルマは人それぞれで、私ならではの特性を誰もが共有してはいないことを、十分承知している。だが、私がどんな色の眼鏡を通して世の中を眺めているか、そして、そのせいで私のビジョンや著述がどのように歪められているかを、読者に知ってもらうのは、良いことなのかもしれない。

ティーンエイジャーだった頃の私は、絶えず悶々としていた。世の中というものが少しも理解できず、人生について抱いていた大きな疑問の数々に、答えがまったく見出せなかった。とくに、この世界や私自身の人生にはどうしてこれほど多くの苦しみがあるのか、そして、それについて何ができるのか、わからなかった。身の周りの人や、読んだ本から得られるものはすべて、手の込んだ虚構だった。神や天国についての宗教神話も、祖国やその歴史的使命についてのナショナリズムの神話も、愛と冒険についてのロマンティックな神話も、経済成長と、物の購買や消費が私を幸せにすることについての資本主義の神話も。これらがおそらくみな虚構であることに気づくだけの分別は持ち合わせていたが、どうすれば真実を見つけ出せるかは見当もつかなかった。

大学で学び始めたとき、そこは答えを見つけるのに理想的な場所だと思った。だが、がっかりだった。学究の世界は、人間がこれまでに創り上げた神話をすべて解体するための強力な道具は提供してくれたが、人生にまつわる大きな疑問に対する、満足のいく答えは与えてくれなかった。それどころか、しだいに狭く限られた範囲の疑問に焦点を絞ることを私に促した。とうとう気がついたら、私はオックスフォード大学で中世の兵士たちが記した自伝的文書について博士論文を書いていた。趣味で哲学書をたくさん読んだり、哲学的な議論をたっぷりしたりし続けたが、果てしない知的娯楽にこそなったものの、本当の見識はほとんど得られなかった。なんとも苛立たしい日々だった。

やがて親友のロンに、少なくとも数日間は読書や知的議論はすべてやめ、試しにヴィパッサナー瞑想の講座を受けてみるべきだと言われた（「ヴィパッサナー」とは、古代インドのパーリ語で「物事をありのままに観察する」の意）。私は、これはニューエイジのわけのわからない活動だと思い、もうこれ以上新しい神話について聞かされるのはご免だったから断った。だが一年間やんわりと促され続けた後、ついに二〇〇〇年四月、一〇日間のヴィパッサナー講習に行くことになった(1)。

それまでは、瞑想についてはほとんど何も知らなかったので、ありとあらゆる種類の込み入った神秘的な理論を伴うものだとばかり思っていた。したがって、瞑想の教えがどれほど実践的なものかを知って仰天した。講習の指導者S・N・ゴエンカは受講生に、足を組んで目を閉じて座らせ、鼻から出たり入ったりする息に注意をすべて向けるように指示した。「何もしてはいけません」と彼は言い続けた。「息をコントロールしようとしたり、特別な息の仕方をしようとしたりしないでください。それが何であれ、この瞬間の現実をひたすら観察するのです。息が入ってくるときは、今、息が入ってきていると自覚するだけでいいのです。息が出ていくときには、今、息が出ていっているとだけ自覚します。そして、注意が散漫になり、心が記憶や空想の中を漂い始めたら、今、自分の心が息から離れてしまったことを、ただ自覚してください」。これほど重要なことを教わったのは初めてだった。

人は人生についての大きな疑問を投げかけるときには普通、いつ自分の鼻から息が入ってきて、いつ出ていっているかになど、まったく関心がない。そんなことではなく、死んだらどうなるかといったことを知りたがる。とはいえ、人生の本当の謎は、死んだ後に何が起こるかではなく、死ぬ前に何が起こるかだ。もし死を理解したければ、生を理解する必要がある。

「死んだら私は、完全に消えてしまうだけなのか？　天国に行くのか？　新しい体に生まれ変わるのか？」と人は問う。こうした疑問は、誕生から死まで持続する「私」というものがあるという前提に基づいているので、「死ぬときにこの『私』に何が起こるか？」という疑問が生じる。だが、誕生から死まで持続するものなどあるのだろうか？　体は刻々と変化し、脳も刻々と変化し、心も刻々と変化し続ける。自分を詳しく観察すればするほど、この一瞬から次の一瞬にさえ持続するものなどないことがはっきりする。それでは、いったい何が全人生を一つにまとめているのか？　もしその答えがわからなければ、人生は理解できないし、死など理解できるはずもない。何が人生を一つにまとめているかを発見したときに初めて、死にまつわる大きな疑問の答えも明らかになるのだ。

「魂が誕生から死まで持続し、それによって人生を一つにまとめている」と人は言うが、それはただの物語にすぎない。あなたは一度でも魂を目にしたことがあるだろうか？

これは、死の瞬間だけではなく、どんなときにも調べることができる。一瞬が過ぎ、次の一瞬が始まるときに何が起こるかを理解できれば、死の瞬間に何が起こるかも理解できる。たった一回の呼吸の間、自分を本当に観察できれば、すべてが理解できるだろう。

自分の呼吸を観察していて最初に学んだのは、これまであれほど多くの本を読み、大学であれほど多くの講座に出席してきたにもかかわらず、自分の心については無知に等しく、心を制御するのがほぼ不可能だということだった。どれほど努力しても、息が自分の鼻を出入りする実状を一〇秒と観察しないうちに、心がどこかへさまよいだしてしまう。私は長年、自分が人生の主人であり、自己ブランドのCEOだとばかり思い込んでいた。だが、瞑想を数時間してみただけで、自分をほとんど制御できないことがわかった。私はCEOではなく、せいぜい守衛程度のものだった。私は自分の体の入口（つまり鼻孔）に立って、出入りするものを何であれただ観察するように言われた。ところが、しばらくすると集中力を失い、持ち場を放棄した。それは目から鱗が落ちるような経験だった。

講座が進むと、受講生は呼吸だけではなく体中の感覚も観察することを教わった。至福や恍惚（こうこつ）といった特別な感覚ではなく、暑さ、圧力、痛みなどといった、ごく普通の平凡な感覚だ。ヴィパッサナーのテクニックは、心の流れは体の感覚と密接に結びついているという見識に基づいている。私と世界との間にはつねに体の感覚がある。私は外の世界の出来事にはけっして反応しない。いつも自分の体の感覚に反応しているのだ。その感覚が不快なときは、嫌悪感を持って反応する。感覚が快ければ、もっと欲しいという渇望を持って反応する。他の人がやったことや、トランプ大統領の最新のツイートや、遠い昔の子供時代の記憶に反応していると思っているときにさえ、じつは必ず、目下の身体感覚に反応している。自分の祖国や神を誰かが侮辱したので憤慨したなら、その侮辱が我慢できないのは、腸が煮えくり返るような感覚や、胸を締めつけられるような痛みのせいだ。祖国は何も感じないが、私たちの体は本当に痛みを感じる。

怒りとは何か、知りたいだろうか？　それならば、腹が立っているときに体の中で起こって消えていく感覚をただ観察すればいい。私がこの瞑想の講習に行ったのは二四歳のときで、それまでおそらく一万回は怒りを経験していただろうが、怒りが本当はどんなふうに感じられるかをわざわざ観察したことは一度としてなかった。怒ったときにはいつも、怒りとは実際にはどんな感覚かということではなく、自分の怒りの対象、すなわち誰かがしたり言ったりしたことに焦点を合わせていた。

私は自分の感覚を観察する一〇日間のこの講習で、そのときまでの全人生で学んだことよりも多くを、自分自身と人間一般について学んだように思う。そして、そうするためには、どんな物語も学説も神話も受け容れる必要はなかった。あるがままの現実を観察するだけでよかった。私が気づいたうちで最も重要なのは、自分の苦しみの最も深い源泉は自分自身の心のパターンにあるということだった。何かを望み、それが実現しなかったとき、私の心は苦しみを生み出すことで反応する。苦しみは外の世界の客観的な状況ではない。それは、私自身の心によって生み出された精神的な反応だ。これを学ぶことが、さらなる苦しみを生み出すのをやめるための最初のステップとなる。

私は二〇〇〇年に初めて講習を受けて以来、毎日二時間瞑想するようになり、毎年一か月か二か月、長い瞑想修行に行く。瞑想は現実からの逃避ではない。現実と接触する行為だ。私は毎日少なくとも二時間、実際に現実をありのままに観察するが、残る二二時間は、電子メールやツイートの処理やかわいい子犬の動画の鑑賞に忙殺される。瞑想の実践が提供してくれる集中力と明晰さがなければ、『サピエンス全史』も『ホモ・デウス』も書けなかっただろう。

瞑想が世界のあらゆる問題の魔法の解決策になるなどとは、私は断じて思っていない。世の中を変えるためには行動を起こす必要があり、こちらのほうがなおさら重要なのだが、団結する必要がある。五〇人が団結して協力すれば、五〇〇人がばらばらに取り組むよりもはるかに多くを成し遂げられる。もし本当に気にかけていることがあれば、それに関連した組織に加わることだ。今週中にもそうしてほしい。

とはいえ、人間の心や自分自身の心、自分の内なる恐れや偏見やコンプレックスとの対処法を理解すれば、効果的に行動したり協力したりすることが易しくなる。そうしたことをすべて理解する方法は、瞑想以外にもたくさんある。セラピーや芸術やスポーツのほうが効果が出る人もいるだろう。人間の心の謎と取り組むときには、瞑想は万能薬ではなく、科学的な道具箱に追加する貴重な道具と見なすべきだ。

両側から掘る

科学が心の謎を解明するのに苦労しているのは、効率の良い道具が不足しているからだ。多くの科学者を含め、大勢の人が心を脳と混同しがちだが、じつは両者はまったく違う。脳はニューロンとシナプスと生化学物質の物質的なネットワークであるのに対して、心は痛みや快感、怒り、愛といった主観的な経験の流れだ。脳が何らかの方法で心を生み出し、何十億ものニューロンの中の生化学的反応が何らかの方法で痛みや愛のような経験を生み出すと、生物学者は決めてかかっている。ところが、これまでのところ私たちは、心がどのようにして脳から現れるのかは、まったく説明できずにいる。何十億というニューロンが特定のパターンで電気信号を発していると私が痛みを感じ、別のパターンでニューロンが発火していると愛を感じるのは、いったいどういうわけか？私たちには見当もつかない。したがって、たとえ心が本当に脳から現れるのだとしても、少なくとも当面は、心の研究は脳の研究とは異なる仕事だ。

脳の研究は、顕微鏡や脳スキャナーや高性能のコンピューターの助けを借りて飛躍的に進んでいる。だが、顕微鏡や脳スキャナーでは心は見えない。こうした機器のおかげで、私たちは脳の生化学的な活動や電気的な活動は検知できるものの、これらの活動と結びつけられている主観的な経験にはまったくアクセスできない。二〇一八年現在で、私が直接アクセスできる心は私自身のものしかない。もし他の感覚ある生物が何を経験しているかを知りたければ、間接的な報告に基づいてそうするしかないが、そうした報告は当然ながら、多大な歪曲や制約を免れない。

私たちはさまざまな人から間接的な報告をたくさん集め、繰り返し現れるパターンを統計的手法で識別することなら、間違いなくできるだろう。心理学者や脳科学者はこれまで、そのような方法のおかげで心の理解を著しく深められたばかりでなく、何百万もの命を救うことさえできた。とはいえ、間接的な報告だけを使っていたら、自ずと限界にぶつかる。科学では、特定の現象を詳しく調べるときには、直接観察するのが最善だ。たとえば人類学者は、二次情報源を大量に使うが、サモア諸島の文化を本当に理解したければ、遅かれ早かれ荷物をまとめてサモア諸島を訪れざるをえないだろう。

もちろん、訪れるだけでは不十分だ。サモア諸島を旅するバックパッカーが書いたブログは、科学的な人類学研究とは見なされない。たいていのバックパッカーは研究に必要な道具も持っていなければ教育も受けていないからだ。彼らの観察はあまりにランダムだったり偏ったりしている。信頼できる人類学者になるには、先入観や偏見のない、組織立った客観的な形で人間の文化を観察する方法を習得しなければならない。それこそ大学の人類学科で学ぶことであり、それがあってこそ、異文化間の溝に橋を架ける上で人類学者は不可欠な役割を果たすことができたのだ。

心の科学研究が、この人類学のモデルに倣うことはめったにない。人類学者は遠方の島々や謎めいた国々を訪れて、その報告を行なうことが多いのに対して、意識を研究する学者は、心の領域へ自ら出向くことはほとんどない。なぜなら、私たちが直接観察できる心は自分の心だけであり、偏見や先入観なしにサモア諸島の文化を観察するのがどれほど難しくても、自分の心を客観的に観察するのは、それに輪をかけて難しいからだ。一世紀以上も懸命の努力を重ねた人類学者たちは、今日、客観的な観察のための効果的な手順を思うままに使える。それに対して心の研究者たちは、二次的な報告を収集して分析する道具をたくさん開発したものの、自分自身の心を観察する段になると、まだかろうじて上っ面を撫でた程度だ。

心を直接観察する現代的な方法がないので、現代以前の文化が開発した道具をいくつか試してみる手もある。古代の文化のなかには、心の研究にたっぷり注意を向けたものもあり、それらの文化は間接的な報告を集める代わりに、人々を訓練して自分の心を体系的に学ぶという方法に頼った。これらの文化が開発したさまざまな方法を一まとめにして「瞑想」と呼ぶ。今日、瞑想という言葉は宗教や神秘主義と結びつけられることが多いが、原理上は、自分自身の心を直接観察するための方法はどれも瞑想だ。多くの宗教が現にさまざまな瞑想のテクニックを広く利用しているが、だからといって、瞑想は必ずしも宗教的であるわけではない。多くの宗教が書籍も広く利用しているが、だからといって、書籍の利用が宗教的慣行であることにはならないのと同じだ。

数千年のうちに、人間は何百もの瞑想のテクニックを開発してきたが、その原理や効果はさまざまだ。私はそのうち、ヴィパッサナーという一つのテクニックしか自ら経験していないので、確かなことを語れるのはそのテクニックについてだけだ。ヴィパッサナーは他の多くの瞑想テクニックと同じで、ブッダによって古代インドで発見されたと言われている。何世紀もの間に、多くの場合、裏付けとなる証拠がいっさいないまま、おびただしい数の理論や物語がブッダのものとされてきた。だが、瞑想するためには、そのうちのどれ一つとして信じる必要はない。私にヴィパッサナーを教えてくれたゴエンカは、とても実践的な種類の指導者だった。心を観察するときには、間接的な説明や宗教の教義や哲学的な推量はすべて脇に置き、自分自身の経験と、何であれ実際に出合う現実に的を絞らなくてはいけないと、受講生に繰り返し指示した。毎日大勢の受講生が彼の部屋に来て、指導を求め、質問を投げかけた。部屋の入口には、こんな掲示があった。「理論的な議論や哲学的な議論は避け、質問は自分の実際の訓練に関連した問題に絞ってください」

実際の訓練とは、体の感覚と、感覚に対する精神的な反応を、組織立った、連続的で客観的なやり方で観察し、それによって心の基本的なパターンを明らかにすることを意味する。人は瞑想を、至福と恍惚の特別な経験の追求に変えてしまうことがある。とはいえ実際には、意識はこの世で最も大きな謎であり、熱さや痒さなどのありきたりの感覚も、有頂天の感覚や宇宙との一体感に少しも劣らぬほど不可思議なのだ。ヴィパッサナーの瞑想者は、特別な経験の探求にはけっして乗り出さないように戒められ、自分の心の現実を理解することに集中するよう言われる。その現実がどんなものであろうとも。

近年、心の学者も脳の学者も、そのような瞑想のテクニックにしだいに強い関心を示すようになったが、ほとんどの研究者は今のところ、この瞑想という道具を間接的にしか使っていない[2]。典型的な科学者は、実際に自分で瞑想をすることはない。むしろ、経験豊かな瞑想者を研究室に招き、頭に多くの電極をつけてから瞑想してもらい、脳の活動を観察する。そうすると脳について興味深いことがたくさんわかるが、心を理解することが目的だとしたら、私たちはじつに重要な見識のいくつかを手に入れそこなっている。こんなふうに考えるといい。拡大鏡を通して石を観察することで物質の構造を理解しようとしている人がいるとしよう。その人の所へ行って、顕微鏡を差し出し、「試してみてください。ずっとよく見えるでしょう」と言う。相手は顕微鏡を受け取り、信頼を寄せる拡大鏡を手に、顕微鏡を形作っている物質を念入りに観察する……。瞑想は心を直接観察するための道具だ。もし自分で瞑想する代わりに、誰か別の瞑想者の脳の電気的活動をモニターしたら、瞑想の持つ可能性の大半を見落としてしまう。

私は現在の脳研究の道具や慣行を捨てることを提案しているわけでは断じてない。瞑想はそれらに取って代わるものではないが、それらを補うことはできるかもしれない。巨大な山にトンネルを掘っている技術者に似ている。どうして片側からしか掘らないのか？　同時に両側から掘ったほうがいい。もし脳と心が本当に一つの同じものなら、二本のトンネルは必ず出合うはずだ。では、もし脳と心が同じではなかったら？　それなら、脳だけではなく心も掘り下げることがなおさら重要になる。

脳研究のたんなる対象としてではなく、研究の道具として瞑想を実際に使い始めた大学や研究所もある。とはいえ、道具として使う過程は、まだ黎明期にある。なぜなら一つには、研究者が莫大な時間と労力を注ぎ込まなければならないからだ。真剣な瞑想を行なうには、途方もない量の修練が求められる。自分の感覚を客観的に観察しようとすれば、まず気がつくのは、心とはどれほど自由奔放で短気なものか、ということだ。鼻から出入りする息のような、比較的明確な感覚を観察することに的を絞ったとしてさえ、心はたいてい、ほんの数秒もすれば集中力を失い、思考や記憶や夢の中をさまよい始める。

顕微鏡の焦点がぼけたときには、小さなハンドルを回しさえすればいい。もしハンドルが壊れたら、専門の技術者を呼んで直してもらえる。だが心の焦点がぼけたときには、そう簡単には直せない。心が自らを組織立てて客観的に観察し始められるように、心を落ち着けて集中させるには、たいてい長い修練が必要となる。将来は、薬を飲めばたちまち集中できるようになるかもしれない。とはいえ、瞑想はたんに集中するだけではなく心を探究することを目指しているので、そのような近道を通ったら、逆効果になりかねない。薬を飲めばとても鋭敏で集中した状態になれるかもしれないが、同時に、心のスペクトル全体を探究する妨げにもなるかもしれない。なにしろ、今日でさえ、よくできたスリラー映画をテレビで観ていれば簡単に心を集中させられるが、心はその映画にあまりに集中してしまい、自分のダイナミクスを観察できない。

それでも、たとえそのような薬の類に頼ることができなかったところで、諦めるべきではない。人類学者や動物学者や宇宙飛行士に奮い立たせてもらうことができる。人類学者や動物学者は、これでもかと言うほどの病気や危険にさらされながら、遠方の島々で何年も過ごす。宇宙飛行士は長年、困難な訓練に没頭し、宇宙への冒険旅行に備える。外国の文化や未知の種や彼方の惑星を理解するために、私たちがこれほどの努力を惜しまないのなら、自分自身の心を理解するためにも同じぐらい一生懸命取り組む価値があるかもしれない。そして、アルゴリズムが私たちに代わって私たちの心を決めるようになる前に、自分の心を理解しておかなくてはいけない。

自己観察は昔から難しかったが、時間とともにさらに難しくなっているかもしれない。歴史が展開するにつれ、人間は自分自身についてますます複雑な物語を創り出し、そのせいで、私たちが本当は何者かを知るのもますます困難になった。これらの物語は、大勢の人間を統一し、力を蓄積し、社会の調和を維持することを目的としていた。それらは、何十億もの飢えた人々に食べ物を与え、彼らが激しく争ったりしないようにするために、不可欠だった。人々が自分を観察しようとしたときにたいてい見つけたのは、こうした既成の物語だった。制約のない探究はあまりに危険だった。社会秩序を損ないかねなかったからだ。

テクノロジーが進歩するうちに、二つのことが起こった。第一に、燧石（すいせき）で作ったナイフが徐々に核ミサイルに進化すると、社会秩序を乱すのは、前より危険になった。第二に、洞窟壁画が長い時間をかけてテレビ放送に進化すると、人々を騙すのが前より簡単になった。近い将来、アルゴリズムはこの過程の仕上げをし、人々が自分自身についての現実を観察するのをほぼ不可能にするかもしれない。そのときには、私たちが何者で、自分自身について何を知るべきかは、私たちに代わってアルゴリズムが決めることになるだろう。

あと数年あるいは数十年は、私たちにはまだ選択の余地が残されている。努力をすれば、私たちは自分が本当は何者なのかを、依然としてじっくり吟味することができる。だが、この機会を活用したければ、今すぐそうするしかないのだ。

謝辞

私が執筆するのを——そして削除するのを——助けてくれた以下の方々全員に感謝したい。

最初に本書の構想を思いつき、長い執筆過程を通して、私を導いてくれた、イギリスのペンギン・ランダムハウスの担当発行者ミチャル・シャヴィット。そして、全力で働き、支援してくれたペンギン・ランダムハウスのチーム全体。

今回もまた、見事に原稿を編集してくれたデイヴィッド・ミルナー。デイヴィッドが何と言うだろうかと考えただけで、執筆になおさら精を出したことが往々にしてあった。

前二作に続いて、今回も表紙のデザインに関して、すばらしい創造性を発揮してくれたペンギン・ランダムハウスの担当クリエイティブ・ディレクターのスザンヌ・ディーン。

目覚ましい広報活動を展開してくれた、ライオット・コミュニケーションズのプリーナ・ガドハーとその同僚たち。

フィードバックを提供し、大西洋をまたぐ事柄を処理してくれた、シュピーゲル＆グラウ社のシンディ・シュピーゲル。

著者を信頼し、プロとして腕を振るい、献身的に仕事をこなし、本書を日本に届けるのを手伝ってくれた河出書房新社の方々と訳者の柴田裕之。

古代のシナゴーグから人工知能まで、すべてを確認してくれた、研究アシスタントのアイダン・シェレール。

絶えず支援し、優れた助言を与えてくれたシュムエル・ローズナー。

原稿を読み、たっぷり時間と労力を注ぎ込んで私の誤りを正し、新たな視点から物事を眺められるようにしてくれた、イガル・ボロチョフスキーとサライ・アハロニ。

カミカゼ、監視、心理、アルゴリズムについての見識を提供してくれた、ダニー・オーバック、ユリ・サバチ、ヨラム・ヨヴェル、ロン・メロム。

私のアカウントの電子メール地獄で何日も過ごしてくれた、我が献身的なチーム——イードー・アヤル、マヤ・オーバック、ナーマ・ヴァルテンブルク、エイロナ・アリエル。

辛抱強く接し、愛を注いでくれた友人や家族の全員。

時間と経験を捧げてくれた、母のプニーナと義母のハンナ。

彼抜きではこのどれ一つとして実現しなかっただろう、配偶者でマネージャーのイツィク。私は本の書き方を知っているにすぎない。他のことは何もかも彼がやってくれる。

そして最後になったが、関心を抱き、時間をかけ、コメントを寄せてくれた読者のみなさん全員。もし本が棚の上に載ったままで誰にも読まれなかったら、何の価値があるだろう。

＊

「はじめに」で述べたとおり、本書は世間の人々との対話という形で書かれた。多くの章は読者やジャーナリストや同業者からの質問への返答から成っている。いくつかの部分の前身は、小論や記事としてすでに発表していた。そのおかげで、フィードバックを受け、主張に磨きをかける機会が得られた。先行する文章には、以下の小論や記事が含まれている。

'If We Know Meat Is Murder, Why Is It So Hard For Us to Change and Become Moral?', *Haaretz,* 21 June 2012.

'The Theatre of Terror', *Guardian,* 31 January 2015.

'Judaism Is Not a Major Player in the History of Humankind', *Haaretz,* 31 July 2016.

'Yuval Noah Harari on Big Data, Google and the End of Free Will', FT.com, 26 August 2016.

'Isis is as much an offshoot of our global civilisation as Google', *Guardian,* 9 September 2016.

‘Salvation by Algorithm : God, Technology and New 21st Century Religions’, *New Statesman,* 9 September 2016.

‘Does Trump’s Rise Mean Liberalism’s End?’, *New Yorker,* 7 October 2016.

‘Yuval Noah Harari Challenges the Future According to Facebook’, *Financial Times,* 23 March 2017.

‘Humankind : The Post-Truth Species’, Bloomberg.com, 13 April 2017.

‘People Have Limited Knowledge. What’s the Remedy? Nobody Knows’, *New York Times,* 18 April 2017.

‘The Meaning of Life in a World Without Work’, *Guardian,* 8 May 2017.

‘In Big Data vs. Bach, Computers Might Win’, *Bloomberg View,* 13 May 2017.

‘Are We About to Witness the Most Unequal Societies in History?’, *Guardian,* 24 May 2017.

‘Universal Basic Income is Neither Universal Nor Basic’, *Bloomberg View,* 4 June 2017.

‘Why It’s No Longer Possible For Any Country to Win a War’, Time.com, 23 June 2017.

‘The Age of Disorder : Why Technology is the Greatest Threat to Humankind’, *New Statesman,* 25 July 2017.

‘Reboot for the AI Revolution’, *Nature News,* 17 October 2017.

訳者あとがき

本書『21 Lessons――21世紀の人類のための21の思考』は、イスラエルの歴史学者ユヴァル・ノア・ハラリが『サピエンス全史――文明の構造と人類の幸福』と『ホモ・デウス――テクノロジーとサピエンスの未来』に続いて発表した *21 Lessons for the 21st Century* の全訳だ。ただし、原著刊行後に著者が行なった改訂や、日本語版用の加筆・変更を反映している。

著者は「はじめに」で、前二作を踏まえて本書を次のように位置づけている。「『サピエンス全史』では、人間の過去を見渡し、ヒトという取るに足りない霊長類が地球という惑星の支配者となる過程を詳しく考察した。『ホモ・デウス』では、生命の遠い将来を探究し、人間がいずれ神となる可能性や、知能と意識が最終的にどのような運命をたどるかについて、入念に考察した」。「本書では、『今、ここ』にズームインしたいと思っている」（一部省略して引用。以下同様）。きわめて自然な流れと言えるだろう。

目次をご覧になればわかるとおり、各章で扱うテーマは、歴史の終わり、雇用、自由、平等から、正義やSF、教育、瞑想まで多岐にわたる。とはいえ、目につくトピックを手当たり次第取り上げて脈絡なく羅列したわけでもなければ、各テーマに通り一遍の皮相的な解説を加えたわけでもない。

著者は巻頭で、「的外れな情報であふれ返る世界にあっては、明確さは力だ」と言い切る。そして、「私は歴史学者なので、人々に食べ物や着る物を与えることはできないけれど、それなりの明確さを提供するように努め」ると、自分の使命を規定している。取り組むのは現代の具体的な問題だが、著者はそれらの問題を掘り下げ、その本質や背景を浮かび上がらせてくれる。これこそ著者の真骨頂であり、前二作が世界中であれだけ高く評価され、広く読まれ続けている大きな要因の一つだろう。

著者は、現下の問題に向き合うにあたって、「長期的な視点も失いたくない」と明言している。歴史学者だから当たり前とも言えるが、それは歴史を学ぶこと、歴史に学ぶことの意義を確信しているからでもある。過去を振り返ることによって、現在のあり方が見えてくるとともに、未来に向かって新たな可能性や展望が開ける。前の作品でも力説されていたように、過去から自らを解放し、固定観念や先入観から抜け出し、新たな目で物事を眺めたり、新たな考えや夢を抱いたりできるようになる。

たとえば、現代社会が抱える問題の一因は、進化が発達させた価値観などが現代のグローバル世界に適応していない点にある。長い生物の進化の歴史の中で、今の人間の特性が育まれてきたことを知れば、なぜ私たちはグローバルに、あるいは合理的に考えるのが苦手なのか、フェイクニュースを鵜呑みにしがちなのかなど、私たちが直面している問題の根本にある原因が理解しやすくなる。さらに視野を拡げて宇宙の時間スケールで歴史を眺めれば、特定集団の絶対性や優越性や永遠性を謳う、一部のナショナリズムや宗教の考え方の不合理さが見えてくる。

また、歴史を俯瞰すれば、かつてアフリカ大陸の一隅で捕食者を恐れてほそぼそと暮らしていたヒトという生き物が生物圏に君臨するに至る過程で不可欠の役割を果たした虚構や物語の威力と弊害が明らかになることは、前二作でも示されたとおりだ。「人間の力は集団の協力を拠り所としており、集団の協力は集団のアイデンティティを作り出すことに依存しており、どんな集団のアイデンティティの基盤も虚構の物語であって、科学的事実ではなく、経済的な必要性でさえない」。だが、「個人のアイデンティティや社会制度全体がいったん物語の上に築かれると、その物語を疑う行為は想像を絶するものになる。それは、その物語を裏づける証拠があるからではなく、物語が崩れたら、個人と社会の激動が引き起こされるからだ」と、著者は人間につきまとう問題の本質の一つを衝く。

本書のように多様な問題を取り上げれば、そのなかには一見、ぴんと来ないものや、自分には直接関係なさそうに思えるものも当然出てくるだろうが、じつはどれも、私たちとはけっして無関係ではない。それは一つには、現代の人間がグローバルな時代に生きているからだ。「グローバルな世界は、個人の振る舞いと道徳性に前代未聞の圧力をかける。私たちの一人ひとりが、すべてを網羅する無数の『クモの巣』に搦め捕られており、そうしたクモの巣は私たちの動きを制限する一方、どんな小さな動きでさえもはるか彼方まで伝える。私たちが日々行なっていることが、地球の裏側の人々や動物の生活に影響を与え、個人のちょっとした意思表示が思いがけず全世界を燃え上がらせることもある」

そこから、明確さを提供することに続く、著者の第二の使命が導かれる。それは、読者に個人の力と責任を自覚してもらい、行動を促すことだ。本書で展開される考察の目的は、「さらなる思考を促し、現代の主要な議論のいくつかに読者が参加するのを助けることにある」と著者は宣言し、「私たち人間という種の将来をめぐる議論に加わる人が、たとえわずかでも増えたなら、私は自分の責務を果たせたことになる」と述べている。なぜなら、「すべてが互いにつながっている世界では、至上の道徳的義務は、知る義務となる」からだ。

以上二つの使命を掲げているとはいえ、そこは権威主義や原理主義の害悪を説いてきた著者のこと、独善的、教条主義的な主張はけっして行なわない。「無知を認め、難しい疑問を提起するのを厭わない勇敢な人々から成る社会のほうが、誰もが単一の答えをまったく疑わずに受け容れなくてはならない社会よりも、たいてい繁栄するばかりか、平和でもある」という揺るぎない信念があるから、言うべきことははっきり言うが、押しつけがましくはない。どちらかと言うと、北風より太陽という感じだろうか。著者一流のユーモアも相変わらず健在だし、卓抜な比喩や対比も随所に見られる。そして、他者を一方的に批判するのではなく、祖国イスラエルやユダヤ教も俎上に載せる。

著者はもともと、日本人にとって親しみやすい存在かもしれない。謙虚さを重視し、「人間の愚かさの治療薬となりうるものの一つが謙虚さだろう」と述べて、本書では現代の問題を解決するための処方箋の一つとして、謙虚さに、まる一章を割いているほどだ。一神教よりも多神教に優しい目を向け、仏教思想を重んじ、感覚あるすべての生き物への慈しみを忘れず、真実を見て取るカギとして苦しみを重視し、瞑想を実践する。

そんな著者の生い立ちや素顔に興味津々の読者もいらっしゃるだろう。自分について語るのがためらわれるのは、「自分本位になるのを恐れるからであり、また、私にはうまくいくことが誰にでも効き目があるという、誤った印象を与えたくないからでもある。遺伝子やニューロン、経歴、ダルマは人それぞれで、私ならではの特性を誰もが共有してはいないことを、十分承知している。だが、私がどんな色の眼鏡を通して世の中を眺めているか、そして、そのせいで私のビジョンや著述がどのように歪められているかを、読者に知ってもらうのは、良いことなのかもしれない」と、やはりここでも謙虚そのものの前置きをしながらも、前二作に比べると、本書で著者は自身について、はるかに多くを語っている。

そこからは、著者の飾らない人柄が伝わってくる。「ティーンエイジャーだった頃の私は、絶えず悶々としていた。世の中というものが少しも理解できず、人生について抱いていた大きな疑問の数々に、答えがまったく見出せなかった。とくに、この世界や私自身の人生にはどうしてこれほど多くの苦しみがあるのか、そして、それについて何ができるのか、わからなかった」。著者ほどの識者でも一〇代のときには悩んでいたというのには、ある意味、ほっとするが、すでに自分自身だけではなく世界にも目が向いているのはさすがだし、そこから真実の探求に向かったところが、簡単には真似できない。やがて友人の粘り強い勧めに従ってヴィパッサナー瞑想に出合い、「二〇〇〇年に初めて講習を受けて以来、毎日二時間瞑想するようになり、毎年一か月か二か月、長い瞑想修行に行く」というのだから、やはり常人ではない。

達観しているように見える著者は、人類の将来に非現実的な期待を抱いてはいないが、絶望もしていない。人間が真実を歪めて生み出す物語は「みな、私たち自身の心が生み出した虚構であるとはいえ、絶望する理由はない。現実は依然としてそこにある」、「虚構の物語をすべて捨て去ったときには、以前とは比べ物にならないほどはっきりと現実を観察することができ、自分とこの世界についての真実を本当に知ったなら、人は何があっても惨めになることはない」と著者は請け合う。

ただし、本書のところどころから切迫感が伝わってくる。今月、著者と本書の訳について電子メールでやりとりしていたときに、日本の暑さを伝えると、「こちらも暑いが、イスラエルの夏はいつもそうだ。それでも、二日ばかり気温が摂氏四五度を超えた。さすがにこれは異常で、懸念される」という返事をいただいた。著者は気候変動による生態系の崩壊を、技術的破壊や核戦争と並んで、「人間の文明の将来を脅かすほど深刻」な難題と捉えているし、「情報テクノロジー（IT）とバイオテクノロジーにおける双子の革命」と自由主義の危機が同時に起こって現代社会を窮地に陥れていると見ている。

それらの問題を解決し、本書で提示した「問いに答えようとするのは、あまりにも野心的に思えるかもしれないが、ホモ・サピエンスは待ってはいられない。哲学も宗教も科学も、揃って時間切れになりつつある」、「哲学者というのは恐ろしく辛抱強いものだが、それに比べると技術者はずっと気が短く、投資家はいちばん性急だ。もしあなたが、生命を設計する力をどう使うべきかわからなかったとしても、答えを思いつくまで、市場の需要と供給の原理は一〇〇〇年も待っていてはくれない」、「本書は、人々が好きなことを考え、望むとおりに表現することが、依然として比較的自由にできる時代にだけ書きえた点は、心に留めておいてほしい」というふうに、悠長には構えていられないことを著者は繰り返し訴え、「あと数年あるいは数十年は、私たちにはまだ選択の余地が残されている。努力をすれば、私たちは自分が本当は何者なのかを、依然としてじっくり吟味することができる。だが、この機会を活用したければ、今すぐそうするしかないのだ」と結んでいる。

これだけ物事が見えている人物が、これほどまでに言うのだから、よほどのことだ。では、私たちには、残された機会を活用する以外に選択肢はないのだろうか？　いや、ある。たとえば、急速に発展するITとバイオテクノロジーにいずれ人間は権限を奪われる可能性を指摘した第19章の結末で、著者はこうも述べている。「もちろんあなたは、権限をすべてアルゴリズムに譲り、アルゴリズムを信頼して自分のこともそれ以外の世の中のこともすべて決めてもらって、満足そのものかもしれない。それならば、くつろいで、そういう暮らしを楽しめばいい。何一つ手出しする必要はない。アルゴリズムが万事片づけてくれる」

本書は多くの問題を扱っているが、けっきょく、私たちはどう生きるのか、と問うているのだろう。あなたはどう生きるのか、と。冒頭で著者が言うように、今の世の中には「仕事や子育て、老親の介護といった、もっと差し迫った課題を抱えている」ために、「物事をじっくり吟味してみるだけの余裕がない人が何十億もいる」。そんななかで本書を読んでくださった方や、読もうとしてくださっている方には、それなりの余裕があることだろうから、訳者としては、まずはそうしたみなさまの胸に、著者のじつに啓発的な言葉が響き、思いが伝わることを願っている。私たちが、本書で論じられたさまざまな問題について考えようと考えまいと、また行動を起こそうと起こすまいと、「歴史は目こぼししてくれない」のだから。

最後になったが、今回もまた、本書に関する質問に毎回迅速かつ的確に答えてくださった著者に深く感謝したい。そして、編集を担当してくださった河出書房新社の藤﨑寛之さん、入念な校正をしてくださった方々、デザイナーの木庭貴信さんをはじめ、刊行までにお世話になった大勢の方々に、この場を借りて心からお礼を申し上げる。

二〇一九年八月

柴田裕之

文庫版のための訳者あとがき

今回、『21 Lessons ――21世紀の人類のための21の思考』が文庫化されることになった。単行本が出たのが二〇一九年一一月で、その後に起こった最も大きな出来事と言えば、やはり、刊行直後から始まった新型コロナウイルス感染症の世界的大流行だろう。『サピエンス全史――文明の構造と人類の幸福』と『ホモ・デウス――テクノロジーとサピエンスの未来』という前二作を通じて、世界的な知識人として重要な地位を確立したイスラエルの歴史学者・哲学者ユヴァル・ノア・ハラリは、このコロナ禍の間も各種メディアで活発な発言を続けて注目され、日本でも新聞や雑誌、ＮＨＫの番組などにたびたび登場し、日本限定のオリジナル版『緊急提言　パンデミック』も刊行され、若き知の巨人としてますますその名を知られるようになった。

その間に、これまでの著者の著述や発言を裏づける形で、コロナ禍をはじめとする昨今の世界情勢の明暗両面が浮かび上がってきた。著者が懸念していたグローバル世界の脆弱性とグローバル化への反動、真実の劣化とフェイクニュースの蔓延、強権主義や独裁的な国家の台頭と自由主義や民主主義の苦境、核武装を含む軍事力増進による強引な現状変更の試み、地球環境・生態系の危機、テクノロジーの濫用や監視社会の到来と倫理面の対応の遅れ、サイバーテロやサイバー攻撃……。

自国第一主義を掲げたトランプ時代のアメリカがコロナによる死者を世界で最も多く出したのは何やら暗示的だが、世界は過去の深刻な疫病発生時のような死亡率を免れ、その後、前代未聞の短期間でワクチンが開発されて効果をあげ始めているのは、先進的な医療・科学技術や情報収集・共有、グローバルな協力体制の成果だ。アメリカで新政権が誕生するのとともに、コロナ対策ばかりでなく、気候変動対策でも国際的な協力が不可欠であることが再確認され、少なくとも民主主義国家間の協調体制が復活・強化の方向に舵を切ったし、脱炭素化の動きに弾みがつき、各種の差別に対する抗議の声が高まり、情報所有や利用をめぐって巨大ＩＴ企業の寡占・営利主義への風当たりが強まるなど、将来に期待を抱かせるような展開も見られた。

単行本の訳者あとがきにも述べたように、著者は「本書は、人々が好きなことを考え、望むとおりに表現することが、依然として比較的自由にできる時代にだけ書きえた点は、心に留めておいてほしい」と切迫感を持って訴えている。たとえばミャンマーや香港で何が起こっているか、そして台湾で何が起こりかねないかを考えれば、これがけっして誇張でないことはおわかりいただけるだろう。ありがたいことに、日本はまだ国民の声が封じられるような事態に陥ってはいないが、線状降水帯による洪水や土石流の発生、猛暑といった気候変動絡みの災害は日常のものとなりつつあるし、サイバーセキュリティや安全の確保は万全に程遠く、私たちの社会もけっして安泰ではない。

そんな状況だからこそ、否応なくではあったにしても、多くの方がコロナのおかげでいったん立ち止まり、自分や社会を見詰め直すきっかけを得たのは、それも、世の中が完全に余裕を失ってしまう前に得たのは、不幸中の幸いだったのではないか。また歩み始めるための手掛かりは多くあるだろうが、その一端として、この作品を読んでいただければ、あるいは読み直していただければ幸いだ。壮大な時間スケールの中で物事を俯瞰的に眺め、過去の束縛や先入観から脱することを目指してきた著者、とくに本書では明確さを提供するよう努めるとしている著者の、現代社会についての深い見識が、この一冊には満ちているから。

末筆ながら、文庫化にあたっても編集を担当してくださった藤﨑寛之さんをはじめ、河出書房新社の方々、デザイナーの木庭貴信さんら、お世話になった皆様に感謝申し上げる。

二〇二一年八月　　柴田裕之

(24) Brian Daizen Victoria, *Zen at War* (Lanham: Rowman & Littlefield, 2006)(『禅と戦争――禅仏教の戦争協力』ブライアン・アンドレー・ヴィクトリア著、エイミー・ルイーズ・ツジモト訳、えにし書房、2015年); Buruma, *Inventing Japan,* op. cit.(前掲『近代日本の誕生』イアン・ブルマ著); Stephen S. Large, 'Nationalist Extremism in Early Showa Japan: Inoue Nissho and the "Blood-Pledge Corps Incident", 1932', *Modern Asian Studies* 35:3 (2001), 533-64; W. L. King, *Zen and the Way of the Sword: Arming the Samurai Psyche* (New York: Oxford University Press, 1993); Danny Orbach, 'A Japanese prophet: eschatology and epistemology in the thought of Kita Ikki', *Japan Forum* 23:3 (2011), 339-61.

(25) 'Facebook removes Myanmar monk's page for "inflammatory posts" about Muslims', *Scroll.in,* 27 February 2018, https://amp.scroll.in/article/870245/facebook-removes-myanmar-monks-page-for-inflammatory-posts-about-muslims, accessed 4 March 2018; Marella Oppenheim, '"It only takes one terrorist": The Buddhist monk who reviles Myanmar's Muslims', *Guardian,* 12 May 2017, https://www.theguardian.com/global-development/2017/may/12/only-takes-one-terrorist-buddhist-monk-reviles-myanmar-muslims-rohingya-refugees-ashin-wirathu, accessed 4 March 2018.

(26) Jerzy Lukowski and Hubert Zawadzki, *A Concise History of Poland* (Cambridge: Cambridge University Press, 2001), 163.(『ポーランドの歴史』イェジ・ルコフスキ、フベルト・ザヴァツキ著、河野肇訳、創土社、2007年)

21 瞑想

(1) www.dhamma.org.

(2) Daniel Goleman and Richard J. Davidson, *Altered Traits: Science Reveals How Meditation Changes Your Mind, Brain and Body* (New York: Avery, 2017).(『心と体をゆたかにするマインドエクササイズの証明』ダニエル・ゴールマン、リチャード・J・デビッドソン著、藤田美菜子訳、パンローリング、2018年)

(11) https://www.thenews.com.pk/latest/195493-Heres-why-Indias-tallest-flag-cannot-be-hoisted-at-Pakistan-border.

(12) Stephen C. Poulson, *Social Movements in Twentieth-Century Iran: Culture, Ideology and Mobilizing Frameworks* (Lanham: Lexington Books, 2006), 44.

(13) Houman Sarshar (ed.), *The Jews of Iran: The History, Religion and Culture of a Community in the Islamic World* (New York: Palgrave Macmillan, 2014), 52-5; Houman M. Sarshar, *Jewish Communities of Iran* (New York: Encyclopedia Iranica Foundation, 2011), 158-60.

(14) Gersion Appel, *The Concise Code of Jewish Law*, 2nd edn (New York: KTAV Publishing House, 1991), 191.

(15) とくに以下を参照のこと。Robert O. Paxton, *The Anatomy of Fascism* (New York: Vintage Books, 2005).(『ファシズムの解剖学』ロバート・パクストン著、瀬戸岡紘訳、桜井書店、2009年)

(16) Richard Griffiths, *Fascism* (London, New York: Continuum, 2005), 33.

(17) Christian Goeschel, *Suicide in the Third Reich* (Oxford: Oxford University Press, 2009).

(18) 'Paris attacks: What happened on the night', BBC, 9 December 2015, http://www.bbc.com/news/world-europe-34818994, accessed 13 August 2017; Cara Anna, 'ISIS expresses fury over French airstrikes in Syria; France says they will continue', CTV News, 14 November 2015, http://www.ctvnews.ca/world/isis-expresses-fury-over-french-airstrikes-in-syria-france-says-they-will-continue-1.2658642, accessed 13 August 2017.

(19) Jean de Joinville, *The Life of Saint Louis* in M. R. B. Shaw (ed.), *Chronicles of the Crusades* (London: Penguin, 1963), 243; Jean de Joinville, *Vie de saint Louis,* ed. Jacques Monfrin (Paris, 1995), ch. 319, p. 156.

(20) Ray Williams, 'How Facebook Can Amplify Low Self-Esteem/Narcissism/Anxiety', *Psychology Today,* 20 May 2014, https://www.psychologytoday.com/blog/wired-success/201405/how-facebook-can-amplify-low-self-esteemnarcissismanxiety, accessed 17 August 2017.

(21) *Mahasatipatthana Sutta,* ch. 2, section 1, ed. Vipassana Research Institute (Igatpuri: Vipassana Research Institute, 2006), 12-3.

(22) 同上、5.

(23) G. E. Harvey, *History of Burma: From the Earliest Times to 10 March 1824* (London: Frank Cass & Co. Ltd, 1925), 252-60.

20 意味

(1) Karl Marx and Friedrich Engels, *The Communist Manifesto* (London, New York: Verso, 2012), 34-5.(『共産党宣言』カール・マルクス、フリードリヒ・エンゲルス著、村田陽一訳、大月書店、2009年、他)

(2) 同上、35.

(3) Raoul Wootliff and Raphael Ahren, 'Netanyahu Welcomes Envoy Friedman to "Jerusalem, Our Eternal Capital"', *Times of Israel,* 16 May 2017, https://www.timesofisrael.com/netanyahu-welcomes-envoy-friedman-to-jerusalem-our-eternal-capital/, accessed 12 January 2018; Peter Beaumont, 'Israeli Minister's Jerusalem Dress Proves Controversial in Cannes', *Guardian,* 18 May 2017, https://www.theguardian.com/world/2017/may/18/israeli-minister-miri-regev-jerusalem-dress-controversial-cannes, accessed 12 January 2018; Lahav Harkov, 'New 80-Majority Jerusalem Bill Has Loophole Enabling City to Be Divided', *Jerusalem Post,* 2 January 2018, http://www.jpost.com/Israel-News/Right-wing-coalition-passes-law-allowing-Jerusalem-to-be-divided-522627, accessed 12 January 2018.

(4) K. P. Schroder and Robert Connon Smith, 'Distant Future of the Sun and Earth Revisited', *Monthly Notices of the Royal Astronomical Society* 386:1 (2008), 155-63.

(5) とくに以下を参照のこと。Roy A. Rappaport, *Ritual and Religion in the Making of Humanity* (Cambridge: Cambridge University Press, 1999); Graham Harvey, *Ritual and Religious Belief: A Reader* (New York: Routledge, 2005).

(6) これは、「ホーカス・ポーカス」という言い回しの、唯一ではないものの、最も一般的な解釈だ。Leslie K. Arnovick, *Written Reliquaries* (Amsterdam: John Benjamins Publishing Company, 2006), 250, n.30.

(7) Joseph Campbell, *The Hero with a Thousand Faces* (London: Fontana Press, 1993), 235.(『千の顔をもつ英雄　上下』ジョーゼフ・キャンベル著、倉田真木・斎藤静代・関根光宏訳、ハヤカワ文庫NF、2015年、他)

(8) Xinzhong Yao, *An Introduction to Confucianism* (Cambridge: Cambridge University Press, 2000), 190-9.

(9) 'Flag Code of India, 2002', Press Information Bureau, Government of India, http://pib.nic.in/feature/feyr2002/fapr2002/f030420021.html, accessed 13 August 2017.

(10) http://pib.nic.in/feature/feyr2002/fapr2002/f030420021.html.

2017年、他）

19 教育

(1) Wayne A. Wiegand and Donald G. Davis (eds.), *Encyclopedia of Library History* (New York, London: Garland Publishing, 1994), 432-3.

(2) Verity Smith (ed.), *Concise Encyclopedia of Latin American Literature* (London, New York: Routledge, 2013), 142, 180.

(3) Cathy N. Davidson, *The New Education: How to Revolutionize the University to Prepare Students for a World in Flux* (New York: Basic Books, 2017); Bernie Trilling, *21st Century Skills: Learning for Life in Our Times* (San Francisco: Jossey-Bass, 2009); Charles Kivunja, 'Teaching Students to Learn and to Work Well with 21st Century Skills: Unpacking the Career and Life Skills Domain of the New Learning Paradigm', *International Journal of Higher Education* 4:1 (2015). 新しい教授法の実施例については、たとえば、全米教育協会の以下の刊行物を参照のこと。'Preparing 21st Century Students for a Global Society', NEA, http://www.nea.org/assets/docs/A-Guide-to-Four-Cs.pdf, accessed 21 January 2018.

(4) Maddalaine Ansell, 'Jobs for Life Are a Thing of the Past. Bring On Lifelong Learning', *Guardian*, 31 May 2016, https://www.theguardian.com/higher-education-network/2016/may/31/jobs-for-life-are-a-thing-of-the-past-bring-on-lifelong-learning.

(5) Erik B. Bloss et al., 'Evidence for Reduced Experience-Dependent Dendritic Spine Plasticity in the Aging Prefrontal Cortex', *Journal of Neuroscience* 31:21 (2011):7831-9; Miriam Matamales et al., 'Aging-Related Dysfunction of Striatal Cholinergic Interneurons Produces Conflict in Action Selection', *Neuron* 90:2 (2016), 362-72; Mo Costandi, 'Does your brain produce new cells? A skeptical view of human adult neurogenesis', *Guardian*, 23 February 2012, https://www.theguardian.com/science/neurophilosophy/2012/feb/23/brain-new-cells-adult-neurogenesis, accessed 17 August 2017; Gianluigi Mongillo, Simon Rumpel and Yonatan Loewenstein, 'Intrinsic volatility of synaptic connections — a challenge to the synaptic trace theory of memory', *Current Opinion in Neurobiology* 46 (2017), 7-13.

putin-ukraine-olive-branches-russian-tanks, accessed 11 March 2018.

(2) Serhii Plokhy, *Lost Kingdom: The Quest for Empire and the Making of the Russian Nation* (New York: Basic Books, 2017); Snyder, *The Road to Unfreedom*, op. cit.

(3) Matthew Paris, *Matthew Paris' English History*, trans. J. A. Gyles, vol. 3 (London: Henry G. Bohn, 1854), 138-41; Patricia Healy Wasyliw, *Martyrdom, Murder and Magic: Child Saints and Their Cults in Medieval Europe* (New York: Peter Lang, 2008), 123-5.

(4) Cecilia Kang and Adam Goldman, 'In Washington Pizzeria Attack, Fake News Brought Real Guns', *New York Times*, 5 December 2016, https://www.nytimes.com/2016/12/05/business/media/comet-ping-pong-pizza-shooting-fake-news-consequences.html, accessed 12 January 2018.

(5) Leonard B. Glick, *Abraham's Heirs: Jews and Christians in Medieval Europe* (Syracuse: Syracuse University Press, 1999), 228-9.

(6) Anthony Bale, 'Afterword: Violence, Memory and the Traumatic Middle Ages' in Sarah Rees Jones and Sethina Watson (eds.), *Christians and Jews in Angevin England: The York Massacre of 1190, Narrative and Contexts* (York: York Medieval Press, 2013), 297.

(7) ここに引用した言葉はゲッベルスのものとされることが多いが、私も私の献身的な研究アシスタントも、ゲッベルスが本当にそう書くか言うかしたことは確認できなかった。フェイクニュースを駆使した人の言葉であるというのがフェイクニュースだったとすれば、なんという歴史の皮肉だろう。

(8) Hilmar Hoffman, *The Triumph of Propaganda: Film and National Socialism, 1933-1945* (Providence: Berghahn Books, 1997), 140.

(9) Lee Hockstader, 'From A Ruler's Embrace To A Life In Disgrace', *Washington Post*, 10 March 1995, https://www.washingtonpost.com/archive/politics/1995/03/10/from-a-rulers-embrace-to-a-life-in-disgrace/6df151d2-82c3-4589-85b3-2015c802258f, accessed 29 January 2018.

(10) Thomas Pakenham, *The Scramble for Africa* (London: Weidenfeld & Nicolson, 1991), 616-7.

18 SF

(1) Aldous Huxley, *Brave New World* (London: Vintage Classics, 2007), ch. 17.(『すばらしい新世界』オルダス・ハクスリー著、大森望訳、ハヤカワepi文庫、

16 正義

(1) Greene, *Moral Tribes,* op. cit.（前掲『モラル・トライブズ』ジョシュア・グリーン著）; Robert Wright, *The Moral Animal* (New York: Pantheon, 1994).

(2) Kelsey Timmerman, *Where Am I Wearing?: A Global Tour of the Countries, Factories, and People That Make Our Clothes* (Hoboken: Wiley, 2012); Kelsey Timmerman, *Where Am I Eating?: An Adventure Through the Global Food Economy* (Hoboken: Wiley, 2013).

(3) Reni Eddo-Lodge, *Why I Am No Longer Talking to White People About Race* (London: Bloomsbury, 2017); Ta-Nehisi Coates, *Between the World and Me* (Melbourne: Text Publishing Company, 2015).（『世界と僕のあいだに』タナハシ・コーツ著、池田年穂訳、慶應義塾大学出版会、2017年）

(4) Josie Ensor, '"Everyone in Syria Is Bad Now", Says UN War Crimes Prosecutor as She Quits Post', *Telegraph,* 17 August 2017, http://www.telegraph.co.uk/news/2017/08/07/everyone-syria-bad-now-says-un-war-crimes-prosecutor-quits-post/, accessed 18 October 2017.

(5) たとえば、Helena Smith, 'Shocking Images of Drowned Syrian Boy Show Tragic Plight of Refugees', *Guardian,* 2 September 2015, https://www.theguardian.com/world/2015/sep/02/shocking-image-of-drowned-syrian-boy-shows-tragic-plight-of-refugees, accessed 18 October 2017.

(6) T. Kogut and I. Ritov, 'The singularity effect of identified victims in separate and joint evaluations', *Organizational Behavior and Human Decision Processes* 97:2 (2005), 106-16; D. A. Small and G. Loewenstein, 'Helping a victim or helping the victim: Altruism and identifiability', *Journal of Risk and Uncertainty* 26:1 (2003), 5-16; Greene, *Moral Tribes,* op. cit., 264.（前掲『モラル・トライブズ』ジョシュア・グリーン著）

(7) Russ Alan Prince, 'Who Rules the World?', *Forbes,* 22 July 2013, https://www.forbes.com/sites/russalanprince/2013/07/22/who-rules-the-world/#63c9e31d7625, accessed 18 October 2017.

17 ポスト・トゥルース

(1) Julian Borger, 'Putin Offers Ukraine Olive Branches Delivered by Russian Tanks', *Guardian,* 4 March 2014, https://www.theguardian.com/world/2014/mar/04/

Psychosocial Adjustment of Clinic-Referred Men', *Child Abuse & Neglect* 26:4 (2002), 425-41; Mireille Cyr et al., 'Intrafamilial Sexual Abuse: Brother-Sister Incest Does Not Differ from Father-Daughter and Stepfather-Stepdaughter Incest', *Child Abuse & Neglect* 26:9 (2002), 957-73; Sandra S. Stroebel, 'Father-Daughter Incest: Data from an Anonymous Computerized Survey', *Journal of Child Sexual Abuse* 21:2 (2010), 176-99.

15 無知

(1) Steven A. Sloman and Philip Fernbach, *The Knowledge Illusion: Why We Never Think Alone* (New York: Riverhead Books, 2017)(『知ってるつもり――無知の科学』スティーブン・スローマン、フィリップ・ファーンバック著、土方奈美訳、早川書房、2018年); Greene, *Moral Tribes.* op. cit.（前掲『モラル・トライブズ』ジョシュア・グリーン著)

(2) Sloman and Fernbach, *The Knowledge Illusion,* op. cit., 20.（前掲『知ってるつもり』スティーブン・スローマン、フィリップ・ファーンバック著)

(3) Eli Pariser, *The Filter Bubble: What the Internet Is Hiding from You* (London: Penguin Books, 2012)(『フィルターバブル――インターネットが隠していること』イーライ・パリサー著、井口耕二訳、ハヤカワ文庫NF、2016年); Greene, *Moral Tribes,* op. cit.（前掲『モラル・トライブズ』ジョシュア・グリーン著)

(4) Greene, *Moral Tribes,* op. cit.（前掲『モラル・トライブズ』ジョシュア・グリーン著); Dan M. Kahan, 'The Polarizing Impact of Science Literacy and Numeracy on Perceived Climate Change Risks', *Nature Climate Change* 2 (2012), 732-5. だが、逆の見方については、以下を参照のこと。Sophie Guy et al., 'Investigating the Effects of Knowledge and Ideology on Climate Change Beliefs', *European Journal of Social Psychology* 44:5 (2014), 421-9.

(5) Arlie Russell Hochschild, *Strangers in Their Own Land: Anger and Mourning on the American Right* (New York: The New Press, 2016).（『壁の向こうの住人たち――アメリカの右派を覆う怒りと嘆き』A・R・ホックシールド著、布施由紀子訳、岩波書店、2018年)

(9) Loren R. Fisher, *The Eloquent Peasant,* 2nd edn (Eugene: Wipf & Stock Publishers, 2015).

(10) いかにもタルムード風の創意を凝らして、異教徒を救うために安息日を破ることを許すラビもいた。彼らは、次のように主張した。もしユダヤ教徒が異教徒を救うのを控えたら、異教徒が怒り、ユダヤ教徒を襲って殺すだろう。だから、異教徒を救うことで、間接的にユダヤ教徒を救うことができるかもしれない、と。とはいえ、この主張でさえも、異教徒とユダヤ教徒の命には異なる価値が与えられていることを浮き彫りにする。

(11) Catherine Nixey, *The Darkening Age: The Christian Destruction of the Classical World* (London: Macmillan, 2017).

(12) Charles Allen, *Ashoka: The Search for India's Lost Emperor* (London: Little, Brown, 2012), 412-3.

(13) Clyde Pharr et al. (eds.), *The Theodosian Code and Novels, and the Sirmondian Constitutions* (Princeton: Princeton University Press, 1952), 440, 467-71.

(14) 同上。とくに、472-3.

(15) Sofie Remijsen, *The End of Greek Athletics in Late Antiquity* (Cambridge: Cambridge University Press, 2015), 45-51.

(16) Ruth Schuster, 'Why Do Jews Win So Many Nobels?', *Haaretz,* 9 October 2013, https://www.haaretz.com/jewish/news/1.551520, accessed 13 November 2017.

13 神

(1) Lillian Faderman, *The Gay Revolution: The Story of the Struggle* (New York: Simon & Schuster, 2015).

(2) Elaine Scarry, *The Body in Pain: The Making and Unmaking of the World* (New York: Oxford University Press, 1985).

14 世俗主義

(1) Jonathan H. Turner and Alexandra Maryanski, *Incest: Origins of the Taboo* (Boulder: Paradigm Publishers, 2005)(『インセスト――近親交配の回避とタブー』ジョナサン・H・ターナー、アレクサンドラ・マリヤンスキー著、正岡寛司・藤見純子訳、明石書店、2012年); Robert J. Kelly et al., 'Effects of Mother-Son Incest and Positive Perceptions of Sexual Abuse Experiences on the

sales-2015-10.

(8) Ian Buruma, *Inventing Japan* (London: Weidenfeld & Nicolson, 2003)（前掲『近代日本の誕生』イアン・ブルマ著）; Eri Hotta, *Japan 1941: Countdown to Infamy* (London: Vintage, 2014).

12 謙虚さ

(1) http://www.ancientpages.com/2015/10/19/10-remarkable-ancient-indian-sages-familiar-with-advanced-technology-science-long-before-modern-era/ ; https://www.hindujagruti.org/articles/31.html.

(2) これらの数値は、以下のグラフではっきり見て取れる。Conrad Hackett and David McClendon, 'Christians Remain World's Largest Religious Group, but They Are Declining in Europe', Pew Research Center, 5 April 2017, http://www.pewresearch.org/fact-tank/2017/04/05/christians-remain-worlds-largest-religious-group-but-they-are-declining-in-europe/, accessed 13 November 2017.

(3) Jonathan Haidt, *The Righteous Mind: Why Good People Are Divided by Politics and Religion* (New York: Pantheon, 2012)（『社会はなぜ左と右にわかれるのか——対立を超えるための道徳心理学』ジョナサン・ハイト著、高橋洋訳、紀伊國屋書店、2014年）; Joshua Greene, *Moral Tribes: Emotion, Reason, and the Gap Between Us and Them* (New York: Penguin Press, 2013).（『モラル・トライブズ——共存の道徳哲学へ　上下』ジョシュア・グリーン著、竹田円訳、岩波書店、2015年）

(4) Marc Bekoff and Jessica Pierce, 'Wild Justice - Honor and Fairness among Beasts at Play', *American Journal of Play* 1:4 (2009), 451-75.

(5) Frans de Waal, *Our Inner Ape* (London: Granta, 2005), ch.5.（『あなたのなかのサル——霊長類学者が明かす「人間らしさ」の起源』フランス・ドゥ・ヴァール著、藤井留美訳、早川書房、2005年）

(6) Frans de Waal, *Bonobo: The Forgotten Ape* (Berkeley: University of California Press, 1997), 157.（『ヒトに最も近い類人猿ボノボ』フランス・ドゥ・ヴァール著、加納隆至監修、藤井留美訳、TBSブリタニカ、2000年）

(7) この話はディズニーネイチャーによって『チンパンジー　愛すべき大家族』という題でドキュメンタリーになり、2012年に公開された。

(8) M. E. J. Richardson, *Hammurabi's Laws* (London, New York: T&T Clark International, 2000), 29-31.

こと。John R. Schindler, *Isonzo: The Forgotten Sacrifice of the Great War* (Westport: Praeger, 2001), 217-8.

(10) Sergio Catignani, *Israeli Counter-Insurgency and the Intifadas: Dilemmas of a Conventional Army* (London: Routledge, 2008).

(11) 'Reported Rapes in France Jump 18% in Five Years', France 24, 11 August 2015, http://www.france24.com/en/20150811-reported-rapes-france-jump-18-five-years, accessed 11 January 2018.

11 戦争

(1) Yuval Noah Harari, *Homo Deus: A Brief History of Tomorrow* (New York: HarperCollins, 2017), 14-9(『ホモ・デウス――テクノロジーとサピエンスの未来　上下』ユヴァル・ノア・ハラリ著、柴田裕之訳、河出書房新社、2018年); 'Global Health Observatory Data Repository, 2012', World Health Organization, http://apps.who.int/gho/data/node.main.RCODWORLD?lang=en, accessed 16 August 2015; 'Global Study on Homicide, 2013', UNDOC, http://www.unodc.org/documents/gsh/pdfs/2014_GLOBAL_HOMICIDE_BOOK_web.pdf; accessed 16 August 2015; http://www.who.int/healthinfo/global_burden_disease/estimates/en/index1.html.

(2) 'World Military Spending: Increases in the USA and Europe, Decreases in Oil-Exporting Countries', *Stockholm International Peace Research Institute,* 24 April 2017, https://www.sipri.org/media/press-release/2017/world-military-spending-increases-usa-and-europe, accessed October 23, 2017.

(3) http://www.nationalarchives.gov.uk/battles/egypt/popup/telel4.htm.

(4) Spencer C. Tucker (ed.), *The Encyclopedia of the Mexican-American War: A Political, Social and Military History* (Santa Barbara: ABC-CLIO, 2013), 131.

(5) Ivana Kottasová, 'Putin Meets Xi: Two Economies, Only One to Envy', CNN, 2 July 2017, http://money.cnn.com/2017/07/02/news/economy/china-russia-putin-xi-meeting/index.html, accessed 23 October 2017.

(6) GDPは、購買力平価に基づいて計算された、IMFの統計による。International Monetary Fund, 'Report for Selected Countries and Subjects, 2017', https://www.imf.org/external/pubs/ft/weo/2017/02/weodata/index.aspx, accessed 27 February 2018.

(7) http://www.businessinsider.com/isis-making-50-million-a-month-from-oil-

Accomplishments and challenges', *Perspectives on Terrorism* 4 (2010), 24-46; Gary LaFree and Laura Dugan, 'Research on terrorism and countering terrorism' in M. Tonry (ed.), *Crime and Justice: A Review of Research* (Chicago: University of Chicago Press, 2009), 413-77; Gary LaFree and Laura Dugan, 'Introducing the global terrorism database', *Political Violence and Terrorism* 19 (2007), 181-204.

(2) 'Deaths on the roads: Based on the WHO Global Status Report on Road Safety 2015', World Health Organization, accessed 26 January 2016; https://wonder.cdc.gov/mcd-icd10.html; 'Global Status Report on Road Safety 2013', World Health Organization; http://gamapserver.who.int/gho/interactive_charts/road_safety/road_traffic_deaths/atlas.html; http://www.who.int/violence_injury_prevention/road_safety_status/2013/en/; http://www.newsweek.com/2015-brought-biggest-us-traffic-death-increase-50-years-427759.

(3) http://www.euro.who.int/en/health-topics/noncommunicable-diseases/diabetes/data-and-statistics; http://apps.who.int/iris/bitstream/10665/204871/1/9789241565257_eng.pdf?ua=1; https://www.theguardian.com/environment/2016/sep/27/more-than-million-died-due-air-pollution-china-one-year.

(4) この戦いについては、以下を参照のこと。Gary Sheffield, *Forgotten Victory: The First World War. Myths and Reality* (London: Headline, 2001), 137-64.

(5) 'Victims of Palestinian Violence and Terrorism since September 2000', Israel Ministry of Foreign Affairs, http://mfa.gov.il/MFA/ForeignPolicy/Terrorism/Palestinian/Pages/Victims%20of%20Palestinian%20Violence%20and%20Terrorism%20sinc.aspx, accessed 23 October 2017.

(6) 'Car Accidents with Casualties, 2002', Central Bureau of Statistics (in Hebrew), http://www.cbs.gov.il/www/publications/acci02/acci02h.pdf, accessed 23 October 2017.

(7) 'Pan Am Flight 103 Fast Facts', CNN, 16 December 2016, http://edition.cnn.com/2013/09/26/world/pan-am-flight-103-fast-facts/index.html, accessed 23 October 2017.

(8) Tom Templeton and Tom Lumley, '9/11 in Numbers', *Guardian*, 18 August 2002, https://www.theguardian.com/world/2002/aug/18/usa.terrorism, accessed 23 October 2017.

(9) Ian Westwell and Dennis Cove (eds.), *History of World War I*, vol. 2 (New York: Marshall Cavendish, 2002), 431. イゾンツォの戦いについては、以下を参照の

2007)；Andrei Lankov, *The Real North Korea: Life and Politics in the Failed Stalinist Utopia* (Oxford: Oxford University Press, 2015)(『北朝鮮の核心──そのロジックと国際社会の課題』アンドレイ・ランコフ著、山岡由美訳、みすず書房、2015年)；Young Whan Kihl, 'Staying Power of the Socialist "Hermit Kingdom"', in Hong Nack Kim and Young Whan Kihl (eds.), *North Korea: The Politics of Regime Survival* (New York: Routledge, 2006), 3-36.

9 移民

(1) 'Global Trends: Forced Displacement in 2016', *UNHCR*, http://www.unhcr.org/5943e8a34.pdf, accessed 11 January 2018.

(2) Lauren Gambino, 'Trump Pans Immigration Proposal as Bringing People from "Shithole Countries"', *Guardian*, 12 January 2018, https://www.theguardian.com/us-news/2018/jan/11/trump-pans-immigration-proposal-as-bringing-people-from-shithole-countries, accessed 11 February 2018.

(3) Tal Kopan, 'What Donald Trump Has Said about Mexico and Vice Versa', CNN, 31 August 2016, https://edition.cnn.com/2016/08/31/politics/donald-trump-mexico-statements/index.html, accessed 28 February 2018.

10 テロ

(1) http://www.telegraph.co.uk/news/0/many-people-killed-terrorist-attacks-uk/；National Consortium for the Study of Terrorism and Responses to Terrorism (START) (2016), Global Terrorism Database [Data file]. 以下で検索したもの。https://www.start.umd.edu/gtd；http://www.cnsnews.com/news/article/susan-jones/11774-number-terror-attacks-worldwide-dropped-13-2015；http://www.datagraver.com/case/people-killed-by-terrorism-per-year-in-western-europe-1970-2015；http://www.jewishvirtuallibrary.org/statistics-on-incidents-of-terrorism-worldwide；Gary LaFree, Laura Dugan and Erin Miller, *Putting Terrorism in Context: Lessons from the Global Terrorism Database* (London: Routledge, 2015)；Gary LaFree, 'Using open source data to counter common myths about terrorism' in Brian Forst, Jack Greene and Jim Lynch (eds.), *Criminologists on Terrorism and Homeland Security* (Cambridge: Cambridge University Press, 2011), 411-42; Gary LaFree, 'The Global Terrorism Database:

"Climate Change" from Environmental Protection Agency's Website', *Independent,* 22 October 2017, http://www.independent.co.uk/news/world/americas/us-politics/donald-trump-administration-climate-change-deleted-environmental-protection-agency-website-a8012581.html, accessed 22 October 2017; Alana Abramson, 'No, Trump Still Hasn't Changed His Mind About Climate Change After Hurricane Irma and Harvey', *Time,* 11 September 2017, http://time.com/4936507/donald-trump-climate-change-hurricane-irma-hurricane-harvey/, accessed 22 October 2017.

(16) 'Treaty Establishing A Constitution for Europe', European Union, https://europa.eu/european-union/sites/europaeu/files/docs/body/treaty_establishing_a_constitution_for_europe_en.pdf, accessed 23 October 2017.

8 宗教

(1) Bernard S. Cohn, *Colonialism and Its Forms of Knowledge: The British in India* (Princeton: Princeton University Press, 1996), 148.

(2) 'Encyclical Letter Laudato Si' of the Holy Father Francis on Care for Our Common Home', *The Holy See,* http://w2.vatican.va/content/francesco/en/encyclicals/documents/papa-francesco_20150524_enciclica-laudato-si.html, accessed 3 December 2017.

(3) 最初は1930年に、以下のフロイトの論文で述べられた。'Civilization and Its Discontents': Sigmund Freud, *Civilization and Its Discontents,* trans. James Strachey (New York: W. W. Norton, 1961), 61.（『幻想の未来／文化への不満』ジークムント・フロイト著、中山元訳、光文社古典新訳文庫、2007年所収「文化への不満」）

(4) Ian Buruma, *Inventing Japan, 1853-1964* (New York: Modern Library, 2003).（『近代日本の誕生』イアン・ブルマ著、小林朋則訳、ランダムハウス講談社、2006年）

(5) Robert Axell, *Kamikaze: Japan's Suicide Gods* (London: Longman, 2002).

(6) Charles K. Armstrong, Familism, Socialism and Political Religion in North Korea', *Totalitarian Movements and Political Religions* 6:3 (2005), 383-94; Daniel Byman and Jennifer Lind, 'Pyongyang's Survival Strategy: Tools of Authoritarian Control in North Korea', *International Security* 35:1 (2010), 44-74; Paul French, *North Korea: The Paranoid Peninsula,* 2nd edn (London, New York: Zed Books,

vs. 気候変動　上下』ナオミ・クライン著、幾島幸子・荒井雅子訳、岩波書店、2017年）; Kolbert, *The Sixth Extinction,* op. cit.（前掲『6度目の大絶滅』エリザベス・コルバート著）

（10） Johan Rockström et al., 'A Roadmap for Rapid Decarbonization', *Science* 355:6331, 23 March 2017, DOI:10.1126/science.aah3443.

（11） Institution of Mechanical Engineers, *Global Food: Waste Not, Want Not*（London: Institution of Mechanical Engineers, 2013）, 12.

（12） Paul Shapiro, *Clean Meat: How Growing Meat Without Animals Will Revolutionize Dinner and the World*（New York: Gallery Books, 2018）.『クリーンミート――培養肉が世界を変える』ポール・シャピロ著、鈴木素子訳、日経BP、2020年）

（13） 'Russia's Putin Says Climate Change in Arctic Good for Economy,' CBS News, 30 March 2017, http://www.cbc.ca/news/technology/russia-putin-climate-change-beneficial-economy-1.4048430, accessed 1 March 2018; Neela Banerjee, 'Russia and the U. S. Could be Partners in Climate Change Inaction,' *Inside Climate News,* 7 February 2017, https://insideclimatenews.org/news/06022017/russia-vladimir-putin-donald-trump-climate-change-paris-climate-agreement, accessed 1 March 2018; Noah Smith, 'Russia Wins in a Retreat on Climate Change', *Bloomberg View,* 15 December 2016, https://www.bloomberg.com/view/articles/2016-12-15/russia-wins-in-a-retreat-on-climate-change, accessed March 1, 2018; Gregg Easterbrook, 'Global Warming: Who Loses — and Who Wins?', *Atlantic*（April 2007）, https://www.theatlantic.com/magazine/archive/2007/04/global-warming-who-loses-and-who-wins/305698/, accessed 1 March 2018; Quentin Buckholz, 'Russia and Climate Change: A Looming Threat', Diplomat, 4 February 2016, https://thediplomat.com/2016/02/russia-and-climate-change-a-looming-threat/, accessed 1 March 2018.

（14） Brian Eckhouse, Ari Natter and Christopher Martin, 'President Trump slaps tariffs on solar panels in major blow to renewable energy', 22 January 2018, http://time.com/5113472/donald-trump-solar-panel-tariff/, accessed 30 January 2018.

（15） Miranda Green and Rene Marsh, 'Trump Administration Doesn't Want to Talk about Climate Change', CNN, 13 September 2017, http://edition.cnn.com/2017/09/12/politics/trump-climate-change-silence/index.html, accessed 22 October 2017; Lydia Smith, 'Trump Administration Deletes Mention of the World in New "Letter to Humanity"', *Independent,* 13 November 2017, http://www.independent.co.uk/environment/letter-to-humanity-warning-climate-change-global-warming-scientists-union-concerned-a8052481.html, accessed 8 January 2018; Justin Worland, 'Climate Change Is Already Wreaking Havoc on Our Weather, Scientists Find', *Time,* 15 December 2017, http://time.com/5064577/climate-change-arctic/, accessed 8 January 2018.

(8) Richard J. Millar et al., 'Emission Budgets and Pathways Consistent with Limiting Warming to 1.5 ℃', *Nature Geoscience* 10 (2017), 741-7; Joeri Rogelj et al., 'Differences between Carbon Budget Estimates Unraveled', *Nature Climate Change* 6 (2016), 245-52; Akshat Rathi, 'Did We Just Buy Decades More Time to Hit Climate Goals?', *Quartz,* 21 September 2017, https://qz.com/1080883/the-breathtaking-new-climate-change-study-hasnt-changed-the-urgency-with-which-we-must-reduce-emissions/, accessed 11 February 2018; Roz Pidcock, 'Carbon Briefing: Making Sense of the IPCC's New Carbon Budget', *Carbon Brief,* 23 October 2013, https://www.carbonbrief.org/carbon-briefing-making-sense-of-the-ipccs-new-carbon-budget, accessed 11 February 2018.

(9) Jianping Huang et al., 'Accelerated Dryland Expansion under Climate Change', *Nature Climate Change* 6 (2016), 166-71; Thomas R. Knutson, 'Tropical Cyclones and Climate Change', *Nature Geoscience* 3 (2010), 157-63; Edward Hanna et al., 'Ice-Sheet Mass Balance and Climate Change', *Nature* 498 (2013), 51-9; Tim Wheeler and Joachim von Braun, 'Climate Change Impacts on Global Food Security', *Science* 341:6145 (2013), 508-13; A. J. Challinor et al., 'A Meta-Analysis of Crop Yield under Climate Change and Adaptation', *Nature Climate Change* 4 (2014), 287-91; Elisabeth Lingren et al., 'Monitoring EU Emerging Infectious Disease Risk Due to Climate Change', Science 336:6080 (2012), 418-9; Frank Biermann and Ingrid Boas, 'Preparing for a Warmer World: Towards a Global Governance System to Protect Climate Change', *Global Environmental Politics* 10:1 (2010), 60-88; Jeff Goodell, *The Water Will Come: Rising Seas, Sinking Cities and the Remaking of the Civilized World* (New York: Little, Brown and Company, 2017); Mark Lynas, *Six Degrees: Our Future on a Hotter Planet* (Washington: National Geographic, 2008)(『+6℃――地球温暖化最悪のシナリオ』マーク・ライナス著、寺門和夫監修・訳、ランダムハウス講談社、2008年); Naomi Klein, *This Changes Everything: Capitalism vs. Climate* (New York: Simon & Schuster, 2014);(『これがすべてを変える――資本主義

(2) Ashley Killough, 'Lyndon Johnson's "Daisy" Ad, Which Changed the World of Politics, Turns 50', CNN, 8 September 2014, http://edition.cnn.com/2014/09/07/politics/daisy-ad-turns-50/index.html, accessed 19 October 2017.

(3) 'Cause-Specific Mortality: Estimates for 2000-2015', World Health Organization, http://www.who.int/healthinfo/global_burden_disease/estimates/en/index1.html, accessed 19 October 2017.

(4) David E. Sanger and William J. Broad, 'To counter Russia, US signals nuclear arms are back in a big way', *New York Times,* 4 February 2018, https://www.nytimes.com/2018/02/04/us/politics/trump-nuclear-russia.html, accessed 6 February 2018; US Department of Defense, 'Nuclear Posture Review 2018', https://www.defense.gov/News/Special-Reports/0218_npr/, accessed 6 February 2018; Jennifer Hansler, 'Trump Says He Wants Nuclear Arsenal in "Tip-Top Shape", Denies Desire to Increase Stockpile', CNN, 12 October 2017, http://edition.cnn.com/2017/10/11/politics/nuclear-arsenal-trump/index.html, accessed 19 October 2017; Jim Garamone, 'DoD Official: National Defense Strategy Will Enhance Deterrence', *Department of Defense News, Defense Media Activity,* 19 January 2018, https://www.defense.gov/News/Article/Article/1419045/dod-official-national-defense-strategy-will-rebuild-dominance-enhance-deterrence/, accessed 28 January 2018.

(5) Michael Mandelbaum, *Mission Failure: America and the World in the Post-Cold War Era* (New York: Oxford University Press, 2016).

(6) Elizabeth Kolbert, *Field Notes from a Catastrophe* (London: Bloomsbury, 2006)(『地球温暖化の現場から』エリザベス・コルバート著、仙名紀訳、オープンナレッジ、2007年); Elizabeth Kolbert, The Sixth Extinction: An Unnatural History (London: Bloomsbury, 2014)(『6度目の大絶滅』エリザベス・コルバート著、鍛原多惠子訳、NHK出版、2015年); Will Steffen et al., 'Planetary Boundaries: Guiding Human Development on a Changing Planet', *Science* 347:6223, 13 February 2015, DOI:10.1126/science.1259855.

(7) John Cook et al., 'Quantifying the Consensus on Anthropogenic Global Warming in the Scientific Literature', *Environmental Research Letters* 8:2 (2013); John Cook et al., 'Consensus on Consensus: A Synthesis of Consensus Estimates on Human-Caused Global Warming', *Environmental Research Letters* 11:4 (2016); Andrew Griffin, '15,000 Scientists Give Catastrophic Warning about the Fate of

Post, 18 February 2015, http://nypost.com/2015/02/18/obama-defends-the-true-peaceful-nature-of-islam/, accessed 17 October 2017; Dave Boyer, 'Obama Says Terrorists Not Motivated By True Islam', *Washington Times,* 1 February 2015, http://www.washingtontimes.com/news/2015/feb/1/obama-says-terrorists-not-motivated-true-islam/, accessed 18 October 2017.

(9) De Bellaigue, *The Islamic Enlightenment,* op. cit.

(10) Christopher McIntosh, *The Swan King: Ludwig II of Bavaria* (London: I. B. Tauris, 2012), 100.

(11) Robert Mitchell Stern, *Globalization and International Trade Policies* (Hackensack: World Scientific, 2009), 23.

(12) John K. Thornton, *A Cultural History of the Atlantic World, 1250-1820* (Cambridge: Cambridge University Press, 2012), 110.

(13) Susannah Cullinane, Hamdi Alkhshali and Mohammed Tawfeeq, 'Tracking a Trail of Historical Obliteration: ISIS Trumpets Destruction of Nimrud', CNN, 14 April 2015, http://edition.cnn.com/2015/03/09/world/iraq-isis-heritage/index.html, accessed 18 October 2017.

(14) Kenneth Pomeranz, *The Great Divergence: China, Europe, and the Making of the Modern World Economy* (Princeton, Oxford: Princeton University Press, 2001), 36-8.（『大分岐——中国、ヨーロッパ、そして近代世界経済の形成』K. ポメランツ著、川北稔監訳、鳩澤歩・石川亮太・西村雄志・岩名葵・松中優子・浅野敬一・坂本優一郎・水野祥子訳、名古屋大学出版会、2015 年）

(15) 'ISIS Leader Calls for Muslims to Help Build Islamic State in Iraq', CBC News, 1 July 2014, http://www.cbc.ca/news/world/isis-leader-calls-for-muslims-to-help-build-islamic-state-in-iraq-1.2693353, accessed 18 October 2017; Mark Townsend, 'What Happened to the British Medics Who Went to Work for ISIS?', *Guardian,* 12 July 2015, https://www.theguardian.com/world/2015/jul/12/british-medics-isis-turkey-islamic-state, accessed 18 October 2017.

7 ナショナリズム

(1) Francis Fukuyama, *Political Order and Political Decay: From the Industrial Revolution to the Globalization of Democracy* (New York: Farrar, Straus & Giroux, 2014).（『政治の衰退——フランス革命から民主主義の未来へ 上下』フランシス・フクヤマ著、会田弘継訳、講談社、2018 年）

Remaking of Asia (London: Penguin, 2013)(『アジア再興——帝国主義に挑んだ志士たち』パンカジ・ミシュラ著、園部哲訳、白水社、2014年); Mishra, *Age of Anger*, op. cit.; Christopher de Bellaigue, *The Muslim Enlightenment: The Modern Struggle Between Faith and Reason* (London: The Bodley Head, 2017).

(3) 'Treaty Establishing A Constitution for Europe', European Union, https://europa.eu/european-union/sites/europaeu/files/docs/body/treaty_establishing_a_constitution_for_europe_en.pdf, accessed 18 October 2017.

(4) Phoebe Greenwood, 'Jerusalem Mayor Battles Ultra-Orthodox Groups over Women-Free Billboards', *Guardian*, 15 November 2011, https://www.theguardian.com/world/2011/nov/15/jerusalem-mayor-battle-orthodox-billboards, accessed 7 January 2018.

(5) http://nypost.com/2015/10/01/orthodox-publications-wont-show-hillary-clintons-photo/

(6) Simon Schama, *The Story of the Jews: Finding the Words 1000 BC - 1492 AD* (New York: Ecco, 2014), 190-7; Hannah Wortzman, 'Jewish Women in Ancient Synagogues: Archeological Reality vs. Rabbinical Legislation', *Women in Judaism* 5:2 (2008), http://wjudaism.library.utoronto.ca/index.php/wjudaism/article/view/3537, accessed 29 January 2018; Ross S. Kraemer, 'Jewish Women in the Diaspora World of Late Antiquity' in Judith R. Baskin (ed.), *Jewish Women in Historical Perspective* (Detroit: Wayne State University Press, 1991), とくに、49; Hachlili Rachel, *Ancient Synagogues — Archaeology and Art: New Discoveries and Current Research* (Leiden: Brill, 2014), 578-81; Zeev Weiss, 'The Sepphoris Synagogue Mosaic: Abraham, the Temple and the Sun God — They're All in There', *Biblical Archeology Society* 26:5 (2000), 48-61; David Milson, *Art and Architecture of the Synagogue in Late Antique Palestine* (Leiden: Brill, 2007), 48.

(7) Ivan Watson and Pamela Boykoff, 'World's Largest Muslim Group Denounces Islamist Extremism', CNN, 10 May 2016, http://edition.cnn.com/2016/05/10/asia/indonesia-extremism/index.html, accessed 8 January 2018; Lauren Markoe, 'Muslim Scholars Release Open Letter To Islamic State Meticulously Blasting Its Ideology', *Huffington Post*, 25 September 2014, https://www.huffingtonpost.com/2014/09/24/muslim-scholars-islamic-state_n_5878038.html, accessed 8 January 2018; この手紙については、以下を参照のこと。: 'Open Letter to Al-Baghdadi', http://www.lettertobaghdadi.com/, accessed 8 January 2018.

(8) Chris Perez, 'Obama Defends the "True Peaceful Nature of Islam"', *New York*

人のゴシップ』ロビン・ダンバー著、松浦俊輔・服部清美訳、青土社、2016年）

（5） たとえば以下を参照のこと。Pankaj Mishra, *Age of Anger: A History of the Present* (London: Penguin, 2017).

（6） 一般的な調査と批判については、以下を参照のこと。Derek Y. Darves and Michael C. Dreiling, *Agents of Neoliberal Globalization: Corporate Networks, State Structures and Trade Policy* (Cambridge: Cambridge University Press, 2016).

（7） Lisa Eadicicco, 'Americans Check Their Phones 8 Billion Times a Day', *Time,* 15 December 2015, http://time.com/4147614/smartphone-usage-us-2015/, accessed 20 August 2017; Julie Beck, 'Ignoring People for Phones Is the New Normal', *Atlantic,* 14 June 2016, https://www.theatlantic.com/technology/archive/2016/06/ignoring-people-for-phones-is-the-new-normal-phubbing-study/486845/, accessed 20 August 2017.

（8） Zuckerberg, 'Building Global Community', op. cit.

（9） *Time Well Spent,* http://www.timewellspent.io/, accessed September 3, 2017.

（10） Zuckerberg, 'Building Global Community', op. cit.

（11） https://www.theguardian.com/technology/2017/oct/04/facebook-uk-corporation-tax-profit; https://www.theguardian.com/business/2017/sep/21/tech-firms-tax-eu-turnover-google-amazon-apple; http://www.wired.co.uk/article/facebook-apple-tax-loopholes-deals.

6 文明

（1） Samuel P. Huntington, *The Clash of Civilizations and the Remaking of World Order* (New York: Simon & Schuster, 1996)（『文明の衝突　上下』サミュエル・ハンチントン著、鈴木主税訳、集英社文庫、2017年）; David Lauter and Brian Bennett, 'Trump Frames Anti-Terrorism Fight As a Clash of Civilizations, Defending Western Culture against Enemies', *Los Angeles Times,* 6 July 2017, http://www.latimes.com/politics/la-na-pol-trump-clash-20170706-story.html, accessed 29 January 2018. Naomi O'Leary, 'The Man Who Invented Trumpism: Geert Wilders' Radical Path to the Pinnacle of Dutch Politics', *Politico,* 23 February 2017, https://www.politico.eu/article/the-man-who-invented-trumpism-geert-wilders-netherlands-pvv-vvd-populist/, accessed 31 January 2018.

（2） Pankaj Mishra, *From the Ruins of Empire: The Revolt Against the West and the* revealed-a7434431.html, accessed 11 March 2018.

(2) Tim Wu, *The Attention Merchants* (New York: Alfred A. Knopf, 2016).

(3) Cara McGoogan, 'How to See All the Terrifying Things Google Knows about You', *Telegraph,* 18 August 2017, http://www.telegraph.co.uk/technology/0/see-terrifying-things-google-knows/, accessed 19 October 2017; Caitlin Dewey, 'Everything Google Knows about You (and How It Knows It)', *Washington Post,* 19 November 2014, https://www.washingtonpost.com/news/the-intersect/wp/2014/11/19/everything-google-knows-about-you-and-how-it-knows-it/?utm_term=.b81c3ce3ddd6, accessed 19 October 2017.

(4) Dan Bates, 'YouTube Is Losing Money Even Though It Has More Than 1 Billion Viewers', *Daily Mail,* 26 February 2015, http://www.dailymail.co.uk/news/article-2970777/YouTube-roughly-breaking-nine-years-purchased-Google-billion-viewers.html, accessed 19 October 2017; Olivia Solon, 'Google's Bad Week: YouTube Loses Millions As Advertising Row Reaches US', *Guardian,* 25 March 2017, https://www.theguardian.com/technology/2017/mar/25/google-youtube-advertising-extremist-content-att-verizon, accessed 19 October 2017; Seth Fiegerman, 'Twitter Is Now Losing Users in the US', CNN, 27 July 2017, http://money.cnn.com/2017/07/27/technology/business/twitter-earnings/index.html, accessed 19 October 2017.

5 コミュニティ

(1) Mark Zuckerberg, 'Building Global Community', 16 February 2017, https://www.facebook.com/notes/mark-zuckerberg/building-global-community/10154544292806634/, accessed 20 August 2017.

(2) John Shinal, 'Mark Zuckerberg: Facebook can play a role that churches and Little League once filled', CNBC, 26 June 2017, https://www.cnbc.com/2017/06/26/mark-zuckerberg-compares-facebook-to-church-little-league.html, accessed 20 August 2017.

(3) http://www.cnbc.com/2017/06/26/mark-zuckerberg-compares-facebook-to-church-little-league.html; http://www.cnbc.com/2017/06/22/facebook-has-a-new-mission-following-fake-news-crisis-zuckerberg-says.html.

(4) Robin Dunbar, *Grooming, Gossip, and the Evolution of Language* (Cambridge, MA: Harvard University Press, 1998).(『ことばの起源――猿の毛づくろい、

(29) Yotam Berger, 'Police Arrested a Palestinian Based on an Erroneous Translation of "Good Morning" in His Facebook Page', *Haaretz,* 22 October 2017, https://www.haaretz.co.il/.premium-1.4528980, accessed 12 January 2018.

(30) William Beik, *Louis XIV and Absolutism: A Brief Study with Documents* (Boston, MA: Bedford/St. Martin's, 2000).

(31) O'Neil, *Weapons of Math Destruction,* op. cit.（前掲『あなたを支配し、社会を破壊する、AI・ビッグデータの罠』キャシー・オニール著）; Penny Crosman, 'Can AI Be Programmed to Make Fair Lending Decisions?', *American Banker,* 27 September 2016, https://www.americanbanker.com/news/can-ai-be-programmed-to-make-fair-lending-decisions, accessed 17 September 2017.

(32) Matt Reynolds, 'Bias Test to Prevent Algorithms Discriminating Unfairly', *New Scientist,* 29 May 2017, https://www.newscientist.com/article/mg23431195-300-bias-test-to-prevent-algorithms-discriminating-unfairly/, accessed 17 September 2017; Claire Cain Miller, 'When Algorithms Discriminate', *New York Times,* 9 July 2015, https://www.nytimes.com/2015/07/10/upshot/when-algorithms-discriminate.html, accessed 17 September 2017; Hannah Devlin, 'Discrimination by Algorithm: Scientists Devise Test to Detect AI Bias', *Guardian,* 19 December 2016, https://www.theguardian.com/technology/2016/dec/19/discrimination-by-algorithm-scientists-devise-test-to-detect-ai-bias, accessed 17 September 2017.

(33) Snyder, *The Road to Unfreedom,* op. cit.

(34) Anna Lisa Peterson, *Being Animal: Beasts and Boundaries in Nature Ethics* (New York: Columbia University Press, 2013), 100.

4 平等

(1) 'Richest 1 Percent Bagged 82 Percent of Wealth Created Last Year — Poorest Half of Humanity Got Nothing', *Oxfam,* 22 January 2018, https://www.oxfam.org/en/pressroom/pressreleases/2018-01-22/richest-1-percent-bagged-82-percent-wealth-created-last-year, accessed 28 February 2018; Josh Lowe, 'The 1 Percent Now Have Half the World's Wealth', Newsweek, 14 November 2017, http://www.newsweek.com/1-wealth-money-half-world-global-710714, accessed 28 February 2018; Adam Withnall, 'All the World's Most Unequal Countries Revealed in One Chart', *Independent,* 23 November 2016, http://www.independent.co.uk/news/world/politics/credit-suisse-global-wealth-world-most-unequal-countries-

Kelman and V. Lee Hamilton, 'The My Lai Massacre: A Military Crime of Obedience' in Jodi O'Brien and David M. Newman (eds.), *Sociology: Exploring the Architecture of Everyday Life Reading* (Los Angeles: Pine Forge Press, 2010), 13-25.

(25) Robert J. Donia, *Radovan Karadzic: Architect of the Bosnian Genocide* (Cambridge: Cambridge University Press, 2015). 以下も参照のこと。Isabella Delpla, Xavier Bougarel and Jean-Louis Fournel, *Investigating Srebrenica: Institutions, Facts, and Responsibilities* (New York, Oxford: Berghahn Books, 2012).

(26) Noel E. Sharkey, 'The Evitability of Autonomous Robot Warfare', *International Review of the Red Cross* 94 (886) 2012, 787-99.

(27) Ben Schiller, 'Algorithms Control Our Lives: Are They Benevolent Rulers or Evil Dictators?', *Fast Company,* 21 February 2017, https://www.fastcompany.com/3068167/algorithms-control-our-lives-are-they-benevolent-rulers-or-evil-dictators, accessed 17 September 2017.

(28) Elia Zureik, David Lyon and Yasmeen Abu-Laban (eds.), *Surveillance and Control in Israel/Palestine: Population, Territory and Power* (London: Routledge, 2011); Elia Zureik, *Israel's Colonial Project in Palestine* (London: Routledge, 2015); Torin Monahan (ed.), *Surveillance and Security: Technological Politics and Power in Everyday Life* (London: Routledge, 2006); Nadera Shalhoub-Kevorkian, 'E-Resistance and Technological In/Security in Everyday Life : The Palestinian case', *British Journal of Criminology,* 52:1 (2012), 55-72; Or Hirschauge and Hagar Sheizaf, 'Targeted Prevention: Exposing the New System for Dealing with Individual Terrorism', *Haaretz,* 26 May 2017, https://www.haaretz.co.il/magazine/.premium-1.4124379, accessed 17 September 2017; Amos Harel, 'The IDF Accelerates the Crisscrossing of the West Bank with Cameras and Plans to Surveille all Junctions', *Haaretz,* 18 June 2017, https://www.haaretz.co.il/news/politics/.premium-1.4179886, accessed 17 September 2017; Neta Alexander, 'This is How Israel Controls the Digital and Cellular Space in the Territories', 31 March 2016, https://www.haaretz.co.il/magazine/.premium-MAGAZINE-1.2899665, accessed 12 January 2018; Amos Harel, 'Israel Arrested Hundreds of Palestinians as Suspected Terrorists Due to Publications on the Internet', *Haaretz,* 16 April 2017, https://www.haaretz.co.il/news/politics/.premium-1.4024578, accessed 15 January 2018; Alex Fishman, 'The Argaman Era', *Yediot Aharonot, Weekend Supplement,* 28 April 2017, 6.

Autonomous Vehicles', *Science* 352:6293 (2016), 1573-6.

(17) Christopher W. Bauman et al., 'Revisiting External Validity: Concerns about Trolley Problems and Other Sacrificial Dilemmas in Moral Psychology', *Social and Personality Psychology Compass* 8:9 (2014), 536-54.

(18) John M. Darley and Daniel C. Batson, '"From Jerusalem to Jericho": A Study of Situational and Dispositional Variables in Helping Behavior', *Journal of Personality and Social Psychology* 27:1 (1973), 100-8.

(19) Kristofer D. Kusano and Hampton C. Gabler, 'Safety Benefits of Forward Collision Warning, Brake Assist, and Autonomous Braking Systems in Rear-End Collisions', *IEEE Transactions on Intelligent Transportation Systems* 13:4 (2012), 1546-55; James M. Anderson et al., *Autonomous Vehicle Technology: A Guide for Policymakers* (Santa Monica: RAND Corporation, 2014), とくに、13-5; Daniel J. Fagnant and Kara Kockelman, 'Preparing a Nation for Autonomous Vehicles: Opportunities, Barriers and Policy Recommendations', *Transportation Research Part A: Policy and Practice* 77 (2015), 167-81.

(20) Tim Adams, 'Job Hunting Is a Matter of Big Data, Not How You Perform at an Interview', *Guardian,* 10 May 2014, https://www.theguardian.com/technology/2014/may/10/job-hunting-big-data-interview-algorithms-employees, accessed 6 September 2017.

(21) きわめて見識ある考察については、以下を参照のこと。Cathy O'Neil, *Weapons of Math Destruction: How Big Data Increases Inequality and Threatens Democracy* (New York: Crown, 2016).（『あなたを支配し、社会を破壊する、AI・ビッグデータの罠』キャシー・オニール著、久保尚子訳、インターシフト、2018年）社会と政治に対するアルゴリズムの潜在的な影響に興味のある人にとって、これはまさに必読書だ。

(22) Bonnefon, Shariff and Rawhan, 'The Social Dilemma of Autonomous Vehicles'.

(23) Vincent C. Müller and Thomas W. Simpson, 'Autonomous Killer Robots Are Probably Good News', University of Oxford, Blavatnik School of Government Policy Memo, November 2014; Ronald Arkin, *Governing Lethal Behavior: Embedding Ethics in a Hybrid Deliberative/Reactive Robot Architecture,* Georgia Institute of Technology, Mobile Robot Lab, 2007, 1-13.

(24) Bernd Greiner, *War without Fronts: The USA in Vietnam,* trans. Anne Wyburd and Victoria Fern (Cambridge, MA: Harvard University Press, 2009), 16. 兵士の情動状態の少なくとも一参考資料としては、以下を参照のこと。Herbert

archive/2014/06/bad-news-computers-are-getting-better-than-we-are-at-facial-recognition/372377/, accessed 10 December 2017; Elizabeth Dwoskin and Evelyn M. Rusli, 'The Technology That Unmasks Your Hidden Emotions', *Wall Street Journal,* 28 June 2015, https://www.wsj.com/articles/startups-see-your-face-unmask-your-emotions-1422472398, accessed 10 December 2017; Sophie K. Scott, Nadine Lavan, Sinead Chen and Carolyn McGettigan, 'The Social Life of Laughter', *Trends in Cognitive Sciences* 18:12 (2014), 618-20.

(10) Daniel First, 'Will big data algorithms dismantle the foundations of liberalism?', *AI & Soc,* 10.1007/s00146-017-0733-4.

(11) Carole Cadwalladr, 'Google, Democracy and the Truth about Internet Search', *Guardian,* 4 December 2016, https://www.theguardian.com/technology/2016/dec/04/google-democracy-truth-internet-search-facebook, accessed 6 September 2017.

(12) Jeff Freak and Shannon Holloway, 'How Not to Get to Straddie', *Red Land City Bulletin,* 15 March 2012, http://www.redlandcitybulletin.com.au/story/104929/how-not-to-get-to-straddie/, accessed 1 March 2018.

(13) Michelle McQuigge, 'Woman Follows GPS; Ends Up in Ontario Lake', *Toronto Sun,* 13 May 2016, http://torontosun.com/2016/05/13/woman-follows-gps-ends-up-in-ontario-lake/wcm/fddda6d6-6b6e-41c7-88e8-aecc501faaa5, accessed 1 March 2018; 'Woman Follows GPS into Lake', News.com.au, 16 May 2016, http://www.news.com.au/technology/gadgets/woman-follows-gps-into-lake/news-story/a7d362dfc4634fd094651afc63f853a1, accessed 1 March 2018.

(14) Henry Grabar, 'Navigation Apps Are Killing Our Sense of Direction. What if They Could Help Us Remember Places Instead?' *Slate,* http://www.slate.com/blogs/moneybox/2017/07/10/google_and_waze_are_killing_out_sense_of_direction_what_if_they_could_help.html, accessed 6 September 2017.

(15) Joel Delman, 'Are Amazon, Netflix, Google Making Too Many Decisions For Us?', *Forbes,* 24 November 2010, https://www.forbes.com/2010/11/24/amazon-netflix-google-technology-cio-network-decisions.html, accessed 6 September 2017; Cecilia Mazanec, 'Will Algorithms Erode Our Decision-Making Skills?', *NPR,* 8 February 2017, http://www.npr.org/sections/alltechconsidered/2017/02/08/514120713/will-algorithms-erode-our-decision-making-skills, accessed 6 September 2017.

(16) Jean-François Bonnefon, Azim Shariff and Iyad Rawhan, 'The Social Dilemma of

accuse Michael Gove of "systematic and calculated plot" to destroy his leadership hopes', *Telegraph,* 30 June 2016, http://www.telegraph.co.uk/news/2016/06/30/boris-johnsons-allies-accuse-michael-gove-of-systematic-and-calc/, accessed 3 September 2017; Rowena Mason and Heather Stewart, 'Gove's thunderbolt and Boris's breaking point: a shocking Tory morning', *Guardian,* 30 June 2016, https://www.theguardian.com/politics/2016/jun/30/goves-thunderbolt-boris-johnson-tory-morning, accessed 3 September 2017.

(5) James Tapsfield and Martin Robinson, 'Gove presents himself as the integrity candidate for Downing Street job but sticks the knife into Boris AGAIN', *Daily Mail,* 1 July 2016, http://www.dailymail.co.uk/news/article-3669702/I-m-not-great-heart-s-right-place-Gove-makes-bizarre-pitch-Downing-Street-admitting-no-charisma-doesn-t-really-want-job.html, accessed 3 September 2017.

(6) 2017年にスタンフォード大学のあるチームが、数枚の顔写真を分析するだけで、91パーセントの精度で男性が同性愛者か異性愛者かを感知するという触れ込みのアルゴリズムを作った（https://osf.io/zn79k/）。ところがこのアルゴリズムは、出会い系サイトにアップロードするために人々が自分で選んだ写真に基づいて開発されたので、実際には文化的理想像における差異を識別しているのかもしれない。同性愛者の顔の特徴が異性愛者の顔の特徴と必ずしも違うわけではない。むしろ、同性愛者の出会い系サイトに写真をアップロードしている同性愛者は、異性愛者の出会い系サイトに写真をアップロードしている異性愛者とは、異なる文化的理想像に従おうとしているのだ。

(7) David Chan, 'So Why Ask Me? Are Self-Report Data Really That Bad?' in Charles E. Lance and Robert J. Vandenberg (eds.), *Statistical and Methodological Myths and Urban Legends* (New York, London: Routledge, 2009), 309-36; Delroy L. Paulhus and Simine Vazire, 'The Self-Report Method' in Richard W. Robins, R. Chris Farley and Robert F. Krueger (eds.), *Handbook of Research Methods in Personality Psychology* (London, New York: The Guilford Press, 2007), 228-33.

(8) Elizabeth Dwoskin and Evelyn M. Rusli, 'The Technology that Unmasks Your Hidden Emotions', *Wall Street Journal,* 28 January 2015, https://www.wsj.com/articles/startups-see-your-face-unmask-your-emotions-1422472398, accessed 6 September 2017.

(9) Norberto Andrade, 'Computers Are Getting Better Than Humans at Facial Recognition', *Atlantic,* 9 June 2014, https://www.theatlantic.com/technology/

Capital in the Twenty-First Century (Cambridge, MA: Harvard University Press, 2013).(『21世紀の資本』トマ・ピケティ著、山形浩生・守岡桜・森本正史訳、みすず書房、2014年)

(30) '2017 Statistical Report on Ultra-Orthodox Society in Israel', *Israel Democracy Institute and Jerusalem Institute for Israel Studies* (2017), https://en.idi.org.il/articles/20439, accessed 1 January 2018; Melanie Lidman, 'As ultra-Orthodox women bring home the bacon, don't say the F-word', *Times of Israel,* 1 January 2016, https://www.timesofisrael.com/as-ultra-orthodox-women-bring-home-the-bacon-dont-say-the-f-word/, accessed 15 October 2017.

(31) Melanie Lidman, 'As ultra-Orthodox women bring home the bacon, don't say the F-word', *Times of Israel,* 1 January 2016, https://www.timesofisrael.com/as-ultra-Orthodox-women-bring-home-the-bacon-dont-say-the-f-word/, accessed 15 October 2017; 'Statistical Report on Ultra-Orthodox Society in Israel', *Israel Democracy Institute and Jerusalem Institute for Israel Studies* 18 (2016), https://en.idi.org.il/media/4240/shnaton-e_8-9-16_web.pdf, accessed 15 October 2017. 幸福については、イスラエルは最近、経済協力開発機構による生活満足度調査で、40か国中11位だった。'Life Satisfaction', *OECD Better Life Index,* http://www.oecdbetterlifeindex.org/topics/life-satisfaction/, accessed 15 October 2017.

(32) '2017 Statistical Report on Ultra-Orthodox Society in Israel', *Israel Democracy Institute and Jerusalem Institute for Israel Studies* (2017), https://en.idi.org.il/articles/20439, accessed 1 January 2018.

3 自由

(1) Margaret Thatcher, 'Interview for *Woman's Own* ("no such thing as society")', Margaret Thatcher Foundation, 23 September 1987, https://www.margaretthatcher.org/document/106689, accessed 7 January 2018.

(2) Keith Stanovich, *Who Is Rational? Studies of Individual Differences in Reasoning* (New York: Psychology Press, 1999).

(3) Richard Dawkins, 'Richard Dawkins: We Need a New Party — the European Party', *New Statesman,* 29 March 2017, https://www.newstatesman.com/politics/uk/2017/03/richard-dawkins-we-need-new-party-european-party, accessed 1 March 2018.

(4) Steven Swinford, Christopher Hope and Peter Dominiczak, 'Boris Johnson's allies

'Legalizing Saving Lives: A Proposition for the Organ Market', *Insights to A Changing World Journal 2015,* 1-17.

(23) James J. Hughes, 'A Strategic Opening for a Basic Income Guarantee in the Global Crisis Being Created by AI, Robots, Desktop Manufacturing and BioMedicine', *Journal of Evolution & Technology* 24 (2014), 45-61; Alan Cottey, 'Technologies, Culture, Work, Basic Income and Maximum Income', *AI & Society* 29 (2014), 249-57.

(24) Jon Henley, 'Finland Trials Basic Income for Unemployed,' *Guardian,* 3 January 2017, https://www.theguardian.com/world/2017/jan/03/finland-trials-basic-income-for-unemployed, accessed 1 March 2018.

(25) 'Swiss Voters Reject Proposal to Give Basic Income to Every Adult and Child', *Guardian,* 5 June 2017, https://www.theguardian.com/world/2016/jun/05/swiss-vote-give-basic-income-every-adult-child-marxist-dream.

(26) Isabel Hunter, 'Crammed into squalid factories to produce clothes for the West on just 20p a day, the children forced to work in horrific unregulated workshops of Bangladesh', *Daily Mail,* 1 December 2015, http://www.dailymail.co.uk/news/article-3339578/Crammed-squalid-factories-produce-clothes-West-just-20p-day-children-forced-work-horrific-unregulated-workshops-Bangladesh.html, accessed 15 October 2017; Chris Walker and Morgan Hartley, 'The Culture Shock of India's Call Centers', *Forbes,* 16 December 2012, https://www.forbes.com/sites/morganhartley/2012/12/16/the-culture-shock-of-indias-call-centres/#17bb61d372f5, accessed 15 October 2017.

(27) Klaus Schwab and Nicholas Davis, *Shaping the Fourth Industrial Revolution* (World Economic Forum, 2018), 54. 長期的な開発戦略については、以下を参照のこと。Ha-Joon Chang, *Kicking Away the Ladder: Development Strategy in Historical Perspective* (London: Anthem Press, 2003).(『はしごを外せ――蹴落とされる発展途上国』ハジュン・チャン著、横川信治監訳・訳、張馨元・横川太郎訳、日本評論社、2009年)

(28) Lauren Gambino, 'Trump Pans Immigration Proposal as Bringing People from "Shithole Countries"', *Guardian,* 12 January 2018, https://www.theguardian.com/us-news/2018/jan/11/trump-pans-immigration-proposal-as-bringing-people-from-shithole-countries, accessed 11 February 2018.

(29) 状況の絶対的な改善は相対的な不平等の拡大と組み合わさっているかもしれないという考え方については、とくに以下を参照のこと。Thomas Piketty,

accessed 11 February 2018; 'More Workers Are in Alternative Employment Arrangements', Pew Research Center, 28 September 2016, http://www.pewsocialtrends.org/2016/10/06/the-state-of-american-jobs/st_2016-10-06_jobs-26/, accessed 11 February 2018.

(17) David Ferrucci et al., 'Watson: Beyond *Jeopardy!*', *Artificial Intelligence* 199-200 (2013), 93-105.

(18) 'Google's AlphaZero Destroys Stockfish in 100-Game Match', Chess.com, 6 December 2017, https://www.chess.com/news/view/google-s-alphazero-destroys-stockfish-in-100-game-match, accessed 11 February 2018; David Silver et al., 'Mastering Chess and Shogi by Self-Play with a General Reinforcement Learning Algorithm', *arXiv* (2017), https://arxiv.org/pdf/1712.01815.pdf, accessed 2 February 2018; 以下も参照のこと。Sarah Knapton and Leon Watson, 'Entire Human Chess Knowledge Learned and Surpassed by DeepMind's AlphaZero in Four Hours', *Telegraph*, 6 December 2017, http://www.telegraph.co.uk/science/2017/12/06/entire-human-chess-knowledge-learned-surpassed-deepminds-alphazero/, accessed 11 February 2018.

(19) Cowen, *Average is Over*, op. cit.（前掲『大格差』タイラー・コーエン著）; Tyler Cowen, 'What are humans still good for? The turning point in freestyle chess may be approaching' (2013), http://marginalrevolution.com/marginalrevolution/2013/11/what-are-humans-still-good-for-the-turning-point-in-freestyle-chess-may-be-approaching.html.

(20) Maddalaine Ansell, 'Jobs for Life Are a Thing of the Past. Bring On Lifelong Learning', *Guardian*, 31 May 2016, https://www.theguardian.com/higher-education-network/2016/may/31/jobs-for-life-are-a-thing-of-the-past-bring-on-lifelong-learning.

(21) Alex Williams, 'Prozac Nation Is Now the United States of Xanax', *New York Times*, 10 June 2017, https://www.nytimes.com/2017/06/10/style/anxiety-is-the-new-depression-xanax.html.

(22) Simon Rippon, 'Imposing Options on People in Poverty: The Harm of a Live Donor Organ Market', *Journal of Medical Ethics* 40 (2014), 145-50; I. Glenn Cohen, 'Regulating the Organ Market: Normative Foundations for Market Regulation', *Law and Contemporary Problems* 77 (2014); Alexandra K. Glazier, 'The Principles of Gift Law and the Regulation of Organ Donation', *Transplant International* 24 (2011), 368-72; Megan McAndrews and Walter E. Block,

(New York: Basic Books, 2015); Robert Wachter, *The Digital Doctor: Hope, Hype and Harm at the Dawn of Medicine's Computer Age* (New York: McGraw-Hill Education, 2015); Simon Parkin, 'The Artificially Intelligent Doctor Will Hear You Now', *MIT Technology Review* (2016), https://www.technologyreview.com/s/600868/the-artificially-intelligent-doctor-will-hear-you-now/; James Gallagher, 'Artificial intelligence "as good as cancer doctors"', BBC, 26 January 2017, http://www.bbc.com/news/health-38717928.

(13) Kate Brannen, 'Air Force's lack of drone pilots reaching "crisis" levels', *Foreign Policy*, 15 January 2015, http://foreignpolicy.com/2015/01/15/air-forces-lack-of-drone-pilots-reaching-crisis-levels/.

(14) Tyler Cowen, *Average is Over: Powering America Beyond the Age of the Great Stagnation* (New York: Dutton, 2013)(『大格差――機械の知能は仕事と所得をどう変えるか』タイラー・コーエン著、池村千秋訳、NTT出版、2014年); Brad Bush, 'How combined human and computer intelligence will redefine jobs', *TechCrunch* (2016), https://techcrunch.com/2016/11/01/how-combined-human-and-computer-intelligence-will-redefine-jobs/.

(15) Ulrich Raulff, *Farewell to the Horse: The Final Century of Our Relationship* (London: Allen Lane, 2017); Gregory Clark, *A Farewell to Alms: A Brief Economic History of the World* (Princeton: Princeton University Press, 2008), 286(『10万年の世界経済史　上下』グレゴリー・クラーク著、久保恵美子訳、日経BP社、2009年); Margo DeMello, *Animals and Society: An Introduction to Human-Animal Studies* (New York: Columbia University Press, 2012), 197; Clay McShane and Joel Tarr, 'The Decline of the Urban Horse in American Cities', *Journal of Transport History* 24:2 (2003), 177-98.

(16) Lawrence F. Katz and Alan B. Krueger, 'The Rise and Nature of Alternative Work Arrangements in the United States, 1995-2015', *National Bureau of Economic Research* (2016); Peter H. Cappelli and J. R. Keller, 'A Study of the Extent and Potential Causes of Alternative Employment Arrangements', *ILR Review* 66:4 (2013), 874-901; Gretchen M. Spreitzer, Lindsey Cameron and Lyndon Garrett, 'Alternative Work Arrangements: Two Images of the New World of Work', *Annual Review of Organizational Psychology and Organizational Behavior* 4 (2017), 473-99; Sarah A. Donovan, David H. Bradley and Jon O. Shimabukuru, 'What Does the Gig Economy Mean for Workers?', Washington DC: Congressional Research Service (2016), https://fas.org/sgp/crs/misc/R44365.pdf,

(8) Kristofer D. Kusano and Hampton C. Gabler, 'Safety Benefits of Forward Collision Warning, Brake Assist, and Autonomous Braking Systems in Rear-End Collisions', *IEEE Transactions on Intelligent Transportation Systems* 13:4 (2012), 1546-55; James M. Anderson et al., *Autonomous Vehicle Technology: A Guide for Policymakers* (Santa Monica: RAND Corporation, 2014), とくに、13-5; Daniel J. Fagnant and Kara Kockelman, 'Preparing a Nation for Autonomous Vehicles: Opportunities, Barriers and Policy Recommendations', *Transportation Research Part A: Policy and Practice* 77 (2015), 167-81; Jean-François Bonnefon, Azim Shariff and Iyad Rahwan, 'Autonomous Vehicles Need Experimental Ethics: Are We Ready for Utilitarian Cars?', *arXiv* (2015), 1-15. 衝突を避ける車両間ネットワークのための提言については、以下を参照のこと。Seyed R. Azimi et al., 'Vehicular Networks for Collision Avoidance at Intersections', *SAE International Journal of Passenger Cars — Mechanical Systems* 4:1 (2011), 406-16; Swarun Kumar et al., 'CarSpeak: A Content-Centric Network for Autonomous Driving', *SIGCOM Computer Communication Review* 42:4 (2012), 259-70; Mihail L. Sichitiu and Maria Kihl, 'Inter-Vehicle Communication Systems: A Survey', *IEEE Communications Surveys & Tutorials* 10:2 (2008); Mario Gerla et al., 'Internet of Vehicles: From Intelligent Grid to Autonomous Cars and Vehicular Clouds', *2014 IEEE World Forum on Internet of Things (WF-IoT)* (2014), 241-6.

(9) Michael Chui, James Manyika and Mehdi Miremadi, 'Where Machines Could Replace Humans — and Where They Can't (Yet)', *McKinsey Quarterly* (2016), http://www.mckinsey.com/business-functions/digital-mckinsey/our-insights/where-machines-could-replace-humans-and-where-they-cant-yet, accessed 1 March 2018.

(10) Wu Youyou, Michal Kosinski and David Stillwell, 'Computer-based personality judgments are more accurate than those made by humans', *PANS*, vol. 112 (2014), 1036-8.

(11) Stuart Dredge, 'AI and music: will we be slaves to the algorithm?' *Guardian*, 6 August 2017, https://www.theguardian.com/technology/2017/aug/06/artificial-intelligence-and-will-we-be-slaves-to-the-algorithm, accessed 15 October 2017. 一般的な調査方法については、以下を参照のこと。Jose David Fernández and Francisco Vico, 'AI Methods in Algorithmic Composition: A Comprehensive Survey', *Journal of Artificial Intelligence Research* 48 (2013), 513-82.

(12) Eric Topol, *The Patient Will See You Now: The Future of Medicine is in Your Hands*

Autonomous Driving', *SIGCOM Computer Communication Review* 42 (2012), 259-70; Mihail L. Sichitiu and Maria Kihl, 'Inter-Vehicle Communication Systems: A Survey', *IEEE Communications Surveys & Tutorials* (2008), 10; Mario Gerla, Eun-Kyu Lee and Giovanni Pau, 'Internet of Vehicles: From Intelligent Grid to Autonomous Cars and Vehicular Clouds', *2014 IEEE World Forum on Internet of Things (WF-IoT)* (2014), 241-6.

(5) David D. Luxton et al., 'mHealth for Mental Health: Integrating Smartphone Technology in Behavioral Healthcare', *Professional Psychology: Research and Practice* 42:6 (2011), 505-12; Abu Saleh Mohammad Mosa, Illhoi Yoo and Lincoln Sheets, 'A Systematic Review of Healthcare Applications for Smartphones', *BMC Medical Informatics and Decision Making* 12:1 (2012), 67; Karl Frederick Braekkan Payne, Heather Wharrad and Kim Watts, 'Smartphone and Medical Related App Use among Medical Students and Junior Doctors in the United Kingdom (UK): A Regional Survey', *BMC Medical Informatics and Decision Making* 12:1 (2012), 121; Sandeep Kumar Vashist, E. Marion Schneider and John H. T. Loung, 'Commercial Smartphone-Based Devices and Smart Applications for Personalized Healthcare Monitoring and Management', *Diagnostics* 4:3 (2014), 104-28; Maged N. Kamel Boulos et al., 'How Smartphones Are Changing the Face of Mobile and Participatory Healthcare: An Overview, with Example from eCAALYX', *BioMedical Engineering OnLine* 10:24 (2011), https://doi.org/10.1186/1475-925X-10-24, accessed 30 July 2017; Paul J. F. White, Blake W. Podaima and Marcia R. Friesen, 'Algorithms for Smartphone and Tablet Image Analysis for Healthcare Applications', *IEEE Access* 2 (2014), 831-40.

(6) World Health Organization, *Global status report on road safety 2015* (2016); 'Estimates for 2000-2015, Cause-Specific Mortality', http://www.who.int/healthinfo/global_burden_disease/estimates/en/index1.html, accessed 6 September 2017.

(7) アメリカにおける自動車事故の原因調査については、以下を参照のこと。Daniel J. Fagnant and Kara Kockelman, 'Preparing a Nation for Autonomous Vehicles: Opportunities, Barriers and Policy Recommendations', *Transportation Research Part A: Policy and Practice* 77 (2015), 167-81; 世界的な一般調査については、以下を参照のこと。*OECD/ITF, Road Safety Annual Report 2016* (Paris: OECD Publishing, 2016), http://dx.doi.org/10.1787/irtad-2016-en.

Tutoring Systems, and Other Tutoring Systems', *Educational Psychologist* 46:4 (2011), 197-221を、アルゴリズム取引については、Giuseppe Nuti et al., 'Algorithmic Trading', *Computer* 44:11 (2011), 61-9を、ファイナンシャル・プランニングやポートフォリオ管理などについては、Arash Baharammirzaee, 'A Comparative Survey of Artificial Intelligence Applications in Finance : Artificial Neural Networks, Expert System and Hybrid Intelligent Systems', *Neural Computing and Applications* 19:8 (2010), 1165-95を、医療制度における複雑なデータの分析と、診断、治療については、Marjorie Glass Zauderer et al., 'Piloting IBM Watson Oncology within Memorial Sloan Kettering's Regional Network', *Journal of Clinical Oncology* 32:15 (2014), e17653を、大量のデータから自然言語を使ったオリジナルな文書を生み出すことについては、Jean-Sébastien Vayre et al., 'Communication Mediated through Natural Language Generation in Big Data Environments: The Case of Nomao', *Journal of Computer and Communication* 5 (2017), 125-48を、顔認識については、Florian Schroff, Dmitry Kalenichenko and James Philbin, 'FaceNet: A Unified Embedding for Face Recognition and Clustering', *IEEE Conference on Computer Vision and Pattern Recognition (CVPR)* (2015), 815-23を、運転についてはCristiano Premebida, 'A Lidar and Vision-based Approach for Pedestrian and Vehicle Detection and Tracking', *2007 IEEE Intelligent Transportation Systems Conference* (2007)を、それぞれ参照のこと。

(3)　Daniel Kahneman, *Thinking, Fast and Slow* (New York: Farrar, Straus & Giroux, 2011)(『ファスト&スロー——あなたの意思はどのように決まるか？　上下』ダニエル・カーネマン著、村井章子訳、ハヤカワ文庫NF、2014年); Dan Ariely, *Predictably Irrational* (New York: Harper, 2009)(『予想どおりに不合理——行動経済学が明かす「あなたがそれを選ぶわけ」』ダン・アリエリー著、熊谷淳子訳、ハヤカワ文庫NF、2013年); Brian D. Ripley, *Pattern Recognition and Neural Networks* (Cambridge: Cambridge University Press, 2007); Christopher M. Bishop, *Pattern Recognition and Machine Learning* (New York: Springer, 2007).(『パターン認識と機械学習——ベイズ理論による統計的予測　上下』C・M・ビショップ著、元田浩・栗田多喜夫・樋口知之・松本裕治・村田昇監訳、丸善出版、2012年)

(4)　Seyed Azimi et al., 'Vehicular Networks for Collision Avoidance at Intersections,' *SAE International Journal of Passenger Cars — Mechanical Systems 4* (2011), 406-16; Swarun Kumar et al., 'CarSpeak: A Content-Centric Network for aspx?tabid=178&nid=23964, accessed 7 January 2018; Yuri Yanover, 'Dep. Minister Hotovely: The Solution Is Greater Israel without Gaza', *Jewish Press,* 25 August 2013, http://www.jewishpress.com/news/breaking-news/dep-minister-hotovely-the-solution-is-greater-israel-without-gaza/2013/08/25/, accessed 7 January 2018; 'Israeli Minister: The Bible Says West Bank Is Ours', Al Jazeera, 24 February 2017, http://www.aljazeera.com/programmes/upfront/2017/02/israeli-minister-bible-west-bank-170224082827910.html, accessed 29 January 2018.

(11) Katie Reilly, 'Read Barack Obama's Final Speech to the United Nations as President', *Time,* 20 September 2016, http://time.com/4501910/president-obama-united-nations-speech-transcript/, accessed 3 December 2017.

2 雇用

(1) Gregory R. Woirol, *The Technological Unemployment and Structural Unemployment Debates* (Westport: Greenwood Press, 1996), 18-20; Amy Sue Bix, *Inventing Ourselves Out of Jobs? America's Debate over Technological Unemployment, 1929-1981* (Baltimore: Johns Hopkins University Press, 2000), 1-8; Joel Mokyr, Chris Vickers and Nicolas L. Ziebarth, 'The History of Technological Anxiety and the Future of Economic Growth: Is This Time Different?', *Journal of Economic Perspectives* 29:3 (2015), 33-42; Joe Mokyr, *The Gifts of Athena: Historical Origins of the Knowledge Economy* (Princeton: Princeton University Press, 2002), 255-7; David H. Autor, 'Why Are There Still So Many Jobs? The History and the Future of Workplace Automation', *Journal of Economic Perspectives* 29:3 (2015), 3-30; Melanie Arntz, Terry Gregory and Ulrich Zierahn, 'The Risk of Automation for Jobs in OECD Countries', *OECD Social, Employment and Migration Working Papers* 89 (2016); Mariacristina Piva and Marco Vivarelli, 'Technological Change and Employment: Were Ricardo and Marx Right?', *IZA Institute of Labor Economics, Discussion Paper No. 10471* (2017).

(2) たとえば、飛行、それもとくに戦闘飛行のシミュレーションで、AIが人間を上回る成績をあげていることについては、Nicholas Ernest et al., 'Genetic Fuzzy based Artificial Intelligence for Unmanned Combat Aerial Vehicle Control in Simulated Air Combat Missions', *Journal of Defense Management* 6:1 (2016), 1-7 を、インテリジェント指導システムとインテリジェント教育システムについては、Kurt VanLehn, 'The Relative Effectiveness of Human Tutoring, Intelligent

the Workers: Ideology and the Visual Arts in Weimar Germany (New York: Manchester University Press, 1997). 総論については、たとえば以下を参照のこと。Nicholas John Cull, *Propaganda and Mass Persuasion: A Historical Encyclopedia, 1500 to the Present* (Santa Barbara: ABC-CLIO, 2003).

(6) この解釈については、以下を参照のこと。Ishaan Tharoor, 'Brexit: A modern-day Peasants' Revolt?', *Washington Post,* 25 June 2016, https://www.washingtonpost.com/news/worldviews/wp/2016/06/25/the-brexit-a-modern-day-peasants-revolt/?utm_term=.9b8e81bd5306; John Curtice, 'US election 2016: The Trump-Brexit voter revolt', BBC, 11 November 2016, http://www.bbc.com/news/election-us-2016-37943072.

(7) これらのうち、最も有名なのは今でももちろん以下の作品だ。Francis Fukuyama, *The End of History and the Last Man* (London: Penguin, 1992).(『歴史の終わり　上下』フランシス・フクヤマ著、渡部昇一訳、三笠書房、2005年)

(8) Karen Dawisha, *Putin's Kleptocracy* (New York: Simon & Schuster, 2014); Timothy Snyder, *The Road to Unfreedom: Russia, Europe, America* (New York: Tim Duggan Books, 2018); Anne Garrels, *Putin Country: A Journey Into the Real Russia* (New York: Farrar, Straus & Giroux, 2016)(『プーチンの国――ある地方都市に暮らす人々の記録』アン・ギャレルズ著、築地誠子訳、原書房、2017年); Steven Lee Myers, *The New Tsar: The Rise and Reign of Vladimir Putin* (New York: Knopf Doubleday, 2016).

(9) Credit Suisse, *Global Wealth Report 2015,* 53, https://publications.credit-suisse.com/tasks/render/file/?fileID=F2425415-DCA7-80B8-EAD989AF9341D47E, accessed 12 March 2018; Filip Novokmet, Thomas Piketty and Gabriel Zucman, 'From Soviets to Oligarchs: Inequality and Property in Russia 1905-2016', July 2017, *World Wealth & Income Database,* http://www.piketty.pse.ens.fr/files/NPZ2017WIDworld.pdf, accessed 12 March 2018; Shaun Walker, 'Unequal Russia', *Guardian,* 25 April 2017, https://www.theguardian.com/inequality/2017/apr/25/unequal-russia-is-anger-stirring-in-the-global-capital-of-inequality, accessed 12 March 2018.

(10) Ayelett Shani, 'The Israelis Who Take Rebuilding the Third Temple Very Seriously', *Haaretz,* 10 August 2017, https://www.haaretz.com/israel-news/.premium-1.805977, accessed January 2018; 'Israeli Minister: We Should Rebuild Jerusalem Temple', *Israel Today,* 7 July 2013, http://www.israeltoday.co.il/Default.

原註

1 幻滅

(1) たとえば、2005年のジョージ・W・ブッシュの大統領就任演説を参照のこと。この演説でブッシュは次のように述べた。「我々はさまざまな出来事と常識に導かれ、1つの結論に至る。すなわち、我が国における自由の存続は、他国における自由の成功に、しだいに依存の度合いを高めているのだ。この世界に平和をもたらすために最も期待が持てるのは、全世界に自由を拡げることである」。'Bush Pledges to Spread Democracy', CNN, 20 January 2005, http://edition.cnn.com/2005/ALLPOLITICS/01/20/bush.speech/, accessed 7 January 2018. オバマについては、たとえば、国連に対する大統領としての最後の演説を参照のこと。Katie Reilly, 'Read Barack Obama's Final Speech to the United Nations as President', *Time,* 20 September 2016, http://time.com/4501910/president-obama-united-nations-speech-transcript/, accessed 3 December 2017.

(2) William Neikirk and David S. Cloud, 'Clinton: Abuses Put China "On Wrong Side of History"', *Chicago Tribune,* 30 October 1997, http://articles.chicagotribune.com/1997-10-30/news/9710300304_1_human-rights-jiang-zemin-chinese-leader, accessed 3 December 2017.

(3) Eric Bradner, 'Hillary Clinton's Email Controversy, Explained', CNN, 28 October 2016, http://edition.cnn.com/2015/09/03/politics/hillary-clinton-email-controversy-explained-2016/index.html, accessed 3 December 2017.

(4) Chris Graham and Robert Midgley, 'Mexico Border Wall: What is Donald Trump Planning, How Much Will It Cost and Who Will Pay for It?', *Telegraph,* 23 August 2017, http://www.telegraph.co.uk/news/0/mexico-border-wall-donald-trump-planning-much-will-cost-will/, accessed 3 December 2017; Michael Schuman, 'Is China Stealing Jobs? It May Be Losing Them, Instead', *New York Times,* 22 July 2016, https://www.nytimes.com/2016/07/23/business/international/china-jobs-donald-trump.html, accessed 3 December 2017.

(5) 19世紀と20世紀初期の例として、以下を参照のこと。Evgeny Dobrenko and Eric Naiman (eds.), *The Landscape of Stalinism: The Art and Ideology of Soviet Space* (Seattle: University of Washington Press, 2003); W. L. Guttsman, *Art for*

【ら行】

【わ行】

【や行】

【ま行】

【は行】

【な行】

【た行】

【さ行】

【か行】

【あ行】

索引

【アルファベット・数字】

本書は二〇一九年一一月、小社より単行本として刊行されました。

トゥエンティワン・レッスンズ
21 Lessons
21世紀の人類のための21の思考

二〇二一年一一月一〇日　初版印刷
二〇二一年一一月二〇日　初版発行

著　者　ユヴァル・ノア・ハラリ
訳　者　柴田裕之
発行者　小野寺優
発行所　株式会社河出書房新社
〒一五一－〇〇五一
東京都渋谷区千駄ヶ谷二－三二－二
電話〇三－三四〇四－八六一一（編集）
〇三－三四〇四－一二〇一（営業）
https://www.kawade.co.jp/

ロゴ・表紙デザイン　粟津潔
本文フォーマット　佐々木暁
本文組版　KAWADE DTP WORKS
印刷・製本　中央精版印刷株式会社

Printed in Japan　ISBN978-4-309-46745-0